D1385234

Votre enfant
de la naissance à 3 ans

Anne Bacus

Votre enfant
de la naissance à 3 ans

Marabout

Sommaire

La première année de votre enfant

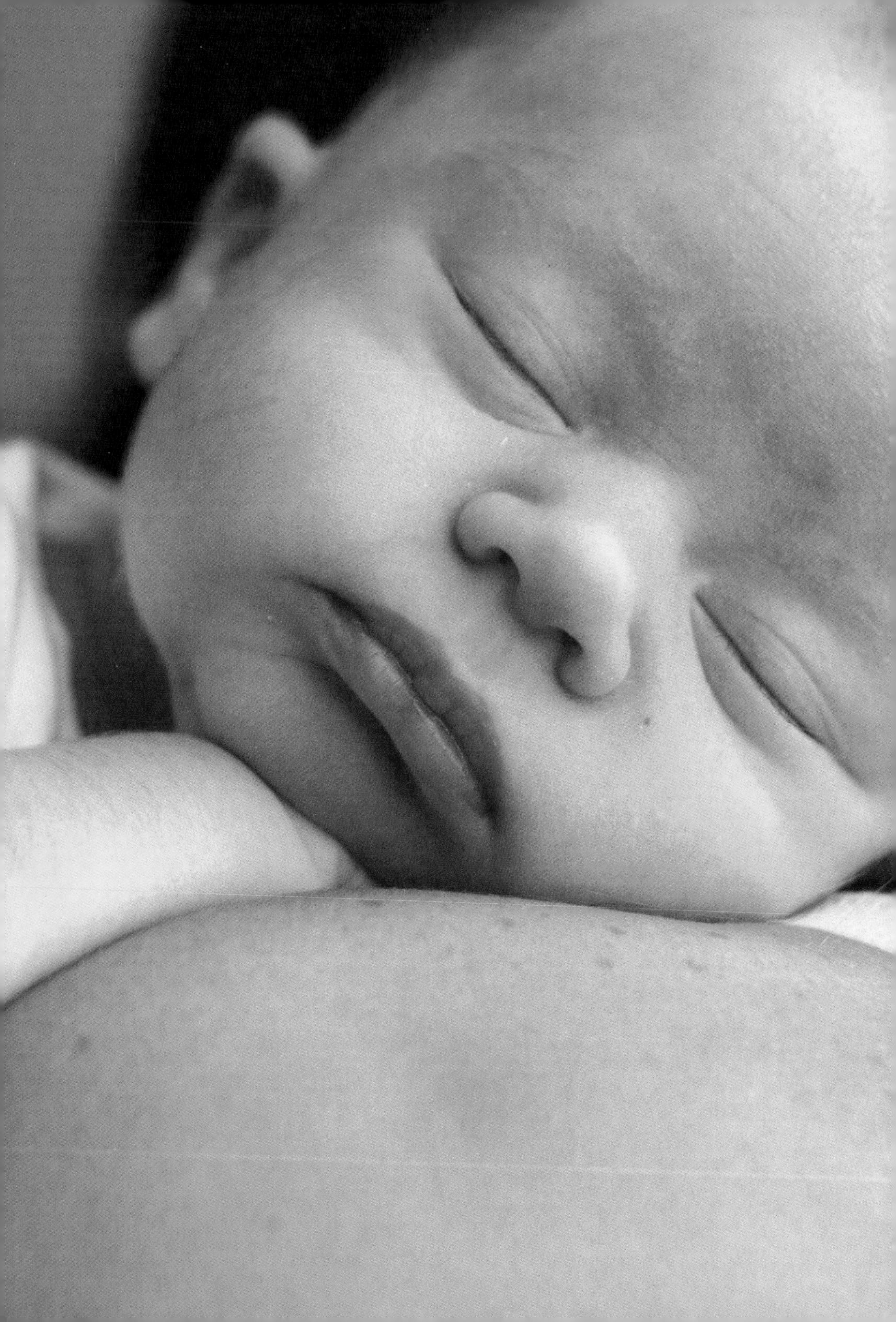

Le nouveau-né

Bébé est là

Ou plutôt continuer… parce qu'il est évident que le dialogue avec le bébé était déjà entamé pendant la grossesse. Mais les jours passés à la maternité sont vraiment le moment idéal pour que, pleine d'amour et de disponibilité, vous approfondissiez la rencontre avec votre bébé à peine né.

Faire connaissance

Il est là, enfin, dans vos bras… quel émerveillement ! Il a tout : deux bras, deux jambes, dix orteils… Votre bébé est le plus beau du monde. Lisse, rond et rose… Non ? Allons, il le sera dans quelques jours. Pour l'instant, il a peut-être…

… La peau couverte d'un enduit blanc et visqueux. C'est le vernix. Il a recouvert son épiderme et l'a protégé. Il a aussi aidé à le « faire glisser » lors de l'accouchement. Le vernix s'enlève lorsqu'on lave l'enfant, mais il est préférable de le laisser disparaître tout seul, ce qui est fait en un ou deux jours.

… Le teint jaune. Il s'agit de l'ictère du nouveau-né, phénomène qui traduit la destruction de certains globules rouges devenus inutiles et qui, dans sa forme banale, ne nécessite aucun traitement. Il faut souvent quelques jours pour que la peau du bébé prenne sa jolie teinte rose. Les marques de naissance, taches couleur lie de vin situées en général à l'arrière du crâne, sont aussi très fréquentes. Elles mettront entre six et dix-huit mois à disparaître.

… Une grosse tête, vaguement déformée, asymétrique ou « en pain de sucre ». La tête des bébés paraît grosse en comparaison de la nôtre, car elle représente, en proportion, une plus grosse partie de son corps (un quart de sa taille globale). De plus, les os du crâne du bébé ne sont pas encore soudés et les pressions subies par le crâne lors de l'accouchement ont pu le déformer légèrement. Cela se remet en place tout seul.

… Une abondante chevelure noire et des poils sur les épaules, le dos, les oreilles ou le front. Cela est fréquent : tous ces poils disparaîtront en quelques semaines.

… Des petits points blancs sur le nez, des taches rouges sur le visage ou sur la nuque. Ils disparaîtront aussi, les premiers

plus rapidement que les secondes, mais elles seront vite cachées par les cheveux.
... Les yeux bleu ou gris foncés. Cela ne signifie pas qu'il aura les yeux bleus. Il faut plusieurs mois, parfois plusieurs années, avant que les yeux du bébé prennent leur teinte définitive.

Ces signes ne doivent susciter aucune inquiétude. Ils sont naturels et, le plus souvent, disparaîtront d'eux-mêmes. Votre bébé est unique au monde. Il vous voit, il vous entend, il aime vos caresses et apprend votre odeur. Dans quelques jours, il sera le plus beau de tous. Au moment de sa naissance, l'aspect de votre nouveau-né peut vous surprendre... Tout cela va s'arranger très vite.

● Juste après **la naissance**

Votre bébé est posé sur votre ventre, encore tout gluant, la respiration à peine établie. Placez le bébé à plat ventre sur vous, la tête près de vos seins, ses jambes repliées sur vous. Posez largement vos mains sur son dos et massez-le, tout doucement et tendrement.

Il est bien que son premier contact soit avec vous, peau à peau, quand cela est possible, et non avec une sage-femme ou avec un lange. Si le père est présent, il peut lui aussi avoir ce contact très précoce avec son bébé en posant sa main près de la vôtre.

Tout contre vous

- Votre bébé retrouve le bruit des battements de votre cœur, qui l'a bercé pendant toute la période intra-utérine. Retrouver ce même bruit « au-dehors » est un élément important d'apaisement chez le bébé et développe certainement un sentiment de sécurité.
- Contre vos seins, le bébé repère votre odeur et présente déjà le réflexe de s'y enfouir.
- Si vous et son père parlez à votre bébé, l'appelez par son nom, il retrouvera vos voix, dont il a perçu les vibrations avant même de les entendre. Ces voix sont forcément perçues différemment de ce que le bébé entendait *in utero*, mais elles ont les mêmes inflexions et les mêmes accents, ce qui fait que votre bébé pourra les reconnaître.

Les premiers soins

D'abord une puéricultrice ou une sage-femme va emmener votre bébé quelques minutes pour un examen rapide : dégagement des voies respiratoires et digestives, collyre, toilette, pose du petit bracelet d'identification. Puis votre bébé vous sera rendu et vous pourrez faire mieux connaissance. Parfois un bain lui sera donné juste à côté de vous.Enfin, au bout d'une heure ou deux si tout va bien, vous vous retrouverez ensemble dans la chambre et vous pourrez faire connaissance tout à loisir.

Dans les heures qui suivent

Si l'accouchement s'est bien déroulé, le bébé reste près de sa mère pendant deux heures environ, en salle de travail. S'il est en couveuse, vous pouvez demander que celle-ci soit placée près de vous, à portée de main. Vous serez étonnée de voir votre enfant aussi éveillé, calme, tranquille et attentif. Comme si cette « tempête » dont il sort était déjà oubliée. Le nouveau-né est totalement réceptif à votre regard, à vos paroles et sensible, n'en doutez pas, à l'accueil que vous lui faites.

L'accordage

Ce que les spécialistes appellent parfois « l'accordage », c'est-à-dire l'accord qui se crée entre le nouveau-né et sa mère, mais aussi avec son père, commence dès la venue au monde. Utilisez ces moments pour :

- parler doucement à votre bébé, lui souhaiter la bienvenue ;
- continuer à le caresser tendrement, sur la tête, le long du dos, puis sur tout le corps ; de vraies caresses lentes et douces peuvent être, en plus du plaisir que vous en retirerez tous les deux, d'un grand bienfait sur le plan physiologique ;
- placer votre bébé au sein si vous souhaitez l'allaiter ;
- échanger avec le papa vos toutes premières impressions et lui demander de prendre les premières photos.

Ces deux heures de doux tête-à-tête écoulées, vous allez vous rendre dans votre chambre pour prendre un peu de nourriture et de repos. Vous retrouverez votre bébé un peu plus tard, vêtu et couché au fond de son berceau, désireux, comme vous l'êtes, de vous retrouver.

Il arrive qu'un problème de santé affectant la mère ou l'enfant les empêche de profiter au mieux de ces toutes premières heures. Si c'est votre cas, n'en soyez pas trop déçue : dès que vous le pourrez, vous rattraperez le temps perdu par un surcroît d'attention et de tendresse.

Premières **rencontres**

Les quelques jours que vous allez passer à la maternité, dégagée normalement des responsabilités et des soucis matériels, seront bénéfiques si vous en profitez pour :

- vous reposer ;
- faire connaissance avec votre bébé ;
- poser toutes les questions qui vous viennent à l'esprit, même celles qui vous semblent trop simplistes. Pour ne pas en oublier, écrivez-les sur une feuille au fur et à mesure qu'elles vous viennent à l'esprit : vous les poserez d'un coup lors de la visite du médecin.

Essayez, quelles que soient les règles en vigueur dans la maternité, d'avoir votre bébé avec vous pendant ses temps d'éveil,

Le premier bilan de santé

Avant de quitter la maternité, votre bébé passera, en votre présence, un examen médical approfondi effectué par le pédiatre de l'établissement et destiné à vérifier que tout va bien. Il est important que ce bilan se déroule à un moment où le bébé est en éveil, disponible et calme. Tout cet examen est un peu éprouvant pour lui, mais émerveille souvent les parents qui en profitent pour poser leurs dernières questions au pédiatre.

- Examen des sutures des os du crâne et des fontanelles.
- Écoute du rythme cardiaque et auscultation pulmonaire pour rechercher d'éventuelles anomalies ou malformations.
- Palpation de l'abdomen et des organes internes principaux.
- Inspection des mains, des pieds et des organes génitaux.
- Contrôle de la tonicité pour vérifier si l'enfant réagit aux stimulations, suit des yeux, communique, etc.
- Vérification de la cicatrisation de l'ombilic (nombril) et des hanches (afin de dépister une éventuelle luxation).
- Prises de mensurations (taille, poids, périmètre crânien).
- Vérification des réflexes archaïques, comme la marche automatique, le *grasping* (l'enfant s'agrippe très fort des mains), le réflexe de succion. Dès la naissance, le bébé « sait » déjà faire un certain nombre de choses, dont certaines seront oubliées quelques semaines plus tard et qu'il devra réapprendre.

assez courts. Dans vos bras, votre bébé retrouve le rythme de votre cœur, qu'il connaît si bien, apprend à identifier votre voix et découvre votre odeur, qu'il sera vite capable de reconnaître.

Parfois des problèmes de santé empêchent la mère ou le bébé de se retrouver rapidement. Si c'est votre cas, ne soyez pas trop déçue. Demandez que l'on glisse dans le berceau de votre bébé un foulard ou un tee-shirt portant votre odeur et allez le voir autant que vous le pourrez.

L'amour maternel

Contrairement à ce que l'on imagine, l'amour maternel n'est pas toujours immédiat. Si certaines mères fondent aussitôt de tendresse devant leur petit, d'autres,

épuisées ou inquiètes, s'étonnent de ne pas ressentir d'élan envers leur bébé. Rares sont les accouchements parfaits et les bébés qui ressemblent exactement à l'enfant rêvé. Il faut prendre en compte les hormones et la fatigue…
Finalement, l'amour des parents pour leur enfant se développe au fil des premiers jours, puis s'approfondit au cœur du quotidien, à travers les mille petits liens qui se tissent en une toile solide.

Un petit être déjà très doué

Le bébé naît toujours aussi démuni, inachevé et dépendant. Mais depuis l'avènement de la « bébologie », qui se donne pour objet l'étude des compétences et comportements des bébés, on sait que ces derniers sont des « vraies personnes » – ce dont les mères n'avaient jamais douté… Les scientifiques ont élaboré un matériel basé sur la « succion non nutritive » : plus le bébé est intéressé par une situation et plus il tire fort sur une tétine reliée à un capteur.
On sait maintenant avec certitude que :
- le nouveau-né entend et voit, il réagit aux caresses ;
- il reconnaît l'odeur et la voix de sa mère, puis de son père ;
- il est sensible aux voix et aux paroles prononcées ;
- il marque des préférences auditives, visuelles et gustatives ;
- il est plus attiré par le complexe que par le simple ;
- il cherche le regard et le fixe ;
- il imite des mimiques faciales ;
- il apprend et sait moduler son comportement selon les situations ;
- il cherche à communiquer avec d'autres êtres humains.

Cette dernière compétence est la plus importante et la plus réelle. Le bébé, comme l'écrit M. Thirion, « est capable d'anticiper sur son propre développement et de montrer un cerveau actif et agissant, capable, dès la naissance, de communication sociale profonde et de choix ».

En France, environ une femme sur deux choisit d'allaiter (90 % dans les pays scandinaves). Sein ou biberon, le choix est difficile. Il dépend de beaucoup d'éléments : la tradition familiale, l'influence des médecins, le rapport que la femme entretient avec son propre corps, l'idée qu'elle se fait de son rôle de mère.

Nourrir votre bébé

Le plus souvent, le choix d'allaiter ou non est déjà fait par la mère avant qu'elle n'accouche. Il peut être différent pour un premier ou pour un second bébé. En parler avec le père permet de prendre à deux une décision qui engagera chacun : si l'allaitement exclut le père de l'intimité des repas, il demande à la mère une grande disponibilité. Mais, au fond des choses, c'est à chaque jeune maman de s'interroger sur son intime conviction et de prendre sa décision.
On n'est pas une mauvaise mère parce qu'on n'allaite pas son bébé. Ou parce qu'on ne sent pas instantanément la puissance de l'instinct maternel vous envahir. C'est à chacune de trouver sa façon d'être mère, selon son propre tempérament. Le choix qu'une mère fera sera le bon s'il est en accord avec ses sentiments profonds.
Mais il faut savoir que les moments du repas sont des moments extrêmement privilégiés pour le bébé, surtout à un âge où il passe une grande partie du reste de la journée à dormir. Le biberon, comme le sein, peut être donné dans un contact de grande intimité. Le bébé est blotti dans vos bras, il apprend votre odeur, vous lui parlez doucement, vous lui souriez, il vous regarde…
C'est cette ambiance de calme, de douceur, de plaisir intime et partagé, qui est essentielle, bien plus que le lait lui-même (les laits de remplacement sont d'excellente qualité) ou son contenant.

• L'allaitement au sein

Vous avez choisi d'allaiter votre bébé. Dans ce cas, on vous a sûrement proposé de le mettre au sein dans les heures qui suivaient sa naissance. Cette mise au sein précoce favorise la montée de lait. Dans

Le colostrum

Si vous choisissez d'allaiter votre bébé, le mieux est de commencer dès l'accouchement. Vos seins ne produiront du lait à proprement parler que dans trois jours seulement. Mais d'ici là, ils produisent un liquide jaunâtre, qui précède l'apparition du lait et qui s'appelle le colostrum. Riche en protéines et en sels minéraux, pauvre en graisse et en sucre, il convient parfaitement aux besoins du nouveau-né. Comme il est légèrement laxatif, il aide à l'expulsion du méconium qui est une substance noirâtre présente dans les intestins du bébé à sa naissance. Le colostrum contient également de nombreux anticorps, que la mère transmet ainsi à son bébé et qui le protègent contre les infections. Vous voyez combien ce colostrum est précieux : n'en privez pas votre bébé ! Dans certaines maternités, l'habitude consiste à séparer les mères de leur bébé afin que celles-ci se reposent. C'est alors à vous de demander que l'on vous amène votre bébé, afin de le mettre au sein chaque fois qu'il le réclame.

les premiers jours, les seins sécrètent du colostrum. Puis la composition du lait va évoluer au cours d'une même tétée (la teneur en matières grasses augmente), au cours de la journée (le lait est plus riche la nuit) et au fil des semaines, pour s'adapter aux besoins de l'enfant. Le lait maternel apporte à l'enfant exactement ce dont il a besoin.

Le lait maternel est le meilleur que le bébé puisse recevoir. Parfaitement adapté aux besoins du nouveau-né, sa composition apporte à l'enfant des anticorps pour lutter contre les infections et semble satisfaire mieux que la tétine les besoins de succion du bébé. Enfin, le lait maternel, plus facilement et plus vite digéré, provoque moins de renvois.

Le point de vue affectif est tout aussi important. Pour la mère qui l'a choisi, allaiter son bébé est une aventure merveilleuse qui maintient l'intimité et crée entre eux une complicité durable.

Le point de vue du bébé est simple : l'allaitement lui convient parfaitement. Pour plusieurs raisons.

- Il est fabriqué spécifiquement pour cet enfant-là et se modifie en qualité et en quantité, selon ses besoins.
- Il contient des anticorps qui immunisent l'enfant contre bon nombre de maladies.

- Il permet au bébé de régler seul son appétit et ses besoins, donnant à sa mère l'occasion de connaître intimement ses rythmes. Symboliquement, il renforce la relation en maintenant un lien corporel.
- Il est parfaitement digeste et n'entraîne aucune allergie.
- Il comble le besoin de contact, de proximité et de corps à corps avec la mère, satisfaisant ainsi les relations affectives entre maman et bébé.

Quelles femmes peuvent allaiter ?

À part quelques rares contre-indications, toutes les femmes peuvent allaiter, quelles que soient la taille de leurs seins. Au début, la sage-femme saura vous aider. Passé une mise en route parfois délicate de quelques jours, l'allaitement deviendra plus facile et plus régulier.

QUELQUES CONSEILS

- Alternez les seins d'une tétée à l'autre.
- Aidez l'enfant à prendre tout le mamelon dans sa bouche.
- Évitez de compléter les tétées par un biberon.
- L'hygiène des seins doit être rigoureuse.

La femme qui allaite peut manger tout ce qu'elle aime. Si les aliments donnent un goût au lait, cela ne peut que favoriser la diversification alimentaire ultérieure du bébé ! Elle doit boire de l'eau en quantité suffisante (2 litres par jour en dehors des repas) et évitera tabac et alcool, ainsi que tout médicament dont le médecin n'a pas garantit l'innocuité.

Offrir à la demande

Au début, l'allaitement doit se faire à la demande. Le bébé sait lorsqu'il a faim et c'est à lui de déterminer le rythme de ses repas et la quantité qu'il doit absorber. Faites confiance à votre bébé : il connaît parfaitement ses besoins. Y répondre, c'est lui donner confiance en lui et en vous : ce monde est bon, où l'on vous prend tendrement et l'on vous nourrit lorsque votre ventre crie famine ! Inutile, donc, de réveiller pour le nourrir un bébé qui dort. Chaque bébé trouvera le rythme qui lui convient, différent de celui d'un autre bébé. N'usez qu'avec parcimonie de la balance (une pesée chaque jour, puis chaque semaine, suffit largement) et de la pendule.

• Nourrir au **biberon**

Si, par choix ou par nécessité, vous nourrissez votre bébé au biberon, sachez que les préparations lactées du commerce sont tout à fait adaptées à ses besoins. De bonnes conditions d'hygiène sont nécessaires dans la préparation et le nettoyage des biberons. Mais avant tout le bébé a besoin d'amour, de temps et d'attention. Le repas est un moment privilégié d'échange et d'intimité où le bébé apprend votre odeur, votre regard, votre sourire... Cela est beaucoup plus important que la façon d'allaiter. Et puis le papa peut ainsi participer également et nourrir son bébé, ce qui peut être important pour lui et soulager la maman.

Alors, si vous avez opté pour le biberon, faites-le d'un cœur joyeux : bébé sera tout aussi heureux et bien nourri.

Les biberons

Faire les biberons est le premier problème auquel vous allez être confrontée, à peine rentrée chez vous, si vous avez choisi de ne pas allaiter votre bébé. Même si cela semble compliqué au début, sachez que vous prendrez très vite la main ! Ce n'est pas une question bien difficile si vous suivez les précautions d'usage. Au vingtième, le père et la mère sont parfaitement au point !

Le matériel dont vous avez besoin : des biberons, des tétines, de quoi stériliser, de l'eau minérale en bouteille (Évian, Volvic, Vittel), du lait en poudre.

Vous aurez besoin d'environ 7 biberons par jour. Si vous ne voulez pas stériliser trop souvent, prévoyez d'acheter 7 biberons de grande taille (220 g) et 1 biberon de petite taille (pour l'eau, les jus de fruits). Les biberons doivent être tous stérilisables et de préférence incassables (un jour votre bébé s'en servira tout seul...). Prévoyez un nombre légèrement supérieur de tétines : elles s'usent plus rapidement que les biberons et doivent être changées aussi souvent que nécessaire.

CE QU'IL FAUT SAVOIR SUR L'ALLAITEMENT

- Il faut boire beaucoup (deux litres d'eau par jour en plus des repas).
- L'alcool que vous buvez passe dans le lait. Donc abstenez-vous au maximum.
- Certains aliments à odeur forte donnent un goût au lait (poireaux, asperges, choux, etc.).
- Allaiter renforce les défenses naturelles du bébé contre un certain nombre de maladies.
- Mettre le bébé au sein fait monter le lait.

La stérilisation

Vous avez le choix entre deux systèmes :

- La stérilisation à chaud : dans un stérilisateur, ou dans un autocuiseur, ou simplement dans une casserole pleine d'eau bouillante. Biberons, bagues et tétines, au préalable bien lavés et rincés à l'eau chaude, doivent bouillir 20 minutes.
- La stérilisation à froid, la plus pratique : vous faites fondre une pastille stérilisante (Milton, Solustéril, etc.) dans un récipient d'eau froide muni d'un couvercle. Vous y disposez biberons et tétines propres, de façon à ce qu'ils soient recouverts d'eau et vous laissez tremper 15 minutes. Vous pouvez aussi laisser tremper et sortir les biberons au fur et à mesure de vos besoins. Il est inutile de rincer les biberons. En revanche, il est souhaitable de bien les égoutter et de rincer les tétines avec l'eau dont vous vous servez pour reconstituer le lait. La solution doit être renouvelée chaque jour.

> **Que vous allaitiez ou donniez le biberon, il est important de comprendre et de respecter les besoins de votre bébé.**

Le lait en poudre

En fait de lait, il s'agit d'un ALD (aliment lacté diététique), premier âge. Ces aliments sont fabriqués à partir de lait de vache, modifié et transformé afin de correspondre aux besoins du bébé. Ils sont tout à fait adaptés à l'alimentation du bébé, de la naissance à quatre mois. Un seul impératif : respectez les quantités indiquées pour la reconstitution, qui sont généralement d'une cuiller-mesure arasée (non bombée) pour 30 g d'eau. « Forcer » sur la proportion de lait en poudre ne pourrait que nuire à la santé de votre bébé.

Préparer un biberon

Vous pouvez préparer les biberons de la journée à l'avance, à condition de les conserver ensuite dans le réfrigérateur (pas plus de vingt-quatre heures) et de les réchauffer au fur et à mesure. Mais ne conservez jamais le lait que le bébé a laissé au fond de son biberon pour un prochain repas. Si vous disposez d'un micro-ondes, il est aussi rapide de préparer les biberons au moment du repas. Voici comment procéder :

- Versez dans le biberon la quantité d'eau nécessaire.
- Faites chauffer l'eau. Vous pouvez aussi préparer le biberon avec de l'eau à température ambiante (20 °C) ou tiède.
- Versez juste le nombre de mesures de lait arasées correspondant à la quantité d'eau. Les quantités sont données sur l'emballage. Veillez à bien les respecter.
- Ajustez la tétine et le capuchon.

◗ Agitez doucement le biberon pour diluer la poudre.
◗ Versez quelques gouttes de lait sur le dos de votre main pour contrôler la température.
Le biberon est prêt.

Combien de biberons par jour ?

Un nouveau-né boit environ toutes les trois heures, puis rapidement toutes les quatre heures. Mais cela dépend beaucoup du poids et de l'appétit de votre enfant. Le mieux est de vous laisser guider par lui. Un bébé qui a faim sait parfaitement se faire comprendre par ses cris.
Au début, le rythme des repas sera forcément irrégulier. Inutile, si bébé dort depuis trois heures, de le réveiller pour manger. La faim s'en chargera. Suivre les besoins de son bébé demande une grande disponibilité, mais c'est ainsi que les choses se mettent en place le plus facilement. Vous verrez rapidement que ses horaires se stabiliseront au fil des semaines.

Sur quelle vitesse mettre la tétine ?

Les tétines premier âge n'ont qu'un débit. Elles conviennent bien pour le lait et l'eau pendant les premières semaines. Si vos tétines ont trois débits, choisissez le plus petit pour commencer. Les autres débits seront utiles lorsque vous épaissirez les biberons.
Pour savoir si le trou de la tétine est correct, retournez le biberon rempli : une tétine bien percée laisse passer un goutte-à-goutte rapide. Si le jet est trop rapide, changez de tétine et gardez celle-ci pour les futures bouillies. S'il est trop lent, agrandissez le trou avec une aiguille chauffée.

Quelle quantité de lait donner ?

Cela dépend de son âge et de son poids. Commencez par 45 g, puis laissez-vous guider par votre médecin. Mais le meilleur guide reste votre bébé, qui doit manger à sa faim, mais n'être jamais forcé. S'il n'a plus faim, il arrête de boire. En revanche, s'il finit d'une traite tous ses biberons, il est temps d'augmenter les quantités.
Si vous avez un doute, préparez des biberons un peu plus remplis que nécessaire et laissez votre bébé prendre la quantité qui lui convient. Elle peut varier d'un repas à l'autre.

La température du biberon ?

La température ambiante est suffisante pour le bébé, soit un biberon à 20 °C environ.
Si vous souhaitez qu'il soit un peu plus chaud, laissez la bouteille d'eau minérale sur le radiateur. Si le biberon était déjà prêt au réfrigérateur, mieux vaut le tiédir au chauffe-biberon, au bain-marie, ou quelques secondes au micro-ondes.
Beaucoup de mères réchauffent les biberons au micro-ondes : c'est pratique

et rapide… mais beaucoup de bébés se sont brûlés. Le biberon est tiède mais le lait brûlant. Soyez donc très prudente : secouez toujours le biberon, puis versez une goutte de lait sur le dos de votre main, pour en vérifier la température.

● La tétée

Que vous allaitiez ou que vous donniez un biberon, il est important que vous vous installiez confortablement. Le bébé ressent le bien-être comme la tension musculaire de celui qui le tient dans ses bras et cela n'est certainement pas sans incidence sur son appétit.

Nourrir à l'heure ou à la demande

Votre bébé n'est pas une mécanique : les horaires de ses repas ne peuvent être réglés comme par ordinateur. Il a son rythme propre, que vous allez découvrir progressivement. Il peut avoir davantage d'appétit certains jours ou à certaines heures. De plus, tous les bébés sont différents. Selon leur poids, ils ont des besoins différents en nombre de tétées, en quantité ou en régularité.

Ne vous laissez pas contraindre par des paroles comme « Donnez-lui un repas toutes les trois heures » ou « Laissez-le dix minutes à chaque sein ». Ces trois heures ou ces dix minutes ne sont pas à prendre à la lettre et ne doivent pas vous faire vivre l'œil sur la pendule. Concentrez plutôt votre attention sur votre bébé, afin d'apprendre rapidement à interpréter les « signes » qu'il vous envoie sur son appétit ou sur sa satiété.

S'installer confortablement

La meilleure position consiste à s'asseoir dans un fauteuil et à appuyer le bras qui soutient la tête du bébé sur un accoudoir. Tant que le bébé est tout petit, il est moins fatigant de le poser sur un coussin ou sur un oreiller placé sur les genoux de celui ou de celle qui le nourrit, afin de le hausser à la bonne hauteur.

Si la mère allaite couchée, elle peut s'allonger sur le côté, le haut du corps surélevé par un oreiller, et allonger son bébé contre elle. Il n'est pas recommandé que le bébé boive en position totalement horizontale. De jour, il est agréable d'être assise dans un fauteuil assez bas, les bras en appui, l'enfant en position semi-verticale, sa tête se reposant dans le creux du coude. De toute façon, chaque mère saura trouver la position où elle se sent le mieux.

Il est vrai qu'une certaine régularité dans les heures des repas est bénéfique à l'enfant et vous permet, en tant que parents, de prévoir et de vous organiser. Mais cette régularité va se mettre en place progressivement et naturellement. Ne cherchez pas à forcer les événements et

VOTRE BÉBÉ PLEURE APRÈS LA FIN DE LA TÉTÉE ?

- Il faut boire beaucoup (deux litres d'eau par jour en plus des repas).
- Il se peut qu'il ait encore faim : proposez-lui une petite ration supplémentaire pour vous en assurer.
- Il se peut qu'il souffre d'une digestion difficile ou d'une crampe intestinale : tenez-le dans vos bras, bercez-le et caressez-lui doucement le ventre.
- S'il pleure de fatigue, bercez-le un peu, puis couchez-le. Il ne devrait pas tarder à s'endormir.
- Enfin, il est possible et fréquent qu'il pleure parce qu'il n'a pas assez tété. Aidez-le à prendre ses doigts ou donnez-lui une tétine : cela l'apaisera.

acceptez que les trois heures qui séparent généralement une tétée de la suivante puisse aussi bien être deux heures et demie que quatre heures.

Comprendre les besoins de votre bébé

Le lait maternel est plus vite digéré que le lait en poudre. Vous avez allaité votre bébé il y a deux heures, mais il pleure déjà. Allez-vous le laisser pleurer de faim jusqu'à ce qu'il soit l'heure prévue ? C'est totalement inutile et nuisible. L'avantage du sein est justement que le bébé prend la quantité qu'il veut, sans que vous ayez à vous en inquiéter.

Tâchez de faire de même si votre bébé est au biberon. Lui aussi a le droit d'avoir plus ou moins faim, avant ou après l'heure. Ne laissez pas votre bébé hurler de faim, ne le forcez pas non plus à finir ses biberons. Contraindre un bébé à adopter un rythme rigide qui ne serait pas le sien risque de provoquer malaises et difficultés.

Un moment d'intimité

Toutes ces notions donnent une image un peu technique de l'allaitement. En réalité, tout cela devient vite une routine qui s'effectue sans aucune difficulté particulière.

Il ne faut pas que cela fasse oublier, ou passer au second plan, que le plus important est l'échange d'intimité et de tendresse qu'offre le moment des repas. Pour donner le biberon, ne vous laissez pas déranger par le téléphone ou la télévision. Votre bébé vous regarde souvent dans les yeux : il cherche à communiquer.

Souvent il va émettre des petits signes ou grognements que vous apprendrez à interpréter. Détendue, vous lui souriez, vous lui parlez. Lorsque le bébé a fini de manger, il se sent comblé et heureux. Il arrive qu'il s'endorme rapidement, dans un état de totale béatitude.

Lorsque le papa donne le biberon, non seulement il soulage la mère (la nuit, notamment !), mais encore il se donne l'occasion de créer, lui aussi, un lien étroit et privilégié avec son bébé. Toutes ces techniques semblent compliquées : vous vous y mettrez vite. L'essentiel réside dans le plaisir du tendre tête-à-tête que sont les moments des repas.

Laissez-le boire à son rythme, même s'il s'arrête parfois pour se reposer. Prenez le temps du rot, sans en faire une obsession. Le bébé aime faire du temps des tétées des moments de douce complicité et s'endormir calmement dans les bras qui l'enserrent.

● Le **rot**

Le rot est un réflexe digestif qui correspond à un rejet d'air par le bébé, parfois accompagné d'un léger renvoi de lait. Cet air a été généralement avalé avec le lait en cours de tétée, peu par les bébés au sein, davantage par les bébés au biberon.

Certains bébés attendent la fin du biberon pour émettre rapidement un rot bien sonore. D'autres ont besoin de deux ou trois pauses en cours de repas pour expulser à chaque fois un peu de l'air ingurgité. Vous le repérerez au fait que le bébé cesse de téter, repousse la tétine et se tend légèrement. Il est de toute façon conseillé de ménager, en cours de repas, une « pause rot ».

J'ignore pourquoi il est fait tant de cas de ce fameux rot. Si certains bébés sont incommodés et font de gros rots, parfois plusieurs en cours de tétée, d'autres bébés ne le sont pas du tout et se contentent d'un rot en fin de tétée, voire pas du tout. Cela est sans importance. « Faire son rot » n'est pas indispensable et ne nécessite pas que l'on réveille le bébé endormi sur le sein ou qu'on lui tapote vigoureusement le haut du dos. Une fois la tétée finie, prenez votre bébé contre vous, le menton appuyé sur votre épaule, et câlinez-le. Si le rot ne vient pas dans les dix minutes, vous pouvez remettre votre bébé au lit.

Enfin, sachez que les bébés ont souvent le hoquet : ils l'avaient déjà dans votre ventre. Soyez sans inquiétude : cela ne leur fait pas de mal et disparaît tout seul.

● Les **régurgitations**

Tous les bébés recrachent un peu de lait après avoir bu leur biberon. Ces petites régurgitations sont banales, n'empêchent pas la prise de poids et sont souvent le fait des bébés goulus. Il est courant et absolument pas inquiétant que le bébé régurgite une petite quantité de lait en même temps qu'il fait son rot, ou un peu plus tard. Leur odeur acide et l'aspect caillé du lait rejeté signifient simplement que la digestion était déjà commencée. Mais si bébé semble souffrir, s'agite et rejette du lait caillé, il s'agit alors d'un vrai vomissement, douloureux pour le bébé. Si cela se répète, c'est un signe d'alarme à ne pas négliger : il faut consulter rapidement un médecin. Il peut en effet s'agir d'une béance du cardia ou d'un reflux gastro-œsophagien, qui demandent tous deux un traitement rapide. Des mesures concrètes sont à prendre, que le médecin vous expliquera.

Ces régurgitations sont souvent un phénomène de reflux, consécutif à une mauvaise fermeture du clapet fermant le haut de l'estomac. Cette béance disparaît d'elle-même vers dix ou douze mois. Mais elle nécessite, d'ici là, que vous preniez un certain nombre de précautions pour éviter ces reflux acides. Sinon, ils pourraient, à la longue, provoquer des brûlures très douloureuses de la paroi de l'œsophage. Tant que les régurgitations sont peu abondantes, qu'elles n'ont aucune influence sur la courbe du poids du bébé et qu'il ne semble pas en souffrir, il est inutile de vous inquiéter. Il s'agit d'un « trop-plein » dont le bébé se débarrasse.

Si les régurgitation sont trop fréquentes ou abondantes, vous pouvez prendre quelques précautions simples :

- épaissir les biberons ;
- installer le bébé dans un Baby-Relax après le repas (pas de problème s'il s'y endort) ;
- selon le conseil de votre pédiatre, coucher le bébé à plat ventre pour éviter qu'il ne s'étouffe en régurgitant ;
- donner au bébé, avant chaque repas, un médicament pour calmer les contractions de l'estomac.

Enfin, il ne faut pas oublier que des régurgitations importantes peuvent aussi être provoquées, en l'absence de toute malformation de l'estomac, par une intolérance alimentaire au lait choisi. Ne prenez pas l'initiative d'en changer. Seul le médecin pourra vous conseiller utilement et vous indiquer comment nourrir votre bébé.

De retour à la maison, quelques jours seront nécessaires pour trouver vos repères. C'est maintenant que vous allez faire vraiment connaissance avec votre bébé. Faites-lui confiance car il vous fera comprendre ce qui est bon pour lui. Faites-vous confiance aussi en suivant votre intuition et votre tendresse.

Les débuts à la maison

Peut-être n'avez-vous encore acheté que le strict minimum, en matière de vêtements ou d'équipement, préférant, à cause du montant de la dépense, espacer les achats. Peut-être aussi les amis ou la famille attendent-ils la naissance du bébé pour vous demander ce qu'ils peuvent vous offrir, de quoi vous avez besoin.

Les achats indispensables

Les quelques indications qui suivent peuvent vous rendre service et éviter de tomber dans certains pièges.

- Durant les six premiers mois, le bébé grandit très vite et se salit souvent : il faut beaucoup de changes. Durant la même période, il utilise du matériel qui ne servira plus par la suite (baignoire de bébé, landau, berceau, couffin, lit-auto, etc.). Conclusion : si vous achetez tout, cela vous coûtera une fortune. N'investissez que si vous prévoyez déjà la venue de frères et sœurs…
- Tout votre équipement n'a pas besoin d'être neuf ou dernier cri. Faites-vous prêter du matériel ou bien rachetez-en à une amie qui n'en a plus besoin.
- Méfiez-vous des listes fournies par les manuels de puériculture. Renseignez-vous plutôt auprès de vos amies pour savoir ce qui est réellement pratique et utile. Vous n'en connaissez pas? Essayez les petites annonces locales.

Pour habiller bébé

Durant les premières semaines, votre bébé passe une grande partie de son temps à dormir. Le vêtement dans lequel il est le mieux est le pyjama extensible.

Choisissez les vêtements un peu grands (taille trois mois pour la naissance, sauf si le bébé est tout petit). Par la suite, vous tiendrez compte, dans vos achats, plus de sa conformation que de son âge. N'achetez que des textiles doux, confortables, souples, qui se lavent en machine et, si possible, ne se repassent pas. Optez de préférence pour des vêtements qui ne se passent pas par la tête, qui ne se boutonnent pas dans le dos, et qui s'ouvrent par le bas pour changer la couche. Avec un petit bébé, faites toujours passer le confort et l'aspect pratique en priorité.
Souvent, surtout pour son premier bébé, on a envie de se faire plaisir en s'offrant ce qu'il y a de mieux, de plus chic, de plus cher. N'oubliez pas que le plaisir de votre bébé, lui, se trouve dans le confort et le temps complice que vous passez ensemble.
Dans les prochains mois, vous aurez mieux à faire pour votre bébé que de lui repasser des petits plis en dentelle.

Comment s'y prendre

Certaines mères se sentent vraiment maladroites lorsqu'il s'agit d'habiller et de déshabiller leur bébé. Elles n'osent pas tirer sur le bras pour enfiler la manche et encore moins passer des encolures autour de la tête du bébé.
Par ailleurs, de nombreux bébés détestent qu'on les déshabille. La sensation de nudité leur est très désagréable et ils se mettent à hurler dès qu'ils sentent l'air frais sur la peau nue de leur corps. Plus tard, c'est rester immobile quelques minutes qui leur deviendra insupportable!
D'abord se rassurer : ni le bébé ni son crâne ne sont aussi fragiles qu'il y paraît. Si vous parvenez à garder votre calme, l'expérience aidant, vous deviendrez bien vite experte en manipulation de bébé. Si vous êtes de celles pour qui le côté pratique (pour vous) et confortable (pour bébé) doit primer sur l'esthétique ou la mode, voici la tenue de base : chemise fine, grenouillère, chaussons et gilet. À posséder en plusieurs exemplaires...

Si vous évitez les encolures étroites qui se passent par la tête et les excès de manipulations, si vous mettez une bonne dose d'humour et de tendresse dans la situation, tout se passera vite et bien.

Que choisir?

Comme nous l'avons vu précédemment, durant ses premiers mois, l'enfant n'a pas besoin d'une grande variété de vêtements. Il lui faut :

- Des grenouillères en grande quantité (il se salit beaucoup), simples et faciles à entretenir, en éponge extensible. Préférez celles qui se ferment devant : vous n'aurez pas à retourner votre bébé pour le changer.
- Des sous-vêtements. Dans les premiers temps, préférez les brassières à large enco-

lure au body qu'il vous faudra changer dès qu'il sera un peu mouillé (ce qui oblige à déshabiller entièrement le bébé).

- Des chaussettes ou des chaussons, un surpyjama ou un nid-d'ange.

Comment procéder ?

- Préparez tout à portée de main et installez-vous confortablement.
- Pour les jambes et les manches, roulez-les comme si vous vouliez enfiler un collant. Glissez votre main dans la manche et attrapez doucement la petite main.
- Tirez sur l'encolure de la chemise avant de la passer par la tête.
- Retournez le moins possible votre bébé.
- Parlez doucement à votre bébé et attirez son attention sur ce que vous faites en commentant vos gestes.

Le bain

Sans doute les puéricultrices de la maternité vous ont-elles expliqué comment procéder pour donner le bain à votre bébé. Le nez, les oreilles, les yeux, le nombril, le crâne, etc. Mais une fois rentrée chez vous, la manœuvre peut vous sembler bien compliquée.

Une bonne installation

Pour changer et laver votre bébé, vous avez certainement installé dans votre salle de bains une table à langer. À défaut, une simple planche (d'aggloméré ou de contreplaqué), posée en travers du lavabo, que vous couvrez d'un matelas de mousse, d'un plastique et d'une serviette éponge, fait très bien l'affaire. L'essentiel est d'avoir à portée de la main tous les produits dont vous avez besoin. Cependant plusieurs points sont essentiels :

- qu'il fasse bien chaud dans la pièce (entre 22 et 24 °C) et que l'eau soit à la bonne température (le thermomètre de bain doit marquer 36 à 37 °C, mais cela dépend aussi du goût de votre enfant) ;
- que vous ayez tout à portée de la main, produit de toilette, couche et vêtements propres ;
- que vous ayez un peu de temps pour être détendue sans être dérangée.

Peu importe encore que votre bébé soit rincé dans le lavabo, dans une grande bassine ou dans une petite baignoire de bébé. Ce qui est essentiel, en revanche, c'est le confort que votre bébé ressentira et le plaisir que vous partagerez tous les deux.

Le bain quotidien se justifie par ce plaisir et par des nécessités d'hygiène, mais ne vous culpabilisez pas si vous n'avez pas le temps de baigner votre bébé entièrement. Une version abrégée peut consister à :

- laver les fesses au savon de Marseille ;
- nettoyer visage, cou, mains et petits plis avec un coton imbibé d'eau chaude.

Attention, dangers…

Certains produits ou ustensiles de toilette, même s'ils sont vendus dans des lignes de produits pour bébés, sont au mieux inutiles, au pire risqués pour votre nouveau-né.

◗ Les Coton-Tige (ou le coton enroulé autour d'une allumette). N'en utilisez jamais pour nettoyer les oreilles ou les narines de votre bébé. Un petit morceau de coton roulé en mèche et imbibé d'eau tiède suffit largement. Ne l'enfoncez pas dans les conduits : contentez-vous d'en essuyer les contours.

◗ Les éponges. Elles sont de vrais nids à microbes. À son âge, vous pouvez laver votre bébé à main nue ou avec un gros morceau de coton hydrophile. Plus tard, préférez le gant de toilette : il a le mérite de pouvoir être changé chaque jour et passé en machine.

◗ Le shampooing. Il est inutile pendant les deux ou trois premiers mois. Lavez plutôt le crâne de votre enfant avec le savon que vous utilisez pour le reste du corps. Plus tard, choisissez un shampooing « spécial bébés ».

◗ Le lait de toilette. Il nettoie de façon superficielle. C'est une bonne chose d'avoir un flacon de lait de toilette car il peut dépanner, en déplacement notamment. Mais en usage quotidien, de l'eau tiède avec un peu de savon est bien préférable. De plus, certains bébés à la peau particulièrement fragile peuvent faire l'objet d'une irritation ou d'une allergie au lait de toilette en usage répété.

LES INDISPENSABLES POUR LA TOILETTE

- eau
- gant de toilette
- coton hydrophile
- brosse à cheveux
- linge de rechange
- savon de Marseille
- serviette de toilette
- gaze
- couches propres
- séchoir à cheveux
- au besoin : éosine, huile d'amande douce, pommade…

◗ L'eau de toilette. Même les eaux de toilette « spécial bébés » sans alcool peuvent, du fait des parfums, provoquer des réactions allergiques chez certains enfants. Et un bébé propre sent tellement bon naturellement…

◗ Le talc. Très utilisé autrefois, il est aujourd'hui fortement déconseillé. Avec l'urine, il favorise la macération dans les petits plis et peut être la cause d'irritations cutanées.

Adapter le bain

Votre nouveau-né déteste être déshabillé ? Vous ne vous sentez pas assez sûre de vous pour lui donner un vrai

bain ? Vous n'avez pas beaucoup de temps ? Lavez alors votre bébé tout en le gardant sur vos genoux (recouverts d'une grande serviette-éponge) ou bien couché sur son matelas à langer. Ne déshabillez que le haut du corps, que vous savonnez à la main, avec un morceau de coton ou avec un gant propre. Puis vous rincez, séchez et rhabillez avant de découvrir le bas du corps.

Votre bébé aime être plongé dans l'eau? Commencez alors par le savonner entièrement, y compris le crâne, sur la table à langer. Puis plongez-le tout doucement, une main sous la tête et une main sous les fesses, dans l'eau du lavabo ou de sa petite baignoire. Gardez toujours la main sous la nuque et servez-vous de l'autre pour le rincer. Quand votre bébé est bien propre et qu'il a profité un moment de ces nouvelles sensations, sortez-le et enveloppez-le dans une grande serviette de toilette.

Il n'aime pas l'eau

Le bébé passe les neuf premiers mois de sa vie dans le ventre maternel, en milieu liquide. La sensation de l'eau sur sa peau lui est donc connue et normalement très appréciée. Le premier bain, donné parfois en salle de travail, le prouve.

Pourtant certains bébés, dans les jours ou les semaines qui suivent, se mettent apparemment à détester l'eau. Ils refusent le bain et hurlent chaque fois qu'on les y plonge.

Pourquoi? Il semble qu'une seule expérience désagréable suffise. Le bébé peut avoir eu du savon dans les yeux ou avoir éprouvé un sentiment d'insécurité parce qu'il n'était pas bien soutenu. Si un jour un bain a été donné de façon trop brusque ou dans une eau trop froide, cela peut suffire. Le bébé a associé bain et souvenir désagréable. Depuis, il pleure chaque fois. D'autant qu'il déteste le plus souvent sentir l'air sur sa peau nue.

Vous devez prendre le temps, très progressivement, de le réconcilier avec le plaisir de l'eau. Pendant ce temps, interrompez le bain si nécessaire. Vous pouvez, à la place, laver votre bébé avec un gant de toilette et du savon, et le rincer avec une éponge que vous trempez dans une eau bien chaude, sans crainte pour son hygiène. Si, de plus, vous prenez soin de laver alternativement le haut, puis le bas du corps sans jamais le mettre entièrement nu, il y a de fortes chances pour que tout se passe bien.

Les **soins**

La peau fragile des bébés a besoin de soins spécifiques et de précautions élémentaires. Mais ne vous laissez pas impressionner par sa vulnérabilité. Et faites de l'heure de la toilette et des soins un moment privilégié pour les câlins, les bavardages, les chatouilles et les petits jeux.

Fontanelle et croûtes de lait

On appelle fontanelle la partie molle qui se trouve au sommet du crâne de l'enfant. Il s'agit d'une zone de la forme d'un losange correspondant à un cartilage de croissance, là où les os du crâne ne sont pas encore soudés (cela prendra entre un et deux ans).

La fontanelle, élastique, est recouverte par le cuir chevelu et ne présente aucune fragilité particulière. Pourtant, bien des parents croient le contraire, au point qu'ils hésitent à savonner correctement la tête de leur bébé.

Or, il se trouve que le crâne de bébé produit des sécrétions graisseuses entraînant la formation de petites croûtes que l'on nomme couramment « croûtes de lait ». Pour les éviter, il ne faut pas hésiter à laver chaque jour la tête du bébé. Pour les faire disparaître, on les enduit matin et soir d'un peu de vaseline ou d'huile d'olive pendant deux jours, puis on ôte le tout le troisième jour avec du savon, en s'aidant au besoin d'un petit peigne. Cela fait partir les croûtes de lait et s'effectue sans aucun risque.

Une hygiène parfaite permet de prévenir certains problèmes de peau comme l'érythème fessier.

Le change et les couches

Encore un domaine où vous allez vite devenir très habile ! Sans doute la première question que vous vous posez est : quand changer bébé ? La réponse est : à chaque repas. Avant, après ou pendant la tétée ? Cela dépend de vous et de votre bébé. Si vous le changez avant, ne lui mettez qu'une couche rectangulaire « provisoire », car il y a de grandes chances pour qu'il ait une selle au cours du repas. Si vous attendez la fin du repas, vous risquez de devoir secouer un bébé qui commence à s'endormir. Alors pourquoi pas pendant, au moment du rot ?

Vous changez également votre bébé, en dehors des repas, chaque fois que c'est nécessaire (couche souillée), mais ne le réveillez jamais pour le changer.

Les changes complets sont très pratiques, mais le budget couches est alors important. Faites votre enquête : les marques de distributeur sont souvent meilleur marché. À vous de comparer prix et qualité. Les couches rectangulaires sont nettement moins chères et peuvent parfois être utilisées la journée.

L'érythème fessier

Il s'agit du nom technique que l'on donne aux rougeurs qui apparaissent fréquemment sur les fesses des bébés. Elles sont dues le plus souvent à la fragilité de la peau du bébé, en contact fréquent avec l'humidité et l'acidité des couches.

L'urine et les selles produisent de l'ammoniaque qui brûle sa peau. Ces rougeurs sont banales mais elles n'en sont pas moins douloureuses et elles nécessitent que l'on s'en préoccupe sérieusement.

- Changez la couche de votre bébé dès que nécessaire. Ne le laissez jamais longtemps avec une couche mouillée ou sale sur les fesses.
- Aussi souvent que possible, notamment l'été et dehors, laissez-lui les fesses à l'air. Il n'y a pas de meilleur traitement.
- À chaque change, lavez les fesses de l'enfant avec un coton imbibé d'eau chaude, et avec du savon de Marseille en cas de selles. Rincez très soigneusement et séchez longuement avec un séchoir à cheveux.
- Appliquez éventuellement une pommade ou badigeonnez avec une solution, selon ce que le médecin aura prescrit.
- Assurez-vous qu'il ne s'agit ni d'une réaction à une lessive ou à un type de couche, ni de l'effet d'une autre affection, le muguet par exemple.

Préventivement, vous pouvez essayer d'enduire les fesses de votre bébé, à chaque change, d'une très fine couche d'une crème protectrice à l'oxyde de zinc. Ces crèmes ont le mérite d'isoler les fesses du bébé de l'humidité. Mais cessez les applications en cas de rougeurs, car elles empêcheraient la peau de respirer, donc de guérir convenablement.

En fait, il semble que la meilleure prévention soit une parfaite hygiène basée éventuellement sur l'eau et le savon…

Beaucoup **de douceur**

Le bébé est extrêmement sensible à la douceur dont font preuve ceux qui s'occupent de lui. Un soupçon de nervosité ou d'impatience, une absence de chaleur dans le contact sont suffisants pour qu'il se sente malheureux et pleure.

Le contact corporel

La douceur du contact, d'abord. Le bébé est manipulé pendant de longs moments. Changements de couche, bain, déplacement, repas, sont autant de situations où le corps de bébé est entre vos mains, au sens propre. Il sent si vos mains sont chaudes, calmes, accueillantes, ou si elles sont froides, techniques, pressées d'en finir. Dans ce dernier cas, le bébé manifeste son insatisfaction et devient facilement irritable.
La relation corporelle est si importante pour lui, son sens du toucher est si délicat, qu'il ne peut supporter la brusquerie.
La douceur de la voix, ensuite. Autant un bébé est vite sous le charme d'une voix chaude, douce, sûre d'elle, s'adressant à lui avec des mots tendres, autant il crie ou se replie sur lui-même s'il est au contact d'une voix revêche, agressive, criarde ou angoissée.

Certains bébés sont hypersensibles à ce manque de douceur. Si vous avez remarqué que c'est le cas du vôtre, tenez-le bien à l'abri de ceux qui ont perdu ce sens de l'intimité avec les bébés et qui le font douter de la bonté du monde.

Les besoins du bébé

Pour se développer harmonieusement, un bébé a besoin de bien plus que le lait… Et peux vous assurer qu'il s'agit pour lui de besoins dont la revendication est légitime et dont la satisfaction lui est due. Nullement de caprices.
En répondant à ces besoins, non seulement vous ne gâterez pas votre bébé, mais vous lui permettrez de devenir un enfant plus facile, parce que plus heureux.

Tenir son bébé

Dans les premières semaines de sa vie, le nouveau-né semble si petit et si vulnérable que certaines mères, mais surtout certains pères, hésitent à le manipuler. En réalité, le bébé est souple et robuste. Douceur et fermeté sont les règles de base pour que le bébé se sente en confiance et en sécurité contre vous.

Des positions qu'il affectionne…

- Le bébé a besoin de contact physique. Toute position où il sera confortable et en contact avec vous le satisfera. N'hésitez pas à le tenir fermement et à le blottir contre vous, surtout dans ses premières semaines : cela lui donne un sentiment de sécurité. C'est le cas aussi de toute posture où, le dos du bébé étant en position verticale, vous soutenez bien sa colonne vertébrale par un appui fessier solide.
- Il aime aussi les positions où il se sent tout près de vous, dans votre odeur et votre chaleur. Il aime blottir sa tête dans votre cou et que vous le souteniez sous les fesses, mais il aime également être face à vous et pouvoir regarder votre visage.

… et d'autres qu'il déteste

Lorsque vous soulevez votre enfant, évitez :
- de ne le tenir que sous les aisselles ;
- de le prendre par-derrière ou par surprise, sans qu'il ait pu anticiper votre geste.

Bercer son bébé

Autrefois, les petits bébés étaient couchés dans des berceaux, soit suspendus avec des sangles, soit que l'on balançait doucement avec le pied. Les nourrices et les mères savaient bien qu'habitués au bercement aquatique du ventre maternel, les bébés se calmaient et dormaient mieux ainsi balancés. Une douce chanson fredonnée en rythme les accompagnait.
Il s'éloigne – et heureusement – le temps où l'on déconseillait de bercer les bébés, sous prétexte que cela leur donnait « de

LA TENUE DE LA TÊTE

NAISSANCE

- La tête ne tient pas et retombe en avant ou en arrière si elle n'est pas tenue.
- Couché le visage face au matelas, le bébé peut détourner sa tête.

4 SEMAINES

- Si le bébé est tiré doucement et tenu en position assise, il peut tenir sa tête verticale un bref instant.

6 SEMAINES

- Couché sur le ventre, l'enfant commence à pouvoir relever sa tête en même temps que le corps, une minute environ.
- Couché sur le dos, l'enfant tourne sa tête à droite et à gauche et tente de la relever.

mauvaises habitudes». Si vous avez hérité du berceau de vos grands-parents, vous savez qu'il était alors de tradition d'installer le nouveau-né dans un petit lit à sa taille et que l'on pouvait balancer. Les vrais berceaux sont en voie de disparition : c'est maintenant aux parents de tenir ce rôle et de bercer. Pourquoi ne pas s'installer confortablement dans un rocking-chair qui bercera à la fois le père ou la mère et son bébé?

De nombreuses études ont mis en évidence que les bébés bercés et régulièrement pris dans les bras se développaient mieux et étaient plus calmes que les autres. Ils développent des liens de confiance avec leurs parents, car ils se sentent aimés. Alors suivez votre instinct s'il vous souffle de tenir votre petit au chaud tout contre vous.

La modernité et la technique aidant, les bébés sont aujourd'hui couchés dans des petits lits immobiles et la boîte à musique a remplacé la chanson. Des professionnels ayant affirmé qu'il ne fallait pas trop prendre les bébés dans les bras au risque de les rendre capricieux, bien des nouveau-nés d'aujourd'hui n'ont plus ni bercement, ni berceau, ni berceuse.

Quel dommage! Bercer son bébé, si vous êtes confortablement installé sur un fauteuil ou au fond d'un rocking-chair, ne rend pas son caractère plus difficile. Au contraire, cela l'aide à acquérir une sécurité intérieure qui est un bien précieux. Quelle idée du monde veut-on

8 SEMAINES

- En position assise, la tête tient mieux dans l'alignement du corps, mais sans stabilité.

12 SEMAINES

- Couché sur le dos, le bébé peut garder sa tête au milieu et la soulever.
- Allongé sur le ventre, il peut soulever sa tête et la garder ainsi un moment s'il est en appui sur les coudes.

16 SEMAINES

- Allongé sur le ventre ou sur le dos, l'enfant peut soulever sa tête pendant de courtes périodes. En appui sur les avant-bras, il peut rester plusieurs minutes, la tête bien décollée du sol.
- Maintenu en position assise, il tient sa tête bien droite.

donner à un petit qui vient d'y entrer? Celle d'un monde froid où l'on vous laisse seul faire face à vos malaises, ou celle d'un monde chaleureux où des bras accueillants viennent à votre secours? Des chercheurs commencent à mettre en évidence aujourd'hui que les contacts corporels étroits entre la mère et le bébé n'ont pas seulement des effets psychologiques, mais également des effets biologiques. Chez les bébés rats, à nourriture égale, la synthèse des protéines s'opère mieux si la mère les a léchés…

Bruit du cœur et odeur maternelle

Votre bébé est propre, nourri, et pourtant il pleure. Il n'arrive pas à trouver son sommeil. Prenez-le contre vous et appuyez son oreille sur votre poitrine, côté gauche. Il entendra le bruit rythmé de votre cœur, bruit qui a bercé les neuf mois de sa vie dans votre ventre. Ce bruit va le rassurer. Tenez-le là tendrement, vous verrez qu'il se calmera.

Vous devez bouger? Installez votre bébé dans un porte-bébé ventral. En plus du bruit de votre cœur, il retrouvera le rythme de vos pas, le balancement de votre démarche. Pour votre bébé, le contact physique avec vous, parce qu'il permet de retrouver le corps, l'odeur, le mouvement, tout ce qu'il aime et le rassure, sera toujours mieux qu'un landau ou un berceau rigides.

CONNAÎTRE LES DANGERS POUR ÉVITER LES ACCIDENTS

- Le lit est le lieu où le nouveau-né passe le plus de temps. Il doit donc être absolument sûr. Bannissez les couvertures, les draps et les oreillers. Préférez la gigoteuse à la couette et privilégiez un matelas ferme.
- Ne laissez aucune chaîne autour du cou du bébé.
- Posez toujours son couffin par terre, jamais sur une table. Vérifiez régulièrement la sécurité de ses poignées.
- Pour éviter l'hyperthermie, n'habillez pas votre bébé trop chaudement et ne le couvrez pas trop lorsqu'il dort, ou en voiture.
- Le lait d'un biberon chauffé au micro-ondes peut être brûlant sans que vous vous en rendiez compte : faites absolument couler quelques gouttes sur le dos de votre main pour tester la température du liquide avant de le donner à votre bébé.

Votre enfant connaît votre voix : il l'entendait avant de naître. Il connaît déjà l'odeur de votre peau, la douceur de vos mains. Dans les premières semaines de sa vie, il a réellement besoin de se retrouver à votre contact, suffisamment proche pour percevoir votre odeur, sentir votre cœur, vous regarder droit dans les yeux (il voit net à 25 cm) et sentir la douceur de vos mains. Il vient d'être expulsé du paradis, du seul lieu qu'il ait connu. Le corps à corps avec sa mère l'aide à faire le lien avec sa vie actuelle et trouver bon le monde où il entre.

Communiquer avec bébé

Un nouveau-né que l'on se contenterait de nourrir et de soigner aurait du mal à se développer de manière harmonieuse. Il manquerait deux choses essentielles à son développement : les câlins et le langage. Le nouveau-né a besoin de se sentir au plus près, au plus chaud du corps de sa mère. Dans ce contact corporel intime, il puise un sentiment de protection et découvre progressivement les limites de son propre corps. Il va se construire, au fil des jours, en mettant en lui les expériences vécues par l'intermédiaire du corps maternel. Un contact chaleureux, paisible et tendre l'aidera à s'adapter au monde et à développer sa confiance en lui.

Parler à son bébé, c'est l'introduire dans le monde des humains. On lui parle de tout ce qui le concerne : le biberon qui n'est pas encore chaud, papa qui rentrera

bientôt, ce petit pyjama bleu qui lui va si bien… L'enfant comprend. Le sens précis des mots, peut-être pas, mais il comprend que vous vous adressez à lui avec amour et sollicitude. Ces premiers mots qui lui sont adressés sont aussi importants que les caresses. Ils l'aident à entrer lui aussi dans l'échange et le langage, et à bâtir sa personnalité à venir.
Votre bébé a beaucoup de manières de communiquer, par ses cris, ses mimiques, ses regards. Vous répondez par un geste, une phrase, un sourire. Ainsi il sait qu'il est aimé.

Une passion pour les visages

Les jeunes bébés sont passionnés par les visages, celui de leur mère en particulier, et par les yeux. Cette partie du visage est en effet la plus contrastée, donc celle qui ressort le mieux (les bébés voient surtout les couleurs à fort contraste). Mais le regard est avant tout la partie du visage qui « parle » le mieux. Sourires, clignements, éclats, ouvertures et fermetures, les yeux sont constamment mobiles et vivants. Ils sont le reflet de l'état d'esprit et une source inépuisable de communication non verbale.
Le bébé cherche le regard : aussi est-il très important de ne jamais le lui refuser. Au contraire : pour qu'une bonne relation se crée, il faut entrer dans ce jeu de contact visuel à toute occasion. Au cours de la tétée, bien sûr, quand vous parlez à votre bébé ou lorsque vous vous tenez face à lui. Ces longs échanges souvent silencieux, les yeux dans les yeux, sont des moments riches d'amour et de reconnaissance. Ce tout premier dialogue concerne aussi le père et les frères et sœurs : à eux de prendre le temps d'échanger longuement et de se faire reconnaître par le bébé.

Et le papa ?

Son rôle n'est pas moins important. Personne ne niera que la mère a, dans les premiers temps, un rôle privilégié. Parce qu'elle a porté son enfant neuf mois, par la préparation psychologique et hormonale qui s'est effectuée en elle, par sa disponibilité quotidienne lors de son congé de maternité, la mère vit dans une intimité totale avec son bébé. Mais cela ne doit pas exclure le père. Son rôle, indispensable, spécifique et fondateur, commence bien avant la naissance. Parce qu'il est différent de la mère, parce qu'il représente le monde du dehors, il apporte une dimension d'éveil et d'ouverture qui n'existerait pas sans lui.
Le père exerce peu à peu un rôle de contrepoint face à l'amour de la mère, évitant que mère et enfant ne s'enferment trop longtemps dans une relation dualiste, exclusive et fermée. Il rappelle également à sa femme que, devenue mère, elle n'a pas cessé d'être sa compagne.
Le père est tout aussi important que la mère, mais leurs rôles ne sont pas

La vue des nourrissons

Le nouveau-né peut voir les choses très contrastées et assez proches (à une vingtine de centimètres). Très vite (environ quatre semaines) son champ visuel s'élargit, mais il faut toujours lui présenter les objets de face, à une trentaine de centimètres, afin qu'il les voie correctement.
Il commence également à pouvoir suivre des yeux un objet brillant ou coloré qui se déplace lentement dans son champ de vision.
De nombreuses études ont montré que le bébé est plus intéressé :

- par les personnes que par les objets ;
- par ce qui bouge que par ce qui est immobile ;
- par les contrastes que par les couleurs tendres ;
- par les visages que par toute autre chose.

Profitez-en pour accrocher au-dessus ou sur le côté du lit de votre bébé des dessins très simples faits avec de gros feutres noirs. N'oubliez pas de changer de temps à autre ces dessins afin de renouveler la curiosité et l'intérêt du bébé : cercles concentriques, grosses rayures alternées noires et blanches, visages stylisés, etc.

interchangeables : c'est parce qu'ils sont différents, qu'ils ont des tâches et des comportements complémentaires, que l'enfant, situé à la croisée de deux influences, trouvera son chemin et sa personnalité propres.
On a montré que, si le père participe à l'éducation, le bébé semble pousser plus fort, plus malin, et mieux contrôler son impulsivité. Dès six mois, on constate que bébé se calme en présence de sa mère. Alors qu'il semble éveillé et stimulé par la présence de son père. Il faut dire que les pères en général développent plus les activités corporelles avec leur petit et le poussent davantage à faire des efforts et à trouver son individualité. Le père complète donc la mère et permet à l'enfant d'aller de l'avant.

Un bébé, cela pleure…

C'est une vérité que beaucoup de jeunes parents ignorent. À la maternité, passe encore : l'agitation, les pleurs des autres bébés… on comprend que le sien soit énervé. Mais une fois à la maison, bébé pleure encore et souvent.

Le nouveau-né crie : c'est un signal de malaise, ou bien il vide une tension intérieure. Progressivement, il apprend que crier vous fait venir et que vous savez trouver les gestes qui apaisent son malaise. Ainsi naît la confiance entre vous. Non, répondre à son nouveau-né lorsqu'il pleure ne le rend pas capricieux. Cela lui donne confiance dans ce monde où il vient de faire irruption.

Progressivement, vous serez plus à même de comprendre le sens des cris de votre bébé : il a faim, il a soif, il a froid ou chaud, il est fatigué, il est sale, il a mal quelque part. Le bébé ne ressent qu'un malaise dans la globalité de son être, et il appelle pour que vous le soulagiez. C'est vous qui allez donner du sens à ses cris et en faire un langage. Bien sûr cela ne se fera pas du jour au lendemain : c'est un processus délicat au cours duquel vous apprendrez à vous connaître l'un l'autre.

Les pleurs d'un bébé inquiètent. Parfois, on en trouve la cause et le bébé se calme. Mais d'autres fois, on s'épuise à essayer de détendre un bébé qui ne veut rien savoir.

Tous les bébés traversent de tels moments. Si votre bébé refuse même vos bras, installez-le simplement dans son petit lit, dites-lui que vous l'aimez, que tout va bien, et laissez-le vider sa tension intérieure. Revenez le voir de temps en temps. Il finira par trouver en lui le moyen de se calmer et de s'endormir.

Les pleurs de bébé sont souvent stridents, déchirants. On ne peut rester sans réagir, sans s'inquiéter et il est bien difficile de ne pas finir par s'énerver soi-même (surtout la nuit !) – ce qui n'arrange pas les choses. Les crises de larmes peuvent se répéter quatre ou cinq fois par jour et durer des périodes qui semblent des heures. Vous vous épuisez parfois à chercher : de quoi a-t-il besoin ? où a-t-il mal ? que veut-il dire ? Il a mangé, il a dormi, il n'a mal nulle part, et il pleure quand même... Êtes-vous une mauvaise mère parce que vous ne pouvez rien pour lui ?...

Un moyen pour s'exprimer

Il faut tout d'abord savoir que le jeune bébé partage son temps en trois états : il dort, il est en éveil calme ou il est agité (pleurs, cris, etc.). Ces pleurs sont, à son âge, le seul moyen dont il dispose pour communiquer ce qui ne va pas et tenter de vous faire comprendre ce qu'il désire. Il est donc positif que votre enfant pleure : il a l'espoir de se faire comprendre de vous et compte sur vous pour lui venir en aide. Au fil des semaines, les cris se différencient et les parents comprennent de mieux en mieux ce que signifie telle ou telle manifestation. Ils apprennent à donner des réponses différentes en fonction du cri entendu, et cet échange est déjà un début de dialogue.

Pendant les neuf mois de la vie intra-utérine de votre bébé, tous ses besoins

ont été comblés : il n'avait ni froid ni chaud, ni faim ni soif, ni mal à l'estomac, ni le nez bouché. Soudain, à la suite de sa venue au monde, il découvre toutes ces sensations si désagréables. Plus bien d'autres : la fatigue, les lumières vives, les bruits violents, la peau nue, etc. Il découvre en même temps qu'il ne possède pas les moyens de réagir, qu'il est trop petit et dépendant. Que feriez-vous à sa place ? J'ai toujours pensé que les jeunes bébés pleuraient autant sur leurs besoins légitimes que sur leur impuissance à les satisfaire…

Il faut savoir ensuite que le bébé est très sensible aux émotions de sa mère, et notamment à sa tension nerveuse. Le bébé d'une mère fatiguée aura tendance à pleurer pour l'appeler et dire son inquiétude. Ce qui ne fera que crisper davantage sa mère. Mais ne vous culpabilisez pas pour autant si votre bébé pleure beaucoup : c'est sa façon de communiquer avec vous ; il vaut mieux cela qu'un bébé apathique qui ne s'exprime pas. Tentez de garder votre calme et de répondre au mieux à votre bébé avec ce que vous êtes.

Le **sommeil**

Un nouveau-né dort en moyenne entre dix-huit et vingt heures par jour mais ce rythme varie selon les bébés. Dans les tout premiers jours, son sommeil peut toutefois être perturbé ; s'il n'est pas possible d'obliger un bébé à dormir, on peut le mettre dans la situation la plus propice à faire venir le sommeil. (Voir page 68 et suivantes les conseils pour aider votre bébé à trouver le sommeil.)

Le jour où votre bébé saura se retourner, il choisira la position la plus confortable pour lui. Mais d'ici là, il dormira dans la position où vous le coucherez.

Pendant des années, la polémique a fait rage entre les partisans de la position sur le dos ou sur le ventre. Aujourd'hui, les médecins s'accordent sur la nécessité de coucher les nouveau-nés sur le dos. En effet, des études médicales concordantes ont mis en évidence un moindre risque de mort subite du nourrisson dans cette position. Pour la même raison, certains médecins recommandent de garder le couffin à côté de son lit pendant les trois premiers mois.

Si votre bébé a des régurgitations qui vous font craindre la position sur le dos, faites-en part à votre médecin. C'est lui qui déterminera s'il y a lieu de lui faire adopter une position de sommeil particulière.

Premiers **sourires**

Quel parent ne l'a pas attendu impatiemment, ce premier sourire de son bébé,

Il a trop chaud, il a trop froid

Les jeunes bébés sont, d'une manière générale, trop couverts. On a si peur qu'ils attrapent froid ! Certes, ils risquent d'attraper froid lorsqu'on les déshabille pour leur donner leur bain ou lorsqu'on les laisse dans un courant d'air, mais pour le reste ils sont plutôt plus résistants qu'on ne l'imagine...
Votre bébé est comme vous : si vous avez chaud, il a chaud aussi.
Si vous vous sentez bien avec une chemise et un gilet, inutile de lui en mettre deux. Regardez bien votre bébé, qu'il soit éveillé ou qu'il dorme. Il a la nuque humide ? Découvrez-le : il a trop chaud. Mais laissez-lui ses chaussons : les bébés ont souvent les pieds froids.
Si, en revanche, vous avez froid, votre bébé a plus froid que vous. Sa masse musculaire est plus faible et il se défend moins bien contre le froid. Aussi ne tardez pas à lui rajouter un gilet ou une couverture.
Lorsque vous lui donnez son bain, branchez au besoin un radiateur d'appoint dans la salle de bains.
Une température de 19 °C dans sa chambre est bien suffisante. Une seule couverture de laine en plus de son pyjama, et votre bébé sera tout à fait « confortable ».

signe évident de bien-être ? Au cours des deux ou trois premières semaines de sa vie, vous surprenez sur le visage de votre bébé ces tout premiers sourires que l'on nomme les « sourires aux anges » parce qu'ils semblent davantage tournés vers le ciel que vers une personne précise.
Ces premiers sourires ne concernent que la partie basse du visage : le plus souvent, ils n'entraînent pas de plissement des yeux. Mais qu'ils sont émouvants ! Car même s'ils ne semblent pas dirigés vers quelqu'un, ils reflètent bien un sentiment de plaisir.
À quoi sont dus ces sourires ? C'est bien difficile à dire. Apparaissant souvent après une tétée, on pourrait penser qu'ils témoignent d'une sensation de plénitude et de satisfaction. Mais peut-être répondent-ils à une image intérieure ? À chacun d'imaginer...
Les premiers vrais sourires intentionnels diffèrent des sourires aux anges : ils engagent la totalité du visage du bébé, non

seulement la bouche mais aussi les yeux qui se plissent; ils sont dirigés explicitement vers quelqu'un (bébé sourit en vous regardant droit dans les yeux) ou quelque chose et sont à comprendre comme faisant partie d'un dialogue.

Le bébé aura tendance à sourire facilement dans les situations où il se sent bien : quand vous lui parlez d'une voix douce et calme, avec des petites phrases tendres toutes simples; quand vous le bercez ou vous le caressez légèrement sur la tête, sur les joues ou sur le ventre ;quand vous le regardez dans les yeux, en lui parlant ou en lui souriant.

Le rôle de l'imitation est très important : votre bébé sera souriant si vous lui souriez beaucoup. Même si l'on a montré que l'aptitude à sourire était innée, elle se développera mieux dans un environnement lui-même souriant.

Peu à peu, les sourires de votre bébé vont se faire plus attentifs et n'iront qu'aux personnes aimées.

Ce bébé, qui est maintenant un nouveau membre de votre famille, va en bouleverser toutes les habitudes. Pendant les premières semaines, alors que toute l'attention est concentrée sur lui, chacun doit se faire une nouvelle place.

La famille change

Pendant cette première année où les tâches de maternage sont prédominantes, le rôle de la mère auprès de son bébé est essentiel. Au cours de son congé de maternité, elle a plus de temps pour faire connaissance avec son bébé et créer, ou plutôt prolonger, une relation d'étroite intimité. Même si ni le père ni la mère n'avaient d'expérience des bébés avant la venue de celui-ci, la mère développe vite une connaissance et une habileté particulières.

Mais la place du père est tout aussi importante. Il peut donner les biberons, les soins du corps ou les câlins. Le bébé appréciera toujours ces sensations différentes que le père procure : odeur et gestes différents, façon autre de s'occuper de lui. Grâce à cela, il apprend progressivement à se différencier de sa mère et à adopter une identité propre; mais le père a aussi, au cours de cette première année, un rôle très important à jouer auprès de sa femme. Il peut, en la déchargeant d'un certain nombre de tâches et de soucis, l'aider à se consacrer aux besoins de son bébé. En lui signifiant qu'elle est encore et avant tout sa femme, il l'aide à ne pas se vivre comme exclusivement mère, mais à reprendre elle aussi son identité de femme et d'épouse.

Avoir des parents impliqués dans l'éducation quotidienne de l'enfant est pour le bébé un gage important d'équilibre, d'épanouissement et d'ouverture sur le monde.

Devenir **mère**

Il est vrai que le bébé, dans les premiers temps, requiert une attention de tous les instants. Cette préoccupation maternelle est absolument normale. Mais rester iso-

lée chez soi en tête à tête avec son bébé, en ne s'occupant que de lui, ne peut avoir qu'un temps. Vous existez aussi, et vous allez pouvoir progressivement recommencer à vous occuper de vous et de votre bien-être.

S'occuper de soi

Physiquement, où en êtes-vous ? N'est-ce pas le moment de :

- commencer les séances de kinésithérapie ;
- avoir une alimentation équilibrée qui vous permettra de perdre en douceur les kilos de la grossesse ;
- aller vous faire faire un nettoyage de peau ou prendre rendez-vous chez le coiffeur ;
- décider de vous reposer chaque fois que bébé dort ;
- faire une cure de vitamines… ?

Les tâches ménagères doivent être organisées et simplifiées au maximum. Par exemple :

- Faites vos courses alimentaires par Minitel ou Internet et faites-vous à être livrer ; pensez congélateur et four à micro-ondes.
- Prévoyez des repas simples.
- Ne faites porter à la famille que les vêtements faits dans des textiles ne demandant pas ou très peu de repassage.
- Demandez à vos parents de vous offrir vingt heures de femme de ménage.
- Répartissez les tâches entre tous les « grands » de la maison, enfants comme adultes.

Se faire aider

Certaines mères souffrent de solitude et d'enfermement. C'est le moment de téléphoner aux copines. Privilégiez celle :

- dont les enfants sont grands et qui sera ravie de pouponner un peu votre bébé ;
- qui saura arriver avec une tarte aux poireaux, faire chauffer l'eau du thé et repartir lorsque vous serez fatiguée.

Se faire plaisir

On n'a encore rien trouvé de mieux pour le moral. Pour l'une, il s'agira de feuilleter un gros catalogue et de se commander un nouveau pull. Pour une autre, de mettre sur la chaîne ses disques de jazz favoris. Pour une troisième, de se repasser son film préféré (même s'il faut le voir en plusieurs épisodes) ou de relire tous les vieux Astérix… À chacune de savoir, sans culpabilité, se faire du bien. L'ambiance n'en sera que meilleure et bébé plus heureux.

Si vous n'avez pas de copine à appeler :

- invitez votre voisine à boire un café ;
- osez aborder cette maman seule avec son bébé que vous avez vue au square plusieurs fois ;
- glissez votre bébé dans son sac kangourou et sortez faire du lèche-vitrines.

D'autres mères souffrent d'être envahies par la famille qui s'impose, les visites qui n'en finissent pas :

- apprenez à dire « non » gentiment ;
- achetez un répondeur téléphonique ;
- à la visiteuse qui bavarde, assise sur le canapé, proposez de faire votre repassage pendant que vous allaitez le bébé ;
- gardez du temps pour des tête-à-tête avec votre conjoint.

Soyez indulgente avec vous-même

S'occuper quotidiennement d'un bébé, élever son enfant sont des tâches difficiles. Trouver sa vérité à travers les consignes des livres de puériculture, les conseils des grand-mères ou des copines, et son propre bon sens se fait parfois au prix de longues hésitations et rarement sans une bonne dose d'anxiété.

La mère idéale

Que proposent les médias ? L'image d'une femme toujours détendue et souriante, disponible et reposée, ayant déjà perdu son ventre et ses kilos en trop, mère d'un charmant bambin rose et rond qui mange bien, à heures fixes, et dort de longues nuits d'une seule traite. Ses seules interrogations concernent le moelleux des couches et la taille des petits pots, problèmes dont elle discute avec son mari, très concerné. Une mère idéale.

Vous, à côté ? Vous êtes fatiguée par des nuits trop courtes. Votre bébé est enrhumé. Il pleure la nuit et les voisins cognent au plafond. Ou bien c'est votre mari qui s'énerve. Ou bien c'est votre bébé qui refuse de boire son jus d'orange, ou qui vomit tous ses biberons, ou qui ne veut pas s'adapter à la garderie, ou qui a horreur du bain… que sais-je ? Parfois, vous vous dites : « C'était donc ça, un bébé ? » et vous vous sentez au bord du désespoir.

Rien ni personne ne vous a préparée ou avertie de ces difficultés. Parce que personne n'est là pour vous dire que, oui, les choses sont difficiles, oui, elles vont s'arranger, oui, vous faites pour le mieux avec tout votre amour, vous commencez à vous croire responsable des difficultés de votre bébé.

Être mère, cela s'apprend

Halte ! La mère parfaite n'existe que dans les feuilletons. Vous êtes en train d'apprendre à être mère. Cela demande du temps et des efforts, de l'intuition et de l'amour. Cela ne vient pas d'emblée le premier jour. Peut-être, pour votre cinquième enfant, aurez-vous plus d'aisance. Mais en attendant, c'est vous qui êtes là. Vous rencontrez les difficultés normales d'une mère et d'un bébé normalement constitué. C'est lui, votre tout-petit, qui vous a faite mère, et c'est lui qui vous aidera à en devenir une bonne. Pour vous, il a toutes les indulgences. Telle que vous êtes, avec votre anxiété et vos maladresses, mais aussi avec votre immense tendresse, vous êtes tout pour lui.

Ne vous comparez pas : vous, votre enfant, son père, formez un trio unique. Tentez de vous détendre, de vous reposer. Passez plus de temps à câliner et dialoguer avec votre bébé qu'à calculer la quantité de lait qu'il a avalée ou le temps qu'il a dormi. Vous êtes la mère parfaite de cet enfant-là : il ne pouvait en avoir une meilleure, il n'en rêve pas d'autre.

● **Pères**, occupez-vous de votre bébé

Qu'il se montre fou de joie, attentionné, émerveillé ou un peu perdu, lui aussi vit une grande transformation dans sa vie de tous les jours.

Ce bébé, votre conjoint vous aide à vous en occuper. Il participe activement aux tâches quotidiennes. Peut-être se sent-il comme ces « nouveaux pères » qui trouvent une grande joie à pouponner leur nouveau-né. Mais cette nouvelle responsabilité de père peut entraîner une certaine anxiété. De plus, votre conjoint a sûrement besoin que vous le rassuriez sur le fait que vous êtes toujours et avant tout une femme, celle qu'il aime et dont tout l'horizon ne se résume pas à la maternité.

Un rôle fondamental

Impressionné par ce si petit bébé, le père se sent souvent très maladroit. Pourtant, s'occuper très tôt de son bébé est le meilleur moyen de dépasser cette appréhension et de créer une bonne relation avec lui. Devenir père se fait dans l'exercice concret de la paternité, et tous ceux qui se sont occupés de leur bébé y ont trouvé un grand plaisir. Quant à la mère, elle a besoin d'aide, tant pour s'occuper des tâches de la maison que pour être relayée auprès du bébé. Inutile d'attendre qu'elle soit totalement épuisée pour partager avec elle les contraintes.

Prendre plaisir à être papa

Parce qu'il est un homme, le père apporte à l'enfant des sensations différentes de celles qu'il éprouve auprès de sa mère. L'odeur, le contact, la voix, la façon de le porter changent et permettent à l'enfant une nouvelle ouverture sur le monde. Grâce à cela, il apprend progressivement à différencier ses parents et à se situer lui-même en tant que petite fille ou petit garçon.

Chaque père devrait se donner pour plaisir de passer chaque jour un moment en tête à tête avec son bébé et de s'en occuper seul chaque semaine pendant un temps plus long, une demi-journée ou une journée. Père, mère et enfant ont tout à y gagner. Trop de pères ignorent encore à quel point leur petit enfant les aime, a besoin d'eux et combien il serait parfois plus important le soir de rentrer faire un câlin plutôt que de terminer un ultime dossier.

Aujourd'hui, cependant, les pères s'occupent de plus en plus de leurs bébés et ils y trouvent beaucoup de plaisir. Le temps est révolu où ils estimaient que les jeunes enfants étaient l'affaire des femmes...

L'enfant **aîné**

Devenir un grand frère ou une grande sœur est certes une joie et une promotion. Mais cela signifie aussi que l'on va devoir dorénavant partager le temps de ses parents avec un intrus qui pleure, qui fait pipi dans sa couche et qui ne sait même pas jouer aux dominos...

Trouver sa place

Votre aîné a besoin de comprendre que vous êtes restée la même pour lui. Votre cœur a grandi et la place qu'il y occupe ne s'est pas réduite. Pour cela, prenez le temps, pendant que le bébé dort, d'être disponible pour votre aîné, de parler et de jouer avec lui. Rappelez-lui combien vous êtes fière qu'il soit grand, combien vous l'aimez et comptez avec lui. Enfin soyez compréhensive envers les mouvements de jalousie qu'il risque d'exprimer.

Si votre bébé naît dans une famille qui comporte déjà un ou plusieurs enfants, c'est à un comité d'accueil plus vaste qu'il sera confronté. Vous aurez bien sûr préparé cette naissance avec le ou les aînés, de façon à ce qu'ils ne se sentent pas délaissés ou déçus, mais enrichis par la venue de ce nouvel arrivant. Au cours de la grossesse, ils sont souvent enthousiastes et impatients de voir ce nouveau copain de jeux que vous leur préparez. Mais l'arrivée d'un nouveau-né braillard devant qui tout le monde s'émerveille remet parfois douloureusement les pendules à l'heure.

Chaque enfant a besoin de savoir qu'il est unique dans le cœur de ses parents. C'est ainsi que la rivalité cédera la place à la complicité. Quant au bébé, il va vite devenir un véritable fan de ses aînés. Il va guetter leur arrivée, rechercher leur compagnie et rire à leur moindre grimace.

Cette première année n'est pas toujours idyllique. Des manifestations de rivalité ou d'agressivité peuvent apparaître. Elles doivent être reçues comme des marques d'inquiétude et de difficultés à dépasser ensemble. La vie en commun, le partage, le respect de l'autre, cela s'apprend. Cette période sème les bases de l'apprentissage de la vie en commun et exige des parents compréhension, amour et vigilance.

Les **grands-parents**

Dès la première année de sa vie, il est bon pour l'enfant de savoir qu'il existe, au-delà de son noyau familial, une famille plus large, sorte de tribu dont il fait d'emblée partie. Oncles, tantes, cousins, parrain et marraine, grands-parents sont autant de personnes avec lequelles il va pouvoir nouer des liens d'affection sincère et confiante. La « tatie » de la crèche ou l'assistante maternelle sont payées par les parents pour s'occuper de l'enfant et il les quitte lorsqu'il rentre à l'école. Au contraire, les membres de la famille offrent un amour « gratuit » et durable. À cela, les enfants sont sensibles très tôt, bien avant qu'ils ne puissent réellement le comprendre.

Un rôle privilégié

Les grands-parents ont, dans cet ensemble, un rôle privilégié, qui n'est aucunement celui de se substituer aux parents. Ils offrent souvent un relais appréciable aux parents débordés ou qui souhaitent retrouver un peu d'intimité. Expérimentés, ils savent prendre de la distance vis-à-vis des problèmes et sont souvent de bon conseil.
Ils figurent les racines de l'enfant, son histoire. Ils sont témoins du passé, du temps « où les parents étaient des enfants ». Grâce à eux, l'enfant se découvre à la croisée de deux lignées, de deux cultures, dont il est l'aboutissement. Il se découvre un passé familial qui a commencé bien avant sa naissance.
Enfin, ils ne sont pas tenus aux mêmes impératifs éducatifs que les parents. S'ils peuvent se rendre disponibles pour les confidences, les promenades, les comptines et les gaufres, ce sera merveilleux pour leurs petits-enfants.
L'entente entre les générations demande un respect mutuel, mais elle enrichit chacun et participe à l'équilibre de l'enfant. Même si les relations avec les parents de votre conjoint ne sont pas toujours simples, ne privez pas vos enfants de leurs grands-parents. Faites tout ce que vous pouvez pour les laisser ensemble, en votre absence, sans vous en mêler. Les grands-parents apprendront de leur côté à respecter vos façons de faire et ainsi tout se passera bien.

Du 2e au 5e mois

Premiers regards sur le monde

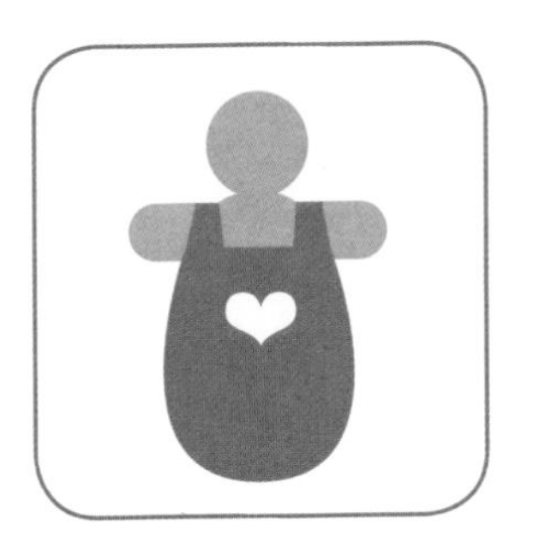

Dès le premier mois, les progrès de votre nouveau-né sont très spectaculaires. Il est plus éveillé et plus disponible. Il prend plaisir à faire plusieurs fois le même geste. Il se montre de plus en plus curieux de tout ce qui l'entoure et adore jaser, fasciné sand doute par les sons qu'il produit….

Ce qui change mois par mois

À partir du deuxième mois, les progrès de votre bébé dans le domine visuel vont aller très vite. Sa vue perçoit mieux les objets, les mouvements, l'espcae lui même. Cette nouvelle performance va l'aider à explorer ce qui l'entoure, l'inciter à saisir les objets. À l'affût de tous les mouvements, il sait bientôt imiter vos expressions, reproduire vos mimiques… Par le regard, c'est une autre relation à son entourage qui se met en place.

• À 2 mois

Les progrès sont évidents dans le domaine visuel : l'accommodation se fait nette de plus en plus loin. Le bébé préfère maintenant regarder les dessins ou les jouets plus complexes, où il y a beaucoup de détails. Vos dialogues les yeux dans les yeux peuvent se prolonger davantage. Fasciné par les lumières, il est capable de suivre aussi les déplacements d'objets.

Le bébé n'est encore capable que de faire une seule chose à la fois. Quand il tète, il s'y donne entièrement. Si un objet ou une parole retiennent son attention, il cesse de téter.

Les bébés les plus actifs commencent à se tortiller ou à pédaler, mais restent, le plus souvent, couchés où on les a placés. Peu à peu, le tonus musculaire se relâche. Les mains vont s'ouvrir et le geste volontaire va prendre la place de l'agrippement. Le bébé peut, si on lui place un objet dans la main, apprendre à le retenir, à le serrer, puis à le lâcher, mais c'est très difficile.

Communiquer par la parole et par les gestes

Le bébé est très sensible à la stimulation tactile : il aime les caresses, les massages doux. Il reconnaît ses parents et se blottit volontiers contre eux. Son dialogue s'enrichit de sourires et de babillages qui séduisent son entourage. Il apprend très vite à quel sentiment correspondent chez vous telle ou telle intonation, une grosse voix, un froncement de sourcil...

Lorsque vous lui parlez sans qu'il vous voie, votre enfant commence à chercher à localiser l'origine de votre voix et tourne sa tête dans cette direction. Assis dans son transat, il peut csuivre des yeux et de la tête vos déplacements dans la pièce.

• À 3 mois

Il s'agit d'une étape importante où l'on voit véritablement le bébé sortir de la phase « nouveau-né ». La période des pleurs souvent inexplicables cesse. Le bébé, moins impuissant, commence à donner sens à son corps, qui va progressivement être perçu comme un tout, et à ce qui l'entoure.

Le développement de la coordination

À cet âge apparaissent nettement les différences individuelles : les progrès dans tel ou tel domaine vont devenir fonction du tempérament de l'enfant. Le bébé très actif « attrapera » plus vite, mais sans maîtrise du geste ni attention particulière à l'objet. Le bébé plus lent et sensitif mettra davantage de temps à franchir la même étape, mais l'intégrera totalement en prêtant grande attention à chaque détail.

Au cours du troisième mois, le bébé franchit une étape sur le plan de la coordination : il apprend peu à peu à faire fonctionner ensemble ses oreilles, ses yeux, tout en bougeant ses mains et sa tête. Ce qui nous semble évident, à nous autres adultes, ne l'est pas pour le bébé : il lui faut plusieurs mois pour être capable de tendre la main ou de tourner la tête vers un objet attirant ou vers un son nouveau.

Les mains – puis les pieds – commencent à prendre une place dominante. L'enfant qui les a découverts va passer de longs moments à les examiner et à les manipuler, comme il le ferait du plus intéressant des jouets. Il porte mains et pieds à la bouche. La bouche est un lieu privilégié : c'est par là qu'il fait connaissance avec les objets. C'est sa bouche qui le renseigne sur la texture, la forme, le goût. Même si l'enfant attrape encore mal, il faut dès maintenant être très vigilant sur les objets que vous laissez à sa portée.

Plus attentif à ce qui l'entoure, le bébé va être sensible au fait que l'on ait déplacé son berceau ou changé les affiches accro-

chées à côté de son lit. Il commence à s'intéresser aux couleurs vives.

Bébé vous connaît de mieux en mieux

Enfin, il est devenu particulièrement sensible à vos expressions. N'oubliez pas que votre bébé a pour souci principal d'être avec vous et d'être aimé de vous. Aussi ne ménagez pas les encouragements et les preuves d'amour chaque fois que votre bébé tente ou réussit quelque chose de nouveau pour lui. Applaudissez, souriez, montrez votre fierté. Ces découvertes permanentes et quotidiennes sont certes passionnantes pour lui, mais aussi parfois un petit peu inquiétantes et nécessitent que vous soyez là pour rassurer, encourager et aimer.
Lorsqu'il est seul, le bébé examine avec attention ce qui l'entoure : il scrute les couleurs, les formes, les contours, les motifs, les mouvements. Le reste du temps, il roucoule et vocalise : il exerce sa voix et semble fasciné par les sons qu'il est capable de produire!

• À 4 mois

Cette période est à proprement parler celle de la socialisation. Le jeu essentiel du bébé consiste à émettre des sons. Pour le plaisir de les entendre, bien sûr, mais surtout pour le plaisir d'appeler sa mère ou son père et pour le plaisir de converser : la dimension sociale et la dimension d'échange du langage se mettent en place.

La dimension sociale

Petit être sociable, le bébé de quatre mois et demi, bien que passionnément attaché à sa mère, noue de bons contacts avec les autres membres de la famille. Ses aînés sont source de fascination et de grandes crises de rire. Son père l'attire et il le recherche activement du regard, de la voix et du geste. Le père qui noue des relations étroites avec son bébé le comble de plaisir, et lui fait cadeau psychologiquement d'une ébauche d'autonomie vis-à-vis de sa mère, qui lui sera précieuse. Un bébé à qui l'on ne répondrait jamais, qui ne serait pas sollicité verbalement, finirait par diminuer notablement la quantité de sons émis.
Mais socialisation ne signifie pas uniquement langage verbal. Elle se traduit tout autant par une attitude du bébé qui sait de mieux en mieux communiquer et se faire comprendre. Il répond aux sollicitations et exprime ouvertement son plaisir ou son déplaisir.
En presque quatre mois, le bébé a déjà enregistré pas mal de souvenirs. Les expressions de son visage se modifient maintenant selon qu'il aperçoit votre visage ou son biberon, qu'il entend sa boîte à musique ou l'eau du bain couler.

Le développement moteur

Le bébé a développé à la fois une meilleure musculature et un début de coordination motrice : il sait attraper et garder un petit moment. Allongé sur le ventre, il peut garder les jambes étendues et se soulève sur les avant-bras. Il sait même arquer son dos et ses jambes afin de se balancer d'avant en arrière. Il parvient enfin à rouler de droite à gauche pour se retourner totalement, se retrouvant sur le dos.

La vision est maintenant proche de celle de l'adulte : le bébé accommode parfaitement, il peut coordonner ses deux yeux à des distances variables.

Il a une vision des couleurs et il s'y intéresse tout particulièrement; enfin, il perçoit correctement la profondeur, ce qui l'aide beaucoup pour attraper les objets.

Maintenu assis, sa tête se tient droite, ce qui permet là encore à l'enfant d'avoir une vision plus globale du monde qui l'entoure.

Dès quatre mois, le bébé commence à s'intéresser aux autres personnes que sa mère.

● À 5 mois

Le bébé a atteint une étape importante de son développement physique. Sans pouvoir encore s'asseoir ou se tenir assis seul, il peut néanmoins rester un long moment dans la position assise s'il est bien calé dans une chaise haute ou soutenu par des coussins. De plus, il tient maintenant sa tête bien droite.

Les débuts du jeu

Ces deux acquisitions vont lui permettre de commencer à se servir efficacement de ses mains. La plupart des bébés manipulent encore mal les objets qu'ils tiennent dans leurs petites mains maladroites, mais presque tous sont maintenant capables d'attraper un hochet et, parfois, de le porter à la bouche. Comme bébé dort moins et que sa curiosité est sans cesse en éveil, c'est pendant des temps de plus en plus longs qu'il est capable de jouer et de faire appel à ses proches pour jouer avec lui. Il est bon d'être disponible, mais il est aussi important que le bébé sache rester un moment seul, à regarder, à explorer ou à gazouiller en tête à tête avec ses peluches préférées.

Certains bébés sont plus actifs que d'autres. Ils adorent être tripotés, secoués ou lancés en l'air. Dès l'aube, ils appellent pour vous convier à participer avec eux à cette nouvelle journée de découverte. À peine réveillés, à six heures du matin, ils réclament avec véhémence un compagnon d'activité. Coucher un tel bébé plus tard ou doubler ses volets par des doubles rideaux risque de ne servir à rien. La seule

LE DÉVELOPPEMENT PHYSIQUE DE 1 À 5 MOIS

Attention : les âges donnés ne sont que des moyennes.

- À un mois, le bébé, mis sur le ventre, lève la tête et dégage son nez pour respirer. Ses membres sont encore fléchis, mais il a perdu l'allure typique du nouveau-né.
- À deux mois, le bébé commence à s'étirer. Sur le ventre, il lève la tête, en appui sur les avant-bras, et peut la tenir quelque temps.
- À trois mois, si vous soulevez votre bébé, allongé sur le dos, en le tirant par les mains, il est capable de tenir sa tête dans l'axe du corps. Sur le ventre, il s'allonge bien à plat et se tient longtemps en appui sur les avant-bras.
- À quatre mois, allongé sur le ventre, l'appui sur les avant-bras, parfois tendus, est encore meilleur. Il peut aussi décoller les deux jambes du sol. Enfin, attention : le bébé est capable, parfois, de rouler du ventre sur le dos et l'inverse.
- À cinq mois, le bébé roule sur lui-même. Sa tête est bien stable. Si vous le tenez assis, le haut de son dos et sa tête sont droits. Couché, il lève son torse.

solution pour les parents consiste soit à se lever lorsque le bébé s'éveille, soit à lui apprendre à se suffire à lui-même et à jouer seul un moment.

D'autres bébés sont plus calmes. Éveillés les premiers, ils peuvent rester un long moment dans leur lit. Attraper leurs doigts ou leurs orteils, les porter à la bouche, s'essayer à de nouvelles vocalises sont des activités qui peuvent les faire attendre jusqu'à l'heure du petit-déjeuner.

Le caractère du bébé s'affirme. Il sait nettement ce qu'il veut : de l'attention, des jeux, s'exciter de plaisir. Il sait également ce qu'il ne veut pas et peut protester avec une certaine violence en réponse à une frustration qui lui est imposée, si on lui retire un jouet, par exemple.

L e lait que reçoit votre bébé suffit à ses besoins pendant trois ou quatre mois. Il n'y a donc aucune nécessité de diversifier son alimentation plus tôt. De toute façon, l'introduction de nouveaux aliments doit se faire progressivement en respectant le rythme de chacun. Car les réactions peuvent beaucoup varier selon les bébés.

L'alimentation évolue

Jusqu'à la fin de la première année, le lait va rester un élément de base de l'alimentation du bébé, progressivement remplacé par des équivalents lactés (fromage, yaourt, etc.). Cette période de transition sera d'autant mieux vécue qu'on l'aura pratiquée en douceur, en tenant compte des goûts du bébé, et sans inquiétude excessive. Il est vrai que le bébé, dans les premiers temps, requiert une attention de tous les instants. Cette préoccupation maternelle est normale. Mais rester isolée chez soi en tête à tête avec son bébé, en ne s'occupant que de lui, ne peut avoir qu'un temps. Vous allez pouvoir progressivement recommencer à vous occuper de vous et de votre bien-être; vous allez peut-être aussi de voir reprendre une activité professionnelle et donc confier votre bébé à quelqu'un d'autre.

Si vous êtes dans le cas des mamans qui allaitent leur bébé et doivent le sevrer pour reprendre leur travail en fin de congé de maternité, sachez qu'il est préférable de ne pas attendre le dernier jour pour amorcer la transition vers le biberon. Votre bébé risque, au début, de ne pas vraiment apprécier le changement. Aussi devrez-vous vous y prendre en douceur et progressivement. Certains bébés apprécieront très vite ces biberons d'où le lait coule si facilement. Pour d'autres, il faudra prendre des précautions. Ne plus allaiter son bébé peut être vécu comme une séparation douloureuse par les deux protagonistes…

● Le sevrage

Un sevrage progressif est toujours préférable à une brusque rupture, pour vous comme pour l'enfant. Mais nombreuses sont les mères qui continuent, même

après avoir repris leur travail, à allaiter leur bébé deux fois par jour, le matin et le soir, alors même qu'il mange comme les autres bébés à la crèche.
En revanche, il se peut que, la fatigue aidant, vous n'ayez plus assez de lait pour satisfaire l'appétit grandissant de votre bébé. Si vous compensez les tétées par des biberons de complément, il y a de fortes chances pour que votre production de lait diminue encore. D'une part parce que les montées de lait diminuent en même temps que les exigences du bébé. D'autre part parce que celui-ci, une fois qu'il aura pris goût à la facilité du biberon, ne « tirera » plus assez de lait pour assurer la production.
Progressivement, sur une semaine, votre bébé n'aura plus que des biberons et s'en trouvera très bien. Ne vous culpabilisez pas, au cas où votre rêve aurait été d'allaiter encore plusieurs mois : vous lui

La vitamine D

Appelée aussi vitamine antirachitisme, la vitamine D est indispensable à l'organisme du nourrisson. Elle l'aide à faire face à la croissance rapide qui est la sienne pendant les premiers mois et les premières années de sa vie.
Le corps humain a la faculté de fabriquer seul cette vitamine, à condition de s'exposer au soleil. Or, c'est rarement le cas des nouveau-nés, d'abord parce que les bains de soleil leur sont déconseillés, ensuite parce qu'ils ne vivent pas tous en Provence ! De toute façon, il est nécessaire de compléter leur alimentation avec un apport en vitamine D, été comme hiver.
Or, il se trouve que cette vitamine dont le bébé a besoin est la seule qui ne se trouver pas dans les aliments lactés diététiques (laits pour bébés). C'est la raison pour laquelle vous allez devoir en donner à votre bébé, dès le premier mois, et pendant deux ou trois ans.
La vitamine D peut s'administrer de deux façons différentes :

- soit quotidiennement, sous forme de gouttes que l'on ajoute au jus de fruit du bébé ;
- soit sous forme d'une ampoule que l'on donne au bébé une fois par trimestre, selon les indications de votre médecin.

avez donné le meilleur départ possible. Son père et vous pourrez maintenant alterner les biberons donnés avec tout autant d'amour.

Rendre le sevrage plus facile

- Dès la naissance, habituez votre bébé à boire au biberon. Donnez-lui de temps à autre de l'eau ainsi que du jus d'orange au biberon.
- Familiarisez-le aussi avec le goût du lait artificiel. Pourquoi pas lors du biberon de nuit, que le papa peut ainsi donner pendant que la maman en profite pour faire une grande nuit ?
- Donnez-vous environ deux semaines pour remplacer la totalité des tétées par des biberons. Commencez par le repas de la nuit, puis par le goûter, etc.
- Si votre bébé a plus de trois mois lorsque vous reprenez votre travail, vous pouvez coupler le sevrage avec les débuts de la diversification et donner alors le goûter à la petite cuiller.
- Si le bébé refuse le biberon, essayez le yaourt à la cuiller, souvent mieux accepté.

Une autre **alimentation**

Pendant les premiers mois de sa vie, votre bébé n'a besoin que de lait. Mais son estomac ne peut en contenir qu'une certaine quantité à chaque repas. Vient un moment où, bien qu'ayant bu tout son biberon, il a encore faim ou qu'il n'a pas absorbé assez de calories pour tenir jusqu'au repas suivant. Vous le sentirez s'il semble insatisfait après les repas. Ou bien si, alors qu'il était réglé sur quatre repas, il se met à réclamer bien avant l'heure du repas suivant. D'autres encore réclament à nouveau un biberon la nuit alors qu'ils avaient appris à s'en passer. C'est sans doute le moment de diversifier l'alimentation. Ce changement se fait aujourd'hui de plus en plus tardivement pour prévenir les allergies mais il est possible de débuter la diversification alimentaire entre quatre et six mois, sans diminuer pour autant les rations de lait, car les besoins du bébé restent importants. On compte :

- à quatre mois, environ 210 ml, quatre fois par jour ;
- à six mois, environ 240 ml, trois fois par jour.

Changer en douceur

La règle d'or est de n'introduire qu'un aliment nouveau à la fois, avec un intervalle de quelques jours avant d'en proposer un autre, afin que votre bébé ait le temps de s'y habituer et que vous puissiez vous assurer qu'il ne développe aucune allergie. Évitez dans tous les cas de le forcer à manger ce qu'il ne veut pas. Il lui arrive de ne pas avoir faim ou de ne pas aimer. Transformer le repas en rapport de force serait sans aucun béné-

fice, voire dangereux, pour la suite de son éducation alimentaire.
Tous les bébés étant différents, vous allez devoir adapter le moment de la diversification et la façon de procéder aux goûts du vôtre. Il saura clairement vous faire comprendre ce qu'il aime et ce dont il ne veut à aucun prix. L'essentiel, dans les repas, est toujours le plaisir de partager un moment privilégié.

Les céréales infantiles

La règle diététique actuelle (elle a varié) veut que l'on attende trois mois environ avant d'ajouter des céréales infantiles dans le biberon et quatre à cinq mois avant de diversifier l'alimentation d'un bébé. En effet, jusqu'à cet âge, le lait suffit à couvrir les besoins du bébé. Et il est toujours possible d'augmenter légèrement la quantité proposée si votre bébé semble avoir très faim.
Pourtant, autour de trois mois, certains bébés se réveillent de faim ou se mettent à réclamer un biberon supplémentaire. D'autres ont tendance à régurgiter et tirent bénéfice d'un lait un peu épaissi. Enfin, les céréales pour bébés sont une bonne transition vers la diversification alimentaire. Elles apportent des calories supplémentaires et des éléments nutritifs que l'on ne trouve pas dans le lait et elles sont pour la plupart sans gluten (farines de riz, maïs, blé, orge…) pour éviter les allergies alimentaires.
Très en vogue autrefois, les céréales sont un peu passées de mode. Grâce à cela, on voit moins de bébés bouffis. Les calories apportées par ces aliments sont en grande partie stockées sous forme de graisses : en donner trop peut faire grossir un bébé de façon exagérée. Mais donnée en quantité raisonnable (celle du pédiatre plutôt que celle marquée sur la boîte), les céréales pour bébés peuvent rendre de grands services et contribuer à l'équilibre nutritif de votre enfant.

Quelle quantité donner ?

Une cuillerée à café dans le biberon du soir est suffisant pour commencer et aider votre bébé à passer une nuit plus longue. Elle devrait le « caler » davantage que le lait et lui permettre de dormir plus longtemps. Certains bébés peuvent avoir une quantité plus importante de farine, mais cela est à décider en accord avec votre pédiatre.

La diversification alimentaire

Vous pouvez commencer par une petite quantité de purée de fruits (pomme, banane, poire, abricot, pêche) donnée par exemple dans le biberon de l'après-midi. Préparez des compotes sans sucre ou utilisez des fruits frais bien murs que vous pouvez mixer. Si vous utilisez de spetits ports pour bébés du commerce, vérifiez bien leur compostion pour vous assurer

CHOISIR LA BONNE FARINE

Pour les premières bouillies, la farine que vous choisirez doit être :
- « 1er âge » : destinée aux enfants de trois à six mois ;
- « sans gluten » (cela est spécifié sur l'emballage) car celui-ci n'est pas toléré par le bébé de cet âge ;
- « instantanée », car elle est plus facilement assimilable ;
- simple, comme une farine composée d'une association de plusieurs céréales, ou une farine diastasée ;
- ni sucrée, ni salée.

Laissez de côté pour l'instant les farines aux légumes, aux fruits ou au cacao, qui ne sont pas adaptées à l'enfant très jeune. Quand votre bébé aura huit ou neuf mois, vous pourrez lui donner la farine de votre choix et varier ses plaisirs.

qu'il ne contienne que des fruits (certains contiennent du sucre et des exhausteurs de goût).

Rapidement, vous allez pouvoir ajouter dans le biberon une petite quantité de légumes mixés (toujours un seul légume, sans sel ni additifs). Vous commencerez par une très petite quantité, que vous augmenterez peut à peu pour arriver au bout de un ou deux mois à un vrai biberon de soupe. Pour procéder en douceur, vous pouvez aussi, pendant une semaine, préparer le biberon du midi avec du bouillon de légumes plutôt qu'avec de l'eau. Votre bébé aura ainsi déjà le goût des légumes sans avoir encore le changement de consistance.

Si vous utilisez des petits ports pour bébés ou des préparations surgéles, vérifiez là encore qu'elles ne contiennent que des légumes (attention, car certains petit pots sont épaissis avec de la farine de maïs).

Les légumes

Grâce à leur grande variété et à leur intérêt diététique (sels minéraux, vitamines, cellulose, etc.), les légumes sont à la base de la diversification alimentaire. Leur qualité nutritionnelle dépend surtout de leur fraîcheur.

Quels légumes choisir ?

Commencez par les légumes les plus classiques : pommes de terre, carottes, poireaux (en petite quantité : certains enfants n'en aiment pas trop le goût). Lorsque bébé sera habitué (un mois ou deux plus tard), vous pourrez, selon la

saison et vos réserves, ajouter haricots verts, courgettes, salade, bettes, persil, épinards, tomates, fonds d'artichauts... Les carottes sont souvent très appréciées pour leur petit goût sucré, les pommes de terre sont parfaites pour donner un peu d'onctuosité.

Attendez encore un mois ou deux de plus (vers six mois) avant d'introduire les autres légumes : navet, chou-fleur, céleri ou aubergine.

Il sera bientôt temps de varier le goût de la soupe et d'initier l'enfant à de nouvelles saveurs. La plupart des bébés aiment beaucoup les biberons de soupe de légumes. Profitez-en pour donner au vôtre le goût des légumes verts que tant d'enfants refusent plus tard pour n'y avoir pas été habitués.

La préparation des légumes

Utilisez les légumes du marché les plus frais possible. Épluchez-les et coupez-les en petits morceaux. Faites-les cuire dans de l'eau du robinet (elle va bouillir longuement) : 20 minutes en autocuiseur sous pression, 1 heure environ en casserole (cuisson normale).

Ne salez pas l'eau de cuisson. Le mieux est de cuire une petite quantité de fruits ou de légumes dans un peu d'eau ou bien à la vapeur, puis, lorsqu'ils sont moelleux, de les réduire en purée ou de les mixer. Un jeune bébé préfère généralement les purées très lisses. Mais l'habituer rapidement à la consistance grumeleuse peut être un atout pour la suite.

Pour les quantités donner, là encore c'est votre enfant qui vous guidera. Les premières étapes doivent être franchies en douceur : 10 à 20 g de purée mixée mélangée au biberon suffisent. Puis on augmente de 20 à 30 g par semaine (si bébé est d'accord, bien sûr). Progressivement la purée devient plus épaisse et se donne à la cuiller. Salez très peu.

Quand donner le biberon de soupe ?

À midi ou le soir, comme cela vous arrange. Il est déconseillé de donner à un petit bébé une soupe ou un bouillon cuits depuis plus de vingt-quatre heures. Vous pouvez, en revanche, cuire de la soupe pour plusieurs jours et la congeler, sous forme de purée épaisse, en petites quantités. Au repas, vous décongèlerez juste la quantité de soupe dont vous avez besoin.

Dans quoi congeler de la soupe en si petites quantités ? Pensez aux emballages (parfaitement lavés) de petits-suisses ou de flans. Pensez aussi aux bacs à glaçons et aux gobelets en plastique.

En cas de refus

Si votre bébé refuse le biberon de lait préparé avec du bouillon de légumes, revenez au biberon de lait pur. Vous ferez une nouvelle tentative dans une semaine.

S'il refuse l'introduction de légumes mixés dans le biberon, demandez-vous d'abord si vous n'en avez pas mis trop pour commencer (une ou deux cuillerées à café suffisent) ? Ou peut-être avez-vous choisi des légumes au goût trop fort ? Vérifiez aussi que vous avez suffisamment agrandi la tétine du biberon pour que la soupe coule sans trop d'efforts de la part du bébé.

Quoi qu'il en soit, attendez quelques jours avant d'en proposer de nouveau. La diversification alimentaire doit se faire avec douceur. Entre-temps, continuez à donner le biberon au bouillon de légumes. En cas de reflux, les légumes peuvent sans problème être introduits plus tard.

Les fruits

Avant six mois, il est préférable de ne donner que des fruits cuits et mixés, mais sans sucre. Ensuite, les compotes peuvent laisser une place aux fruits frais. Bien mûrs, pelés et écrasés à la fourchette (ou râpés, ou mixés grossièrement selon les fruits), ils seront un délice pour les enfants et une bonne source de vitamines.

Les petits pots

Ces préparations peuvent vous dépanner les jours où vous n'avez pas eu le temps de cuire les légumes de bébé. Les petits pots représentent un gain important de temps et permettent de varier facilement les menus du bébé. Ils ont pour inconvénients de ne pas restituer le même goût ni les mêmes textures que les préparations maison et d'être souvent plus riches en sucres et en graisses.

En conclusion, ils sont pratiques pour dépanner mais il ne doivent pas représenter l'alimentation exclusive du bébé. Vérifiez également attetivement leur composition pour vous assurer qu'ils ne contiennent pas d'additifs alimentaires.

Les surgelés

Dans les premiers temps, votre bébé ne mangera que peu de soupe, de purée de légumes ou de compote de fruits. Vous pouvez donc en prépapour plusieurs jours et la garder au congélateur.

Si vous achetez des surgelés, les galets de purée sont pratiques car vous pouvez n'utiliser que la quantité dont vous avez besoin.

Pour ne pas rompre la chaîne du froid, achetez dans un magasin à débit de surgelés important, transportez les produits dans un sac isotherme et ne recongelez jamais un produit qui a été décongelé. Vérifiez également bien la composition.

Les boissons

Dès la naissance, l'eau est indispensable au bébé. Il arrive, par forte chaleur, que l'apport d'eau dans le lait ne suffise pas au nouveau-né. Ou bien qu'il souffre de diarrhées ou de vomissements. Dans ce

cas, il faut lui en proposer au biberon dans la journée. Mais il est de toute façon important, dès l'âge de quatre mois, d'habituer le bébé à boire autre chose que du lait, et tout particulièrement un peu d'eau chaque jour. L'eau que vous utilisez pour les biberons convient bien : pure et peu minéralisée. Votre médecin vous dira quand vous pourrez commencer à donner à votre bébé de l'eau du robinet. C'est le plus souvent vers cinq mois, mais cela dépend de la qualité de l'eau de votre région.

Les tisanes, aux herbes et aux fruits, sont désaltérantes, calmantes, digestives et souvent très appréciées des bébés. De préférence, vous les donnerez sans sucre. Les jus de fruits, maison ou « pur jus », ne doivent pas être donnés en trop grande quantité, car ils sont très nourrissants.

Petits et gros mangeurs

On ne peut en aucun cas obliger un bébé à manger. Tant pis s'il ne finit pas son biberon. C'est lorsque le bébé commence à associer soupe et anxiété maternelle que les difficultés alimentaires risquent de s'installer.

Pour le nourrisson, manger est une source de sensations de plénitude très agréables. C'est aussi un moment précieux de tendre échange. Mais si on l'oblige à absorber la quantité que l'on a jugée correcte pour lui, il perd le contact avec ses propres besoins intérieurs, puis éventuellement tout plaisir à s'alimenter.

Pour diversifier l'alimentation du bébé, on procédera en douceur, sans forcer un enfant qui n'est pas prêt.

Le jeune enfant a d'abord besoin d'amour et les aliments seront bien assimilés si le repas est un moment privilégié de complicité. Alors ne soyez surtout pas inquiète ou rigide : l'équilibre alimentaire de votre enfant découlera de son équilibre psychologique et de sa joie de vivre.

Certains bébés, dès la naissance, ont un petit appétit. Ils boudent souvent les fins de biberons ou se détournent des purées amoureusement préparées. Les mamans s'inquiètent et ne savent comment réagir. Le bébé a-t-il eu assez ? Est-il malade ?

D'autres ne sont jamais satisfaits par la quantité qui leur est donnée. Ils ont toujours faim avant l'heure et se jettent sur leur repas avec voracité. Jusqu'où faut-il augmenter les quantités ?

Toute mère a vite fait de s'inquiéter des particularités alimentaires de son bébé et se demande chaque jour s'il a pris assez.

La réponse est oui. Vous pouvez faire confiance à votre bébé : il sait ce dont il a besoin. Un bébé qui a faim mange. S'il ne veut plus de son biberon ou de sa purée, c'est qu'il n'en a plus besoin. Si son apport alimentaire n'est pas équilibré sur la journée, il l'est certainement sur la semaine ; alors inutile de s'inquiéter. Surtout si sa courbe de taille et de poids évolue normalement.
Si votre enfant réclame davantage, il est peut-être en période de forte croissance. C'est à votre pédiatre de décider avec vous des quantités à lui donner. Veillez surtout à ne pas augmenter exagérément les quantités de farine et de sucre, à cause des risques d'obésité. Sinon, il est nécessaire qu'il mange à sa faim.
Comme nous, le bébé a un appétit qui peut varier d'un jour à l'autre. À nous de nous y adapter.

La prise de poids

La prise de poids n'a pas de sens d'un jour sur l'autre car elle dépend de l'heure de la pesée, de l'appétit de votre enfant, etc. En revanche, elle doit s'établir de façon régulière d'une semaine à l'autre, puis d'un mois à l'autre.
La prise de poids moyenne d'un bébé au cours de sa première année est impressionnante : en douze mois, il aura généralement triplé son poids de naissance !

Prise de poids moyenne par mois
- 0 à 3 mois : 900 grammes
- 3 à 6 mois : 750 grammes
- 6 à 9 mois : 600 grammes
- 9 à 12 mois : 450 grammes

• Les repas du bébé

Voici des exemples de menus que vous devez moduler selon le poids de votre bébé, le nombre de ses repas, son appétit et les conseils de votre pédiatre.

De la naissance à 2 mois

Chaque enfant a son rythme propre. Finalement, c'est votre bébé qui doit vous indiquer le nombre de repas dont il a besoin. Il se régulera progressivement de lui-même. Mais si vous voulez savoir combien le bébé doit prendre de repas chaque jour et quand diminuer le nombre de biberons, reportez-vous à la règle suivante :
- quand le poids du bébé atteint 4 kg, il prend 5 repas ;
- quand le poids du bébé atteint 5 kg, il prend 4 repas.

À neuf semaines, la majorité des bébés se réveille encore vers cinq ou six heures du matin avec une vraie faim. Cela impose de donner le premier biberon à cette heure-là, donc de rester à cinq repas par jour. Sinon, les écarts entre les biberons seraient trop importants pour que le bébé puisse attendre.
Quand votre bébé se réveillera plus tard le matin, vers sept ou huit heures, il sera temps de passer à quatre repas, espacés de quatre heures environ. D'autres bébés se réveillent encore la nuit pour réclamer à manger : il est normal de leur donner un biberon de nuit tant qu'ils en ont besoin.

À partir du 4e mois

Les bébés prennent en général cinq repas de 160 g ou quatre repas de 200 g.

- Matin : biberon préparé avec 180 g d'eau + 6 mesures de lait maternisé.
- Midi : biberon de lait avec bouillon, puis soupe de légumes.
- Goûter : biberon de lait avec compote de fruits cuits.
- Dîner : biberon de lait avec farine (1 à 2 cuillerées à café).

Le **régime** anti-diarrhées

La diarrhée est une affection fréquente chez les bébés. Banale, elle peut être due à un refroidissement, à une mauvaise digestion ou à une poussée dentaire. Plus sérieuse, elle peut être le signe d'une gastro-entérite, par exemple.
Si la diarrhée est liquide, durable et qu'elle s'accompagne de fièvre ou de vomissements, si le bébé semble apathique et perd du poids, il faut consulter rapidement votre médecin. Il vous donnera un traitement adapté et vous fera mettre votre bébé au régime anti-diarrhées. De toute façon, dès que vous constatez que les selles de votre bébé deviennent liqui-

Après le régime anti-diarrhée

La diarrhée entraîne une déshydratation : avant même la consultation, donnez très souvent à boire à votre bébé (de l'eau sucrée avec 1 sucre pour 100 g (1 dl) d'eau).
La réintroduction du lait et des laitages doit se faire de façon progressive, sur plusieurs jours, par exemple en ajoutant une, puis plusieurs mesures de lait en poudre dans une purée de carottes légère

des (ou même très molles), supprimez immédiatement :

- le lait ;
- les laitages ;
- les fruits et les légumes crus, les jus de fruits.

Remplacez-les par :

- de la soupe de carottes, préparée avec des carottes pelées et cuites dans de l'eau, puis mixées. Délayez la purée obtenue avec de l'eau minérale. Si vousmanquez de termps, procédez plus simplement en délayant dans un peu d'eau minérale un petit pot de purée de carottes. Ce biberon pourra être légèrement sucré si votre bébé le préfère ainsi.
- de la farine de riz ou de l'eau de cuisson de riz (non prétraité ou précuit). Vous pouvez utiliser cette eau de riz pour préparer les biberons.
- une banane pochée et mixée ou bien de la compote pommes-coings (il existe des petits pots en vente dans le commerce). Pour préparer la banane, commencez par choisir un fruit bien mûr que vous plongez quelques minutes avec la peau dans de l'eau bouillante. Enlevez ensuite la peau, mixez la pulpe et délayez-la avec de l'eau minérale.

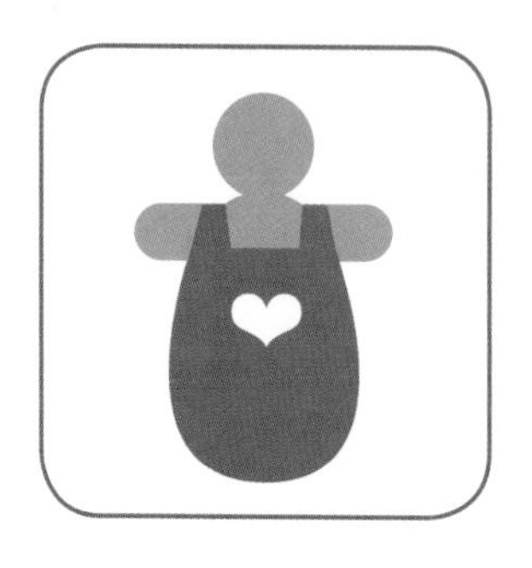

Chez les tout-petits, le sommeil a une fonction biologique très importante : il joue sur l'organisation des circuits nerveux, les apprentissages et le développement de la mémoire, et se révèle indispensable pour le développement physique. C'est dire si les nombreuses heures que le nouveau-né passe à dormir sont précieuses...

Le sommeil du tout-petit

C'est lorsqu'il dort que le bébé reprend de l'énergie, qu'il libère l'hormone de croissance, qu'il fixe ses acquisitions et mûrit son système nerveux. La difficulté, c'est que tous les bébés sont différents. Si tous, vers quatre mois, peuvent faire leurs nuits, certains sont déjà de gros dormeurs, alors que d'autres ne dorment qu'en pointillé. Vers huit mois, on voit apparaître les couche-tard et les lève-tôt... Mais, de même que l'on ne force pas un bébé à manger, on ne peut obliger un bébé à dormir. On ne peut que le mettre dans la situation favorable à la survenue d'un bon sommeil...

Ce n'est qu'en observant l'enfant que l'on peut repérer quel est son rythme propre et l'aider à s'équilibrer. Au fil des mois, les temps de sommeil vont se régulariser. Un nouveau-né passe environ 60 % de son temps à dormir. Vers un an, l'enfant, en plus d'une bonne nuit, dormira encore souvent deux siestes par jour, une le matin et une l'après-midi.

• Pour un **bon sommeil**

Autant un rythme de vie régulier aide l'enfant à développer de bonnes habitudes de sommeil, autant les parents vont devoir parfois faire preuve de flexibilité. Il est inutile de mettre au lit un enfant parfaitement réveillé qui ne présente aucun signe de sommeil. De même, l'enfant dormira bien s'il a eu, dans la journée, les temps d'affection et de présence parentales dont il a besoin.

Des besoins différents

Le nombre d'heures que passe un bébé à dormir va diminuer rapidement de mois en mois au cours de la première année.

Tous les chiffres que l'on peut donner ne sont qu'indicatifs car il existe de grosses variations selon les bébés. Certains gros dormeur feront encore une sieste le matin à onze ou douze mois. D'autres dormiront moins et s'en porteront très bien. Ces petits dormeurs qui hurlent dans leur lit pour qu'on les lève ne relèvent pas du sirop calmant…

Dès les premiers mois, on constate qu'il existe des gros dormeurs et des petits dormeurs. Il n'est pas inquiétant que votre bébé dorme peu s'il est en bonne santé et se développe normalement. Il n'est pas davantage inquiétant que votre bébé dorme des heures, en laissant parfois passer l'heure du repas. Inutile de le réveiller : la faim s'en chargera. C'est seulement le tempérament des enfants qui varie : tel pour l'instant, il sera sans doute différent demain.

LES TEMPS DE SOMMEIL

Voici un récapitulatif qui donne une idée du nombre d'heures qu'un bébé passe habituellement à dormir quotidiennement. Les chiffres incluent le sommeil de nuit ainsi que la ou les siestes faites dans la journée.

Nouveau-né : 18 à 20 heures
1 à 3 mois : 18 à 19 heures
4 à 5 mois : 16 à 17 heures
6 à 8 mois : 15 à 16 heures
9 à 12 mois : 14 à 15 heures

Les stades de la vigilance

Le comportement du bébé peut se résumer en cinq stades, qu'il est bon de connaître.

- Le stade 1 correspond à un sommeil calme. Le nouveau-né est immobile, son visage est inexpressif et sa respiration est régulière. Ses yeux sont fermés.
- Le stade 2 est celui du sommeil agité. L'enfant bouge, s'étire, grogne ou bâille. Il a des mouvements des yeux et des mimiques du visage. La respiration peut être rapide et bruyante. Ce stade couvre la moitié du temps de sommeil total. Malgré toute cette agitation, n'allez pas croire que le bébé réveillé ; le prendre dans ses bras à ce moment ne manquerait pas de le perturber.
- Au stade 3 le bébé est réveillé et calme. Les yeux grands ouverts, il est attentif à son environnement. C'est le moment le plus agréable à partager.
- Au stade 4 le bébé s'énerve et n'est plus très attentif.

- Le stade 5 survient si l'on n'a pas trouvé la cause du malaise : bébé pleure.

Comment l'aider à faire ses nuits ?

En l'aidant à différencier le jour de la nuit. Pour les siestes de jour, inutile de faire l'obscurité totale ou le silence dans la maison : le bébé s'accommode naturellement de cet environnement.
En revanche, la nuit, il convient de faire la pénombre dans sa chambre. Si vous venez le voir la nuit, n'allumez qu'une veilleuse et parlez tout doucement.
Supprimer de force le biberon nocture en laissant pleurer le bébé ne l'aide pas à faire ses nuits. Tant qu'il a faim, il faut le nourrir et prendre patience : les nuits complètes viendront en leur temps.

Il pleure quand on le met au lit...

Les bébés s'endorment généralement facilement avec de la douceur et un gros câlin. Un petit de moins de quatre mois qui a du mal à s'endormir ou qui se réveille fréquemment en pleurs peut être un bébé qui a mal. Nombreux sont les bobos qui peuvent le gêner : un reflux gastrique, des coliques, des difficultés respiratoires, une otite, un érythème fessier qui le démange au premier pipi, etc. Même la nuit, ce n'est pas forcément la faim. Tout cela est à contrôler auprès de votre pédiatre.

Il se réveille la nuit

Beaucoup de bébés se réveillent encore la nuit, le plus souvent à la fin d'un cycle de sommeil, lorsque le sommeil est plus léger. Ils n'ont pas appris à replonger d'eux-mêmes dans le cycle suivant.
Certains se réveillent une fois, d'autres deux ou trois. Généralement, le bébé se met à crier, cela dure un certain temps, puis il se calme dans les bras de sa mère ou de son père et se rendort. Jusqu'au prochain réveil.
La première chose à faire est de chercher si l'on peut trouver la cause de ces réveils noctures. Voici des éléments qui peuvent les provoquer. Chacun appelle une solution appropriée.

- Le bébé a faim, il n'a pas assez mangé ou trop tôt.
- Il a mangé trop vite et n'a pas assez tété ou sucé.
- Il a soif : il fait trop chaud ou trop sec, le bébé est trop couvert.
- Il n'est pas « dans son assiette » (nez bouché, douleurs digestives, otite latente, régurgitations...).

Mais souvent la cause est à rechercher plutôt dans un malaise psychologique.

- L'atmosphère de la maison est agitée ou anxieuse ou votre bébé a été trs énervé en fin de journée.
- Vous n'avez pas pris le temps de le bercer, de le rassurer et de l'aider à glisser dans un sommeil paisible.

- Une journée fatigante (beaucoup de visites, déplacement dans un lieu inconnu de bébé) peut perturber la nuit qui suit.

Si vous avez déterminé la cause de ces réveils, vous pourrez efficacement y remédier. Sinon, voici quelques trucs qui ont fait leurs preuves :

- Donnez un bon repas le soir, copieux et digeste.
- Disposez un humidificateur dans la chambre de l'enfant.
- Donnez-lui son bain le soir.
- Avant de le coucher, donnez-lui un biberon d'eau, contenant une légère infusion de tilleul ou de fleur d'oranger.
- Assurez-vous que l'ambiance autour de l'enfant soit calme, surtout en fin de journée.

Comment réagir ?

Vous ne parviendrez à calmer votre bébé que si vous-même vous êtes calme et paisible. Si vous ne vous sentez pas d'humeur câline, mieux vaut le laisser dans son lit et l'aider à trouver son pouce plutôt que de lui transmettre votre énervement.
Dans tous les cas, et même si les pleurs se répètent, vous ne devez en aucun cas :

- lui administrer des tranquillisants ou des somnifères ;
- crier pour le faire taire ;
- vous déplacer au moindre appel comme si effectivement le lit était pour lui un lieu pénible ou dangereux ;
- le prendre dans votre lit ou dans vos bras à chaque appel. Au contraire, faites-le patienter cinq ou dix minutes au début, avant de le rejoindre, puis augmentez le temps progressivement. Pour que l'enfant devienne autonome, il faut qu'il ait confiance en lui. Pour cela, il faut que vous ayez confiance en lui, et en sa capacité à régler seul ses problèmes de sommeil.

Quand le bébé grandit

De quatre mois à un an, les conditions du sommeil changent progressivement. L'enfant fait ses nuits, mais il devient plus sensible à l'ambiance, aux habitudes et aux contrariétés. Son sommeil se ressent facilement de sa vie éveillée. Peu à peu, il devient capable de lutter contre le sommeil, même s'il est très fatigué. Il s'énerve et l'endormir devient difficile.

Le pouce et la sucette

L'un comme l'autre ont leurs partisans et leurs détracteurs. Sans prendre parti dans cette querelle, je rappelerai avant tout le besoin fondamental qu'a le bébé de téter, besoin que le temps consacré au repas suffit rarement à satisfaire. Si certains bébés trouvent vite leur pouce et se calment ainsi, d'autres n'y parviennent pas. Pourquoi leur refuser le même apaisement et ne pas leur donner une sucette ?

La tétine

La sucette est extrêmement décriée. Elle serait malsaine, transporterait toutes les saletés, ferait des parents des esclaves. En fait, je constate surtout qu'elle procure une réelle satisfaction à l'enfant. Elle aide notamment les enfants qui ont des coliques ou des difficultés digestives à se calmer. Le pouce est préférable dans la mesure où il laisse le bébé libre de le prendre ou non, à volonté, sans que l'adulte ait à intervenir. Mais on peut trouver des solutions pour la tétine, par exemple en mettre plusieurs dans le lit de l'enfant afin qu'il ait plus de chances d'en trouver une la nuit. Il existe aussi des clips permettant d'attacher la tétine au vêtement.

Le problème de la tétine, c'est que les enfants qui sont habitués ne peuvent souvent plus s'en passer avant plusieurs années. À chaque parent de faire son choix.

À partir de quatre mois, le sommeil des bébés se ressent de leur vie éveillée et ils peuvent avoir plus de mal à s'endormir.

Un vrai besoin

Téter est un comportement inné que le bébé emploie spontanément pour se rassurer et maîtriser les émotions qui l'envahissent. C'est un besoin à respecter. Il ne peut qu'être nuisible d'empêcher un bébé de satisfaire ce besoin, quel que soit le moyen choisi. Qu'il se satisfasse avec son pouce ou avec une tétine est tout à fait secondaire. Mais une fois l'habitude prise, en priver l'enfant serait pire que le mal – si mal il y a. Aux parents fumeurs, je demande : vous qui êtes prisonniers de votre plaisir oral, attendez-vous de votre bébé qu'il soit plus fort que vous ? L'éducation est un exemple : soyez exigeants pour vous-mêmes avant de l'être pour lui…

Le seul signe qui puisse vous inquiéter, c'est la constatation que votre bébé tète toute la journée et semble ainsi se couper du monde. Lorsqu'il est reposé, qu'il n'a pas faim, qu'il joue, il n'éprouve pas en permanence le besoin de téter. Sauf si ce besoin prend le pas sur le besoin d'échange, d'exploration et de communication. Dans ce cas, il convient de s'interroger sur ce qui ne va pas pour l'enfant et sans doute de passer davantage de temps à s'occuper de lui et à jouer avec lui.

• Du **couffin** au lit

Vers trois mois, le bébé est désormais trop grand pour continuer à dormir dans un couffin ou un berceau. Vous allez devoir lui trouver un lit. Si c'est votre premier enfant, vous n'avez peut-être pas encore choisi le lit dans lequel vous l'installerez.

Le lit traditionnel des petits enfants jusqu'à trois ou quatre ans est le lit à barreaux. Souvent, la profondeur du lit est réglable et un côté des barreaux peut coulisser à volonté. Les barreaux permettent à l'enfant de voir ce qui se passe dans la chambre tout en l'empêchant de sortir de son lit.

Vous pouvez préparer vous-même un lit tout simple : un matelas posé sur le sol, avec un encadrement mesurant deux fois la hauteur du matelas. On recouvrira les planches de tissu molletonné. L'intérêt de ce lit, c'est qu'il est à la fois un espace de sommeil délimité (ce que les bébés apprécient, comme on peut le voir à la manière dont le plus souvent ils se glissent jusqu'au bord de leur lit pour s'endormir tout contre) et que le bébé peut facilement en sortir quand il commence à ramper : à condition que sa chambre soit parfaitement sûre et fermée, le bébé, dès six mois, peut évoluer dans son domaine, sortir tôt de son lit s'il veut jouer, aller s'allonger s'il se sent fatigué… Même si votre bébé est encore tout petit, pensez à tout cela au moment de changer le couffin pour un vrai lit.

Après la « passion symbiotique » des premiers jours, la mère éprouve le besoin de recommencer à vivre une vie « normale ». Elle ne doit pas culpabiliser, car il en va de l'équilibre de son enfant comme du sien. Tous deux vont apprendre à s'éloigner l'un de l'autre et l'enfant va comprendre que sa mère ne lui appartient pas.

Premières séparations

Les premières sorties sans leur bébé sont parfois difficiles pour certains parents et le choix de la personne qui va s'en occuper contribue beaucoup à les rassurer et à les détendre. Le plus simple au début est sans doute de faire appel à quelqu'un de proche, famille ou ami. Quand ce n'est pas possible, la solution consiste à faire appel à une baby-sitter.

• Baby-sitter : la première fois

Il est toujours préférable de confier votre enfant, surtout la première fois, à quelqu'un que vous connaissez ou que l'on vous a recommandé et en qui vous avez toute confiance. Peut-être une jeune fille de votre entourage est-elle venue vous aider à la maison dans les semaines précédentes ? Dans ce cas, faites appel à elle : l'enfant et elle se connaissent déjà, ce qui est un bon point. Mais si vous ne connaissez pas la baby-sitter, demandez-lui de venir chez vous la veille afin que vous voyiez comment elle se comporte avec votre bébé et que vous puissiez faire connaissance.

Que vous choisissiez une fille ou un garçon, une personne jeune ou plus âgée, peu importe. Ce qui compte, c'est que vous trouviez une personne de confiance, que vous jugez sûre, qui aime les enfants et qui a des gestes tendres. C'est le caractère de la baby-sitter, bien plus que son habitude des enfants, qui vous permettra de partir ou non en toute quiétude.

Partir tranquille

Prévenez votre bébé que vous allez vous absenter et dites-lui au revoir. Même s'il ne comprend pas le sens exact des mots, votre voix le rassurera. Si possible, évitez de partir pendant qu'il dort. Sinon, dites-lui au revoir avant. Le petit bébé est plus sensible à l'anxiété de sa mère qu'au fait qu'elle le laisse quelques heures à une autre personne ; alors, une fois que la décision est prise et que tout est organisé au mieux, partez de bon cœur et amusez-vous.

Voici quelques conseils qui peuvent vous aider à préparer la venue de la baby-sitter.

- Préparez à l'avance tout ce dont elle aura besoin : biberon, lait, eau, couches, crème, etc. Vous lui éviterez ainsi d'avoir à ouvrir tous les placards pour trouver un pyjama propre.
- Demandez-lui d'arriver un quart d'heure avant votre départ, afin d'avoir le temps de tout lui expliquer calmement et de partir sans précipitation.
- Mettez-la à l'aise : si besoin est, présentez-lui le bébé et faites-lui visiter les pièces principales de la maison (salle de bains, chambre de bébé, cuisine, salon...). Indiquez-lui où sont rangés le linge de rechange, les couches et le lait en poudre.
- Mettez-lui par écrit les habitudes de bébé : médicaments, soins, bain, biberon, etc. Mettez également le ou les numéros de téléphone où vous êtes joignable et les numéros utiles tels que médecin, voisins, urgence ou famille proche. Enfin, allez là où vous l'avez dit. Prévenez la baby-sitter si vous modifiez votre programme et rentrez à l'heure dite.

Si vous faites tout cela, partez le cœur en paix. Si tout s'est bien passé, appelez la même baby-sitter la prochaine fois : elle s'habituera au bébé et lui à elle.

Les parents qui travaillent

Dans un nombre croissant de familles, surtout s'il n'y a qu'un enfant, les parents sont deux à travailler. Ils ne peuvent s'empêcher de se poser des questions. Est-ce que je passe assez de temps avec mon enfant ? Est-ce que ma présence pendant sa toute petite enfance ne lui aura pas trop manqué ? Comment faire pour compenser tout ce temps que l'on passe séparés ?

Sachez d'abord que l'intensité et la qualité du temps de présence comptent davantage que la quantité. Vous pouvez passer des heures à côté de votre enfant : s'il s'occupe seul et vous aussi, si vous ne créez aucun contact, il ne bénéficie pas de votre présence. Mais cette qualité est d'autant plus importante que la quantité est faible. C'est-à-dire que moins vous partagez de temps avec votre bébé, plus il faut que ce temps soit fait de moments intenses et riches. Cela est bien sûr valable pour le père comme pour la mère.

Toute mère ou tout père qui travaille doit avoir à cœur de dégager un maximum de temps pour son enfant et de se rendre disponible pour lui quoi qu'il arrive. Les structures sociales et l'organisation des entreprises n'y sont pas toujours très favorables. À chacun de tenter de les faire évoluer et de faire ses choix. Un enfant ne reste pas petit longtemps. Il a besoin de la présence de ses parents. Profitez-en avant qu'il ne soit trop tard. Même si vous travaillez à temps plein, le temps passé avec votre enfant suffira s'il est bien utilisé.

Les modes de garde

En théorie, vous avez le choix entre plusieurs possibilités. Dans la pratique, le choix est malheureusement beaucoup plus restreint. Or, cette question de la garde est une question clé. Il est en effet plus facile de travailler en paix si son bébé est dans un bon environnement et qu'il semble heureux. Le mieux est de s'y prendre assez tôt pour choisir en fonction de son goût et prévoir une solution de rechange en cas de refus. Une fois le mode de garde choisi, sachez vous y tenir afin d'offrir au bébé la possibilité de s'habituer à ce nouveau « chez-lui ».

La collectivité

La crèche collective peut être municipale, départementale ou privée. Elle accueille les enfants selon des horaires stricts et le prix à payer dépend de vos revenus. Elle favorise l'éveil, la sociabilité et... la propagation des microbes. Le nombre de places étant très inférieur au nombre de demandes, il est bon de s'inscrire avant même d'accoucher et de « soutenir » son dossier par tous les moyens possibles.

- La crèche familiale est à mi-chemin entre la crèche et la nourrice : il s'agit d'un regroupement d'assistantes maternelles disposant d'un suivi et d'une formation, sous l'autorité d'une puéricultrice. Les tarifs sont ceux de la crèche collective.
- La halte-garderie est conçue pour dépanner ponctuellement les mères au foyer. Les horaires sont variables (certaines structures prennent les enfants une journée entière) et les places souvent très demandées.

L'assistante maternelle

L'assistante maternelle est une mère de famille qui accueille votre bébé chez elle, ainsi que deux ou trois autres enfants. Si elle est agréée, elle est suivie par une assistante sociale et les services de la PMI. Les horaires et les tarifs sont à décider conjointement. La mairie pourra vous fournir une liste d'adresses d'assistantes maternelles habitant près de chez vous.

Le système D

Les autres solutions vont de la crèche parentale à la jeune fille à domicile que l'on partage avec la voisine, en passant par la concierge-nourrice-au-noir et la grand-mère complaisante. Cette dernière solution est évidemment agréable pour l'enfant comme pour sa mère, mais c'est un luxe de plus en plus rare. Les familles sont souvent éloignées et les grand-mères pas toujours disponibles…

Les débuts **à la crèche** ou **chez une nourrice**

Cette fois, votre congé de maternité est vraiment terminé. Vous allez faire votre rentrée professionnelle et votre bébé sa rentrée à la crèche ou chez l'assistante maternelle. Cette séparation risque, sans quelques précautions, d'être mal vécue de part et d'autre. Un bébé de cet âge est très sensible à la séparation d'avec sa mère et ses besoins affectifs sont importants. Il n'a ni les moyens de comprendre la situation ni ceux d'exprimer sa détresse.

Les craintes du bébé lors de son entrée en crèche ou en nourrice font souvent écho à l'anxiété et au sentiment de culpabiblité éprouvé par sa mère.

- Pour aider votre bébé, il est indispensable de fonctionner en douceur. Le temps de l'adaptation est fondamental pour qu'il s'habitue. Peu à peu, il apprendra à s'y retrouver dans ses deux cadres de vie et parmi les différentes personnes qui prennent soin de lui. Mais l'adaptation n'est pas une simple immersion progressive dans un milieu. C'est un temps où vous, sa mère, allez accompagner votre bébé dans son nouveau lieu, y être avec lui, vous tenir dans toutes les pièces où il se tiendra bientôt seul. Ce lieu sera pour lui « investi » de votre présence et votre bébé se souviendra de vous lorsqu'il s'y retrouvera seul. L'adaptation est aussi le moment de faire bien connaissance avec l'auxiliaire ou l'assistante qui s'occupera de votre bébé.
- Soyez également très attentive à préserver la sécurité intérieure de votre bébé. Pour cela, il est bon qu'il n'y ait ni rupture ni conflit entre la crèche et la maison. Une phase de transition de quelques minutes, matin et soir, destinée à échanger au sujet de votre bébé, de sa nuit, de sa journée, de son rythme est nécessaire.
- N'oubliez pas enfin que les craintes d'un bébé font souvent écho à l'anxiété et au sentiment de culpabilité éprouvé par sa mère. Si vous êtes sûre de votre choix, votre enfant l'acceptera paisiblement. Mais si vous êtes malheureuse ou mécontente du mode de garde choisi, l'enfant va le

ressentir. Il va se dire que, si vous êtes inquiète, c'est certainement que vous avez des raisons de l'être et qu'il y a un danger pour lui. Alors il va refuser. Inutile de tricher cependant, de faire semblant d'être bien. Souvenez-vous que votre enfant est en contact direct avec la réalité de vos émotions. Mieux vaut, dans ce cas, lui parler simplement : « Tu sens que je suis triste de te laisser toute la journée, mais, peu à peu, nous nous habituerons l'un et l'autre. Je suis sûre que tu seras bien ici et nous serons très heureux de nous retrouver ce soir. »

Rendre la séparation plus facile

- Si vous allaitez encore, n'attendez pas les derniers jours pour sevrer votre enfant. Donnez-vous deux ou trois semaines, afin de remplacer très progressivement les tétées par des biberons, sans que cela soit lié à une séparation. Vous pouvez garder les tétées du matin et du soir.
- Dans le mois qui précède votre reprise professionnelle, essayez de faire garder votre bébé, tantôt une heure, tantôt un après-midi. Vous lui donnerez ainsi confiance en votre retour.
- Dans le nouveau lieu où il va être gardé, installez dans le lit de votre enfant deux ou trois jouets qui viennent de la maison, pour créer un lien.
- Glissez près de son oreiller un petit foulard de soie que vous aurez gardé au cou plusieurs jours. Imprégné de votre odeur, il rappellera votre présence à votre bébé et le rassurera.
- Préparez une liste des « habitudes de vie » de votre bébé, ainsi qu'une liste de toutes les questions que vous avez à poser à l'auxiliaire ou à l'assistante maternelle qui s'occupera de votre enfant. Vous serez sûre ainsi de ne rien oublier d'important.
- Prévoyez du temps pour une adaptation progressive. Si vous en avez la possibilité, arrangez-vous avec le papa pour que, les premiers temps, votre bébé ne fasse que des petites journées à la crèche. Être d'emblée séparé de vous huit à dix heures par jour lui semblerait très long.

• Être **disponible** pour son enfant

Les parents rentrent souvent épuisés de leur travail et ils ont bien du mal à trouver la patience et la disponibilité nécessaires. Pourtant, il est important de soigner ces moments-là car leur énervement retentit sur leur enfant. Pour attirer leur attention, celui-ci peut multiplier les bêtises… Et les retrouvailles, alors qu'elles devraient être un moment de joie, tournent parfois à l'affrontement. Les parents se disent qu'ils ne vont pas utiliser le peu d'heures qu'ils partagent avec leur enfant à faire de la discipline. Ainsi la situation risque d'empirer et les fins de journée de devenir difficiles. Il faut donc que les parents trouvent le moyen de se détendre avant de retrouver leur enfant : celui-ci n'est pas responsable de la pression professionnelle et n'a pas à en subir les conséquences. C'est aux parents d'établir, lorsqu'ils sont avec lui, une bonne qualité de communication. Ainsi l'enfant n'aura pas besoin de se servir de troubles divers (arrêter de manger, se réveiller la nuit, etc.) pour réclamer son dû de tendresse.

Se retrouver le soir

- Jusqu'à ce que votre enfant soit couché, laissez de côté tout ce qui n'est pas indispensable ou qui ne le concerne pas : ménage, courses, courrier, repas des parents, télévision, etc. Dites-vous bien que passer le balai est moins important que de monter une tour avec ses cubes.
- Servez-vous utilement du temps passé ensemble. Le bain, le repas, le change, la mise au lit peuvent être autant de moments de communication, d'échange et d'éveil.

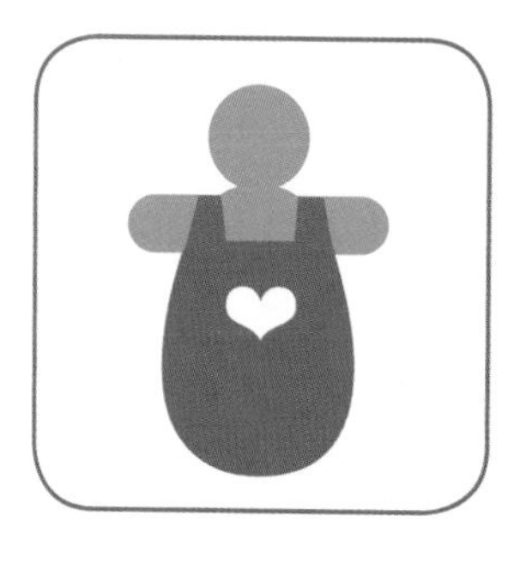

Les cris et les pleurs sont le premier moyen de communication dont dispose le bébé. Signaux de détresse, ils visent à faire venir l'adulte, qui fera ce qu'il faut pour le ramener à l'état de bien-être. Mais les pleurs des tout-petits sont aussi une expression physiologique normale dont on ne comprend pas toujours la signification.

Bobos et chagrins

Certains bébés peuvent pleurer quatre ou cinq fois par jour pendant vingt ou trente minutes, d'autres concentrer leurs pleurs sur la fin de journée ou la nuit, mais pendant deux ou trois heures.
Les bébés diffèrent beaucoup dans leurs tempéraments. Certains bébés aiment être stimulés, entourés, distraits, quand d'autres ont besoin de beaucoup de calme et supportent peu de stimulations. Certains sont plus faciles à calmer que d'autres qui ont besoin de vider leurs tensions intérieures pendant un moment avant de pouvoir s'endormir.

• Comprendre **ses pleurs**

Ce n'est que vers six ou sept semaines que le bébé commence à s'organiser. Il comprend mieux son environnement, s'est habitué à ses rythmes et à ses parents, pleure moins souvent et différencie ses pleurs. Il vous est alors plus facile de comprendre les raisons de ses crises. Mais d'autres pleurs apparaissent qui n'existaient pas lorsque l'enfant était nouveau-né.

Il pleure d'ennui

Au cours de ces mois d'intense apprentissage, votre bébé a besoin, lorsqu'il est éveillé, de découvrir et d'apprendre de nouvelles choses. Il va crier si vous le laissez seul dans son lit, parce qu'il n'a pas assez de choses à y faire : fournissez-lui du « matériel » (jouets ou objets divers) qui lui permettra de s'exercer.
Mais l'enfant a également besoin de compagnie. Plutôt que de rester seul dans sa chambre pendant que vous vaquez à vos occupations dans le reste de la maison, il aura grand plaisir à vous accompagner, assis dans son transat ou à plat ventre, de

pièce en pièce, pendant que vous faites le ménage, votre toilette ou que vous préparez le repas. Il aime vous voir bouger. Il aime entendre votre voix lorsque vous lui commentez ce que vous faites. Il aime être à vos côtés et a besoin de cette douce complicité.

Il pleure de rage et de frustration

Ce sont les deux sentiments qui peuvent habiter votre enfant lorsqu'il est empêché de faire quelque chose qu'il désire. Physiquement et intellectuellement, ses capacités sont de plus en plus grandes chaque jour. Il va avoir peu à peu des envies de toucher à tout, des désirs de découvrir le monde. Mais deux forces s'y opposent :

- Son impuissance à faire ce qu'il voudrait faire, parce qu'il est trop petit et que ses désirs sont en avance sur son développement physique; cela le met en rage.
- Vos refus et vos interdits, lorsque vous l'éloignez des prises de courant, du vase à fleurs ou de tout ce qui peut être dangereux pour lui ou pour l'objet. Cette frustration dans son élan peut aussi le faire hurler.

Il n'y a guère de solution : il faut que tout enfant apprenne peu à peu à supporter la frustration. Vous pouvez l'y aider en limitant les interdits, en l'encourageant dans ses tentatives et en l'éloignant doucement de ce qui est défendu, sans jamais le punir d'une curiosité bien naturelle et tout à fait légitime.

Il pleure de peur

Votre enfant est maintenant capable d'anticiper et peut pleurer de peur, par avance, par exemple en reconnaissant le médecin qui lui a fait un vaccin le mois précédent. Ne le grondez pas : c'est une preuve de sa bonne mémoire et de son intelligence!

Mais il peut aussi développer une peur des personnes inconnues et se réfugier derrière vous dans les situations inhabituelles. Là encore, ne le brusquez pas : il traverse une nouvelle phase, ses angoisses sont réelles et il a besoin que vous le rassuriez. Prenez-le dans vos bras, emportez son objet favori lors de vos sorties et respectez ses peurs : c'est ainsi qu'il prendra confiance en lui.

Il pleure de faim

Les cris commencent doucement mais, si vous n'y répondez pas, cela tourne rapidement à la rage. C'est la cause la plus fréquente des cris. Il faut savoir que la faim est une vraie douleur pour le petit bébé.

Que faire? Le nourrir, bien sûr. Pourquoi le laisser pleurer de faim, sans autre nécessité que d'appliquer un horaire strict? Chaque bébé a son rythme : à vous de le découvrir.

Il pleure de soif

C'est une cause à laquelle on ne pense pas souvent. Pourtant, il est fréquent qu'un bébé, trop couvert, pleure d'inconfort et de soif. De même, la chaleur et la sécheresse de l'air régnant dans les appartements modernes entraînent souvent une soif du bébé à laquelle il faut répondre en tant que telle : en lui donnant un petit biberon d'eau et non de lait.

Il pleure de fatigue

Votre bébé a passé un long moment éveillé, charmant. Puis, la fatigue venant, il a commencé à pleurnicher un peu. Il se peut qu'il trouve son sommeil. Il se peut aussi que l'énervement monte, en longs sanglots, et que vous ayez l'impression qu'il ne s'endormira jamais.

Que faire ? Vous pouvez essayer de bercer votre bébé, de le promener dans un sac kangourou ou de lui chanter une berceuse. Un bébé se sent bien s'il est en contact corporel étroit avec sa mère. Mais vous pouvez aussi le coucher dans une pièce calme et lui offrir la possibilité de vider tranquillement la tension qui l'habite, sans vous angoisser.

Il pleure d'inconfort

Ces pleurs sont petits, mais répétés, insistants. Tâchez de comprendre d'où vient la gêne afin d'y remédier : couche souillée, érythème fessier, impression de froid ou de chaud, position inconfortable, nudité, etc. À chaque problème sa solution. Un exemple : votre bébé a horreur d'être nu ? Enroulez-le dans une serviette bien chaude quand vous avez à le déshabiller entièrement.

Il pleure de douleur

Ces cris sont souvent aigus, stridents, difficiles à supporter. Mais l'enfant de cet âge ne sait souvent pas encore porter la main là où il souffre ; aussi est-il bien difficile, dans la plupart des cas, de comprendre d'où vient le mal.

Que faire ? Prendre votre bébé dans vos bras, pour ne pas le laisser souffrir seul. Tenter de comprendre ce qui lui fait mal et y remédier. S'il paraît malade, appeler un médecin.

● Il fait **ses dents**

Si votre bébé a les pommettes rouges, suce vigoureusement son poing, bave beaucoup, a les gencives enflées et semble souffrir, peut-être est-il en train de se préparer à sortir sa première dent.

Celle-ci peut apparaître dès cinq mois ou n'être toujours pas sortie à un an, sans qu'il y ait lieu de s'inquiéter dans un cas comme dans l'autre. Il n'existe pas d'enfants qui n'ont pas de dents et la date d'apparition de la première est absolument sans importance et sans aucun rapport avec le reste du développement

de l'enfant. Autant les dents de lait sortent toujours plus ou moins dans le même ordre, autant l'âge d'apparition de la première dent peut être très variable : cinq mois est assez banal, mais douze mois est courant aussi. Alors ne faites preuve d'aucune impatience.
Certains bébés semblent souffrir un peu plus que d'autres quand les dents sortent. Cela peut même s'accompagner de rougeurs sur les fesses. En revanche, les dents ne sont jamais directement responsables de fièvre, de diarrhées, de bronchite ou de vomissements. L'enfant, souvent moins résistant pendant cette période, est exposé à des infections qu'il faut soigner comme telles. Négliger un symptôme en le mettant sur le compte des dents serait une erreur.

Aider son bébé

- Donnez-lui quelque chose de ferme à mâcher : anneau de dentition, carotte réfrigérée. L'anneau qui contient un liquide doit être mis au réfrigérateur (le froid soulage l'inflammation) mais non au congélateur.
- Frottez doucement la gencive du bébé avec votre petit doigt, et éventuellement un gel apaisant que le pharmacien vous conseillera. Mais évitez anesthésiques et aspirine.
- Par temps froid, ou seulement si le vent est frais, couvrez chaudement la tête et le visage de votre bébé.
- Une fois que votre bébé a des dents, ne le laissez plus mâchouiller toute la nuit un biberon de lait ou d'eau sucrée. Attention aux caries !

L'ordre de sortie des dents

Les deux incisives inférieures sortent en premier, puis les incisives supérieures. Les incisives latérales supérieures sont souvent les suivantes, et les latérales inférieures sortent en dernier.

Il est **malade**

Dans certains cas, c'est la fièvre ou la douleur qui font pleurer le bébé. Les jeunes enfants peuvent monter très vite à des températures élevées. Un bébé trop couvert ou exposé soudain à une forte chaleur ne peut pas réguler sa température interne rapidement et risque le classique coup de chaleur qui se traduit entre autres par une température très élevée.
Une main posée sur son front n'est pas un bon indicateur de la température : plus vous avez les mains froides, plus le front vous semblera chaud. Si vous avez un doute, s'il vous semble que votre enfant a de la fièvre, seul un thermomètre vous le confirmera. Le thermomètre frontal à cristaux liquides vous donnera déjà une bonne indication, mais c'est le classique thermomètre rectal qui vous donnera l'indication totalement fiable.

Si la fièvre de votre bébé dépasse 38 °C et qu'elle est associée à d'autres signes (toux, diarrhées, pleurs, etc.), contactez vite votre médecin. Lui seul pourra déterminer les causes de cette température élevée et vous dire comment la traiter. Car la fièvre n'est qu'un signe associé à une maladie qu'il convient de diagnostiquer.

Faire baisser la fièvre

Il existe des moyens simples et tout à fait efficaces, qui dispensent d'employer des médicaments risquant de brouiller les symptômes, alors qu'un diagnostic n'a pas encore été posé.

- Découvrez l'enfant. Ôtez brassière et couvertures. Ne lui laissez, au maximum, qu'une petite chemise de coton.
- Faites marcher un ventilateur dans sa direction.
- Enveloppez-le dans un linge fin (petit drap de lit), imbibé d'eau froide, puis essoré.
- Laissez-le une vingtaine de minutes dans un bain dont l'eau est d'une température inférieure de 2 °C à la sienne.

Petits et grands **dangers**

Le petit bébé devient vite capable d'escalades ou de retournements que l'on ne soupçonnait pas. Il faut aussi s'assurer de la totale sécurité du matériel de puériculture que l'on utilise (chaise haute stable, siège-auto sûr, etc.). Très vite, le bébé est capable de se tortiller, de se soulever, de se balancer. Vous le couchez à un bout du lit, vous le retrouvez à l'autre. Cela demande une grande vigilance de votre part. L'éducation au danger que l'on donne à l'enfant est importante. Lui interdire de faire certaines choses est indispensable, mais lui apprendre à faire par lui-même, et en toute sécurité, ce qui peut l'être est tout aussi important. Plutôt que lui transmettre nos angoisses, mieux vaut l'avertir des dangers et lui apprendre à y faire face.

La table à langer

Même si vous ne l'avez jamais vu faire, dites-vous que votre bébé sera capable, d'un jour à l'autre, de donner un coup de reins et de se retourner. Aussi vous ne devez jamais le laisser seul sur une table à langer, pas même quelques secondes. Si vous devez vous retourner pour attraper quelque chose, gardez une main posée sur votre bébé. Si vous avez oublié un vêtement dans une autre pièce ou si vous devez répondre au téléphone, enveloppez le bébé dans une serviette et emmenez-le avec vous. Autre solution : posez-le sur la moquette. Mais surtout ne le laissez pas seul en hauteur.

On voit trop d'accidents de bébés victimes de traumatismes crâniens pour être tombés sur le carrelage du haut de leur

table à langer. Chaque fois, la mère dit : « Je ne pensais pas qu'il était déjà capable de remuer autant. »

Les petits objets

À partir de quatre mois, votre bébé fait de gros progrès en matière de préhension. Tout ce qu'il attrape, il le porte à sa bouche. Vous devez redoubler de vigilance en ce qui concerne sa sécurité. Ne lui laissez aucun objet qu'il pourrait avaler, mettre dans son nez ou ses oreilles. Assurez-vous, avant de confier un jouet à votre enfant, qu'il ne présente aucun danger. Les jouets du commerce sont soumis à des contrôles et à des règlements très stricts qui les rendent pour la plupart inoffensifs, mais méfiez-vous des yeux des peluches qui pourraient s'arracher ainsi que des grelots présents dans les hochets et les peluches. Faites encore plus attention aux jouets que vous avez fabriqués vous-même, à ceux des aînés qui peuvent comporter des petites pièces et aux objets que vous avez détournés de leur utilisation pour en faire des jouets.

Assurer la sécurité

Tant que le bébé reste à l'endroit où on le pose, les risques concernant sa sécurité sont limités. Mais dès sa naissance, il faut prendre un certain nombre de précautions.

- Ne vous laissez pas surprendre par les progrès de votre bébé. Ils surviennent souvent d'un coup et sans qu'on s'y attende, entraînant des risques dans un environnement qui n'est pas adapté. Le mieux est d'anticiper sur les compétences de son bébé et de prévoir ce qu'il sera prochainement capable de faire.
- Vers cinq ou six mois, le bébé sait se retourner sur lui-même. Dès ce moment, il ne faut plus jamais le laisser sur une surface surélevée sans garder une main sur lui. Il ne peut être laissé seul quelques minutes que sur le sol, nettoyé de tous les objets dangereux, et dans son lit à barreaux ou son parc, c'est-à-dire dans des lieux parfaitement sûrs.
- Si vous n'avez pas de lit à barreaux et que votre bébé peut librement sortir de son lit, veillez à aménager la chambre de façon à ce qu'elle soit absolument sans danger (prises de courant de sécurité, meubles stables, pas d'angles vifs ni d'objets pointus, etc.). Il pourra ainsi s'y promener librement.
- Très vite, c'est toute la maison qui va devoir être passée en revue et rendue parfaitement sûre. Pensez à protéger de la curiosité de votre bébé les objets auxquels vous tenez, mais surtout à protéger votre bébé lui-même des objets dangereux de la maison. Faites disparaître les plantes vertes, rangez les produits toxiques en hauteur, revoyez l'installation électrique, ne laissez aucun fil électrique traîner au sol, supprimez les objets cassables et les cendriers des tables basses, etc.

◗ Quand votre bébé commence seulement à tenir assis, mais sans stabilité, veillez à l'entourer toujours de gros coussins qui éviteront qu'il se heurte la tête en basculant.

◗ Le mobilier de votre enfant (chaise haute, poussette...) doit être assez solide et lourd pour qu'il ne puisse pas basculer lorsque le bébé se penche ou s'y agrippe.

◗ Vous trouverez, dans les magasins spécialisés, beaucoup d'objets qui vous aideront : coins de tables, bloqueurs de portes, loquets pour placards, barrières d'escaliers, etc. Regardez votre intérieur avec un œil très vigilant : s'il y a une bêtise à faire, elle sera certainement faite. Partez du principe que rien n'échappera à la curiosité de votre bébé et que vous ne pouvez plus rien laisser traîner.

◗ Dès l'instant où ce ernier va ramper, il portera à sa bouche tout ce qu'il trouvera sur son chemin. Faites attention aux petits objets qui pourraient l'étouffer et à la propreté du sol.

● Le voyage **en voiture**

Les voyages sont bons pour les enfants : ils mettent de la nouveauté dans la routine de leur existence et augmentent leurs expériences. Mais avec un bébé de cet âge, ils demandent une solide organisation. Ce n'est qu'à ce prix qu'ils seront effectivement positifs. L'improvisation est vivement déconseillée. D'une part parce que, si elle vous donne moins de travail avant le départ, elle risque de vous en donner davantage après. D'autre part parce que, pour un bébé, tout changement dans les habitudes est générateur d'une anxiété qui ne se transformera en plaisir que s'il vous sent rassurée, tranquille et parfaitement organisée.

Bien penser son voyage

◗ Chaque fois que c'est possible, privilégiez les déplacements en train ou en avion, qui sont plus confortables que les longs trajets sur la route. En voiture, tant que l'enfant est petit, le trajet sera toujours plus facile si vous l'effectuez de nuit.

◗ La sécurité est le premier impératif : voiture révisée, prudence et sûreté du conducteur, lit-auto ou siège-auto homologués et solidement arrimés sont des précautions minimales. Jamais, même sur un petit trajet, de couffin ou de bébé tenu sur les genoux.

◗ Prévoyez dans l'habitacle tout le matériel dont vous aurez besoin : couches, biberons, petits pots, eau minérale. Et n'oubliez pas quelques jouets.

◗ Sachez à l'avance quelles seront vos étapes et où vous passerez la nuit.

◗ Pensez à tout ce qui simplifie la vie : les préparations stérilisées en biberons jetables, briquettes de lait prêt à l'emploi,

Les risques de 3 à 6 mois

- Le bain commence à devenir un moment de plaisir pour le bébé. Contrôlez toujours la bonne température de l'eau avec un thermomètre de bain (plus fiable que la main ou le coude). 37 à 38 °C est correct pour le bain de bébé.
- Les chutes de la table à langer sont le risque essentiel à cette période. Seule prévention : gardez toujours une main sur votre bébé lorsqu'il est sur la table à langer. Si vous devez vous éloigner, posez-le par terre, dans une serviette.
- Les trajets en voiture peuvent être source de danger. Ne tenez jamais votre bébé sur vos genoux pendant les trajets : il n'est protégé que dans un siège ou un lit-auto homologués. Ne laissez jamais un bébé seul dans une voiture : il peut attraper un coup de chaleur très dangereux. En trajet, ayez toujours un biberon d'eau à portée de la main.
- Le bébé commence à porter des objets à la bouche. Ne mettez près de lui que des hochets ou des jouets qu'il ne risque pas d'avaler. Attention aux yeux des vieilles peluches et aux billes des aînés !

chauffe-biberon à brancher sur l'allume-cigares, lingettes humides, etc.

- Attention à la température dans la voiture : à l'arrêt, il peut faire une chaleur terrible le midi sur la route ou très froid sur une route de montagne.

Partir dans le froid

- La neige réverbère vivement le soleil : protégez votre bébé de crème « écran total » et faites-lui porter des lunettes filtrant les UV spéciales pour les petits.
- L'air sec des appartements de même que l'altitude peuvent entraîner une déshydratation. Pensez à proposer régulièrement à boire à votre bébé.
- Pour sortir, choisissez les heures plus chaudes du milieu de journée. N'oubliez ni la crème hydratante pour la peau, ni le tube de pommade anti-gerçures pour les lèvres.
- Attention : un bébé de moins de un an, qui ne fait pas d'exercice physique, se refroidit très vite. Soyez vigilant.

Partir dans la chaleur

- Prévoyez les indispensables : parasol, moustiquaire, porte-bébé avec pare-soleil, stores sur les vitres de la voiture, etc.
- Attention aux coups de chaleur : ne laissez jamais votre enfant au soleil s'il fait plus de 25 °C, habillez-le de cotonnade légères et donnez-lui beaucoup à boire.
- Méfiez-vous des piqûres d'insectes, du sable dans les yeux, des allergie (urticaire, conjonctivite, etc.).Si bébé fait la sieste au-dehors de la maison, pensez à la moustiquaire qui le protégera des guêpes et des abeilles.
- Enduisez tout le corps de votre bébé de crème solaire. Attention aux effets du soleil en montagne, car, du fait de l'altitude, on ne sent pas toujours la chaleur des rayons sur la peau.
- Méfiez-vous des animaux errants.
- Si vous promenez bébé en soirée ou par temps frais, ne négligez pas de bien lui couvrir les extrémités : les pieds, la tête, les mains.

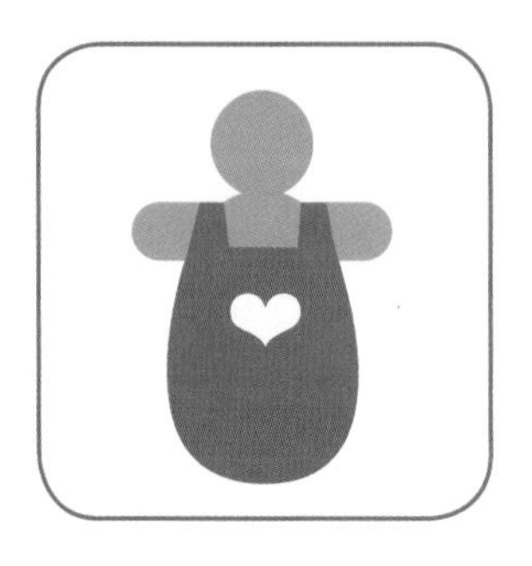

Plus le bébé grandit, plus il s'intéresse à son environnement. Il passe moins de temps à dormir et davantage à regarder autour de lui. Il aime se promener et découvrir plus encore les plaisirs de la rue ou du parc. Puis il devient capable d'attraper et de se déplacer seul : son désir de découverte n'a plus de limites.

Un éveil progressif

Dès ses premières journées de vie, le bébé apprend, grâce à son odorat, son ouïe, puis sa vue, à reconnaître sa mère. Très rapidement, dans les semaines qui suivent, il reconnaît également son père, dont il a entendu la voix à travers la paroi du ventre maternel, surtout si celui-ci a à cœur de s'occuper de son bébé et d'avoir des échanges avec lui.

Après quelques mois, votre enfant distingue ses parents des autres personnes et connaît bien ses frères et sœurs aînés dont la venue le réjouit tout particulièrement. Il devient plus attentif à ce qui l'entoure. La contrepartie, c'est qu'il ne se laisse plus aussi facilement approcher ou manipuler par les personnes qu'il ne connaît pas ou peu. Il peut même se mettre à pleurer si un « étranger » veut le prendre dans ses bras.

Que les mamies ou les amis ne s'attristent pas : cela signifie seulement une meilleure connaissance du monde de la part de ce tout petit bébé… Quand il les connaîtra mieux, il leur sourira aussi et leur tendra les bras. En attendant, vous qui comprenez les inquiétudes de votre bébé, protégez-le en suggérant aux grand-tantes qu'il n'est pas nécessaire qu'elles se jettent sur lui pour l'embrasser…

• Hamac, porte-bébé et landau

Déjà tout petit, votre bébé fait preuve d'une grande curiosité. Il a plaisir à vous accompagner de pièce en pièce, à vous suivre des yeux, à vous écouter lui parler. Offrez-lui ce plaisir en l'installant dans un petit hamac (ou transat). Il s'agit d'un siège bas et incliné formé d'une toile souple retenue par une armature métallique. Votre bébé, après quelques jours d'adaptation, s'y sentira très à l'aise et aura davantage l'impression de partager la vie de la famille. Attention au hamac posé en hauteur, qui pourrait tomber!

Ventral et muni d'un appuie-tête, le porte-bébé vous permet de porter votre enfant contre vous, tout en ayant les mains libres. Le bébé, enfoui dans votre chaleur, parce qu'il retrouve les sensations oubliées de votre démarche et le bruit de votre cœur, s'y trouve généralement merveilleusement bien et peut passer là des heures paisibles. Il a des coliques? Il a du mal à s'endormir? Glissez-le dans le

Le portage

Il est possible de porter son bébé dans une grande écharpe spécialement conçue à cet effet. Ce mode de portage a séduit récemment beaucoup de jeunes mamans occidentales, mais il est inspiré d'habitudes traditionnelles sous d'autres latitudes. Il satisfait, chez le bébé, son besoin de présence, de chaleur, de sécurité affective. Quant au parent, il jouit d'une grande intimité avec son bébé, ses mains sont libres et il peut s'occuper normalement.

L'écharpe permet une très bonne position du bébé: il est soutenu sous les fesses et les cuisses, son dos est arrondi, ses jambes écartées et repliées (position dite de «la grenouille», précieuse pour son dos).

Les façons de nouer l'écharpe sont multiples. Elles dépendent du poids de l'enfant et sont détaillées sur plusieurs sites internet. Bébé peut être porté sur le ventre, sur le côté ou sur le dos. Certains nouages sont particulièrement adaptés à l'allaitement. Trois précautions doivent cependant être prises:

- La tête du bébé doit être bien soutenue. Le tissu doit donc bien englober la tête du bébé, surtout chez les plus jeunes.
- Évitez le portage face au monde. Pour que la position du dos soit bonne, le bébé doit être tourné vers celui qui le porte. S'il est curieux du monde, il peut le regarder sur le côté...
- Le tissu de l'écharpe doit être de bonne qualité, souple et résistant : c'est ce qui explique souvent le prix de ces objets...

porte-bébé et, comme une maman kangourou, vaquez à vos occupations. Vous sortez faire une course? Votre bébé sera mieux là, au chaud sous votre manteau, que seul au fond d'un landau rigide. Ne vous inquiétez pas pour ses vertèbres ou la forme de son dos : les bébés africains, portés sur le dos dès leur naissance, ne font-ils pas de formidables athlètes? Vous trouvez votre bébé trop lourd pour de longues promenades? Confiez-le, avec le porte-bébé, à son père…

Lorsque vous utilisez un landau pour emmener votre bébé en promenade, il est nécessaire de le surélever de façon que, partiellement assis, il puisse voir ce qui se passe autour de lui. Sinon, couché sur le ventre et la tête enfouie au fond du landau, la promenade perd pour votre bébé beaucoup d'intérêt…

La curiosité est vitale pour un bébé. C'est la force qui le pousse à apprendre et à se lancer à la découverte de son monde. Il va y mettre une énergie énorme. Si cette curiosité débouche sur un plaisir et un enrichissement, elle restera vivante tout au long de l'enfance. C'est cela l'intelligence de l'enfant : cette force avec laquelle il va aller peu à peu à la rencontre de son environnement, tenter de le comprendre et de le modifier. C'est en multipliant les expériences et les explorations que le bébé va reconnaître et intérioriser une somme insoupçonnable de connaissances.

• Les plaisirs du bain évoluent avec l'âge

Lorsque bébé a trois ou quatre mois, il a pris confiance en lui et appris à apprécier le bain. Il est souvent devenu trop grand pour sa baignoire de bébé et se baigne désormais dans la grande. Pendant une période intermédiaire, vous pouvez déposer sa petite baignoire au fond de la grande, afin de l'habituer, puis la remplacer un temps par une grande bassine à linge.

Au fil des mois, le bébé a davantage besoin de son bain quotidien. Assis dans l'eau, il trouve un grand plaisir à éclabousser et à jouer avec ses objets de bain. Se baigner est alors une détente pour l'enfant et un temps de partage privilégié avec l'adulte.

Beaucoup de bébés adorent le bain. L'eau le leur rend bien : elle les détend et les équilibre. Si votre enfant fait partie de ceux qui se précipitent dans le bain et ne veulent plus en sortir, vous n'aurez pas de problèmes pour enrichir son plaisir de nouveaux jeux différents.

En revanche, comme nous l'avons vu, si votre bébé fait partie de ceux qui vont se baigner à contrecœur ou en hurlant, l'apprivoiser sera plus difficile. Douceur et patience!

En grandissant, votre bébé va se baigner dans la grande baignoire. Premier conseil : attention à votre dos. Il risque de souffrir si vous passez le temps du bain penchée au-dessus de la baignoire. Imposez-vous donc de vous agenouiller après avoir posé près de vous tout ce dont vous aurez besoin.

Se détendre et se faire plaisir

Voici quelques indications qui devraient vous permettre de vous détendre un peu. L'horaire du bain importe peu, de même que le lieu (salle de bains, cuisine..., pourvu qu'il soit bien chauffé) et le récipient (bassine, évier, lavabo, baignoire).

- Les plaisirs du bain seront nombreux pour votre enfant si vous vous souvenez que ce moment n'est pas seulement destiné à se laver, mais aussi à s'amuser.
- Laissez couler l'eau, lentement, à une douce température, pour que l'enfant puisse jouer avec le filet d'eau. C'est souvent un grand amusement. Un autre plaisir est constitué par les éclaboussements. Bien sûr, vous devrez d'abord vous envelopper dans un peignoir, ensuite passer une serpillière dans la salle de bains. Mais cela n'est rien en comparaison du plaisir que l'enfant prend à jouer avec l'eau.
- Sachez que les enfants qui apprennent ainsi à ne pas craindre l'eau sont aussi ceux qui auront le plus de plaisir à aller à la piscine ou à la mer et à nager.
- Autre grand plaisir du bain : la patouille. Dès que votre bébé se tient assis dans le bain, vous pouvez lui fournir un grand nombre de joujoux avec lesquels il jouera tout à loisir. Remplir, vider, transvaser... il ne s'en lasse pas.

Le bain : les dangers

Nous avons vu les plaisirs du bain : ils ne seront complets et bénéfiques que si vous prenez bien garde aux dangers, petits et grands.

- Tant qu'il ne tient pas bien assis, gardez toujours un bras sous la nuque de votre bébé.
- Mettez peu d'eau dans la baignoire.
- Couvrez le robinet d'eau chaude avec un gant de toilette afin que le bébé ne risque pas de se brûler.
- Pour la même raison, soyez prudente si vous ajoutez de l'eau chaude dans la baignoire lorsque l'enfant s'y trouve.
- Évitez le bain moussant qui décape la peau et risque de lui piquer les yeux.
- Ne lui confiez aucun flacon en verre pour jouer.
- Placez systématiquement un tapis antidérapant au fond de la baignoire.
- Ne laissez pas votre bébé se mettre debout, sauter ou grimper ou s'entraîner à la gymnastique lorsqu'il est dans la baignoire.

Pour habiller l'enfant plus grand

Le problème essentiel de l'enfant de quelques mois sera, comme pendant le

change, de le faire patienter pendant que vous l'habillez. Dessins au plafond et comptines vous y aideront. Progressivement, votre enfant participera aux étapes de l'habillement, le rendant nettement plus facile.
Les conseils essentiels pour cet âge consistent dans le choix des vêtements.

- Ne vous fiez pas forcément aux tailles des fabricants, et achetez toujours un peu grand.
- Achetez préférentiellement du coton, et vérifiez les consignes d'entretien : évitez tout ce qui ne va pas au lave-linge à 30 °C.
- Lorsque votre bébé commence à se mettre debout, pensez à mettre des semelles antidérapantes sous les pieds de ses grenouillères.
- Évitez les bas à élastiques à la taille qui laissent souvent le ventre à l'air. Préférez combinaisons et salopettes.
- Enfin évitez les robes pour les petites filles tant qu'elles ne marchent pas : cela les empêche de se déplacer sur le sol.
- Aux habits compliqués, préférez l'ample et le douillet.

Les séances d'habillage

Si votre enfant est particulièrement actif, il se peut qu'il ne supporte plus de rester immobile le temps nécessaire pour le changer. Dans ce cas, les séances d'habillage deviennent de véritables épreuves de force.
Vous le contraignez pendant qu'il essaie de s'enfuir, vous vous énervez parce qu'il vous met en retard, bref, c'est très dur.

Quelques trucs pour vous aider

- Pour le « haut », habillez-le pendant qu'il est assis, en train de jouer ; pour les pieds, pendant qu'il est installé sur sa chaise haute.
- Organisez des jeux sur la table à langer : petits jouets à manipuler, chansons reprenant les parties du corps, dialogue accompagnant vos gestes (« Où elle est, la main ? Elle est cachée dans la manche ? Coucou ! La voilà »). Vous en profitez pour lui apprendre le nom des différentes parties du corps...
- Pour le « bas », asseyez-vous et coincez-le entre vos jambes, debout et dos à vous.
- Apprenez-lui à participer, comme un « grand » : tendre la main, enfiler le bras, glisser son pied, sont des gestes qu'il peut faire pour vous aider.

Faut-il **stimuler** son bébé ?

Les besoins physiologiques du petit enfant sont des besoins de nourriture et de chaleur. Inutile d'épiloguer. Au sein ou au biberon, dans la laine ou dans la soie, tous les parents connaissent d'instinct la priorité de ces besoins et y font face. Y compris au milieu de la nuit. Mais les enfants ont d'autres besoins : ils veulent que l'on nourrisse leur curiosité et leur joie de communiquer.

La première année du bébé est à la fois la plus active et la plus sensible. Toutes les grandes acquisitions vont se mettre en place, notamment les habitudes spécifiquement humaines. C'est pendant cette période que vont se construire les structures de base qui supporteront toute l'évolution ultérieure.

Ne croyez pas pour autant que tout est figé ou déterminé à un an, mais plutôt que tout ce qui se vit et s'acquiert pendant cette période est déterminant. Rien n'est suffisant pour s'assurer l'avenir. Mais il est nécessaire que cette première année se passe au mieux pour l'avenir de l'enfant.

Trop de stimulations physiques ou intellectuelles peuvent faire d'un bébé un enfant anxieux et agité.

Sachant cela, certains parents ou éducateurs ont déduit qu'il fallait « profiter » de la première année pour éveiller et stimuler son bébé à tout prix. Ils se sont livrés avec leurs enfants à de véritables leçons destinées à hâter leur développement. Je voudrais mettre ces parents en garde : trop de stimulations physiques ou intellectuelles peuvent faire du bébé un enfant hyperactif, anxieux, agité. Il risque de payer cher, par la suite, le fait d'avoir atteint tel ou tel stade plus tôt que son voisin de crèche. Quelle importance ? Il a bien le temps de se lancer dans la rivalité et la compétition.

Tous les bébés gagnent à se trouver dans un environnement riche de nombreuses possibilités, qui les aide à épanouir leurs merveilleuses aptitudes.

L'éveil du bébé au quotidien

Les parents attentifs à l'éveil de leur bébé ont à cœur d'aider à :

- son développement sensoriel et corporel, qui permet à l'enfant de percevoir le monde qui l'entoure et d'agir sur lui ;
- son développement intellectuel, qui permet à l'enfant de comprendre les informations qu'il perçoit, de les mémoriser, puis de les réutiliser ;
- son développement social et affectif, qui permet à l'enfant de créer des liens et l'intègre dans un échange d'amour indispensable. Ce dernier point est essentiel : c'est parce que vous aimez votre bébé que vous voulez pour lui ce qu'il y a de mieux et lui offrir les stimulations qu'il apprécie.

Mais un jeune bébé a aussi besoin de rester parfois seul dans son lit ou dans son parc. Il apprend à se suffire à lui-même, à gazouiller avec ses jouets, à trouver sa propre autonomie – ce qui est fondamental. Il a aussi le droit de ne rien faire, de rester tranquille, à regarder et écouter ce qui se vit autour de lui. Alors évitez l'activisme et privilégiez une ambiance faite de calme, de tendresse et de patience. L'éveil du bébé ? Il passe avant tout par ce quotidien que partagent parents et enfant, fait de mille petits riens qui s'échangent en permanence : autant

Quel jouet pour quel âge ?

De 0 à 3 mois, le bébé manipule peu, mais il explore longuement l'espace environnant avec ses yeux et ses oreilles. Un mouvement de rideau, un son qui se répète, tout fait jeu et mérite son attention.

- Bébé sera très intéressé par un mobile qui se balance, de simples rubans ou ballons de baudruche.
- En travers du lit ou du landau, suspendez un boulier ou attachez quelques hochets avec un ruban. Bébé aimera les voir bouger, puis les heurter et provoquer des sons.
- Couché sur le côté, il aimera que l'on place en face de lui une petite peluche ou une poupée de chiffon.
- Une boîte à musique est aussi un beau jouet. Le bébé reconnaîtra la mélodie et cela pourra avoir pour lui un rôle apaisant.
- Des jolies affiches au mur, des photos ou un simple miroir.

De 3 à 6 mois, le bébé attrape. Il va adorer tous les objets (hochets, anneaux de dentition, animaux en plastique) qu'il va pouvoir prendre dans la main, passer dans l'autre, mettre en bouche, secouer, dont il pourra faire sortir un son, etc.

- Il commence à s'intéresser aux peluches et aux poupées de tissu.
- Gais et colorés, les tapis d'éveil sur lesquels on allonge le bébé forment une bonne source de stimulations sensorielles.
- Les portiques sont très agréables aussi. Un peu chers, ils peuvent être faits « maison » avec un simple tréteau.
- C'est aussi le début des jeux de bain. Pour commencer, balles de ping-pong de couleurs vives et petits jouets en plastique feront l'affaire.

de messages d'amour, autant de stimulations, autant d'occasions de découvrir et d'apprendre ce monde qui est le sien.

Stimuler les cinq sens

Le bébé a cinq sens, tous efficaces, à des niveaux différents, dès la naissance. Ces sens sont les portes d'entrée par lesquelles l'enfant fait connaissance avec le monde. Éveiller les sens de son enfant, c'est lui ouvrir le monde, stimuler sa curiosité et l'aider à développer son intelligence. Il existe de nombreux petits jeux sensoriels que vous pouvez faire avec votre bébé et développer selon son âge. Mais n'oubliez jamais les points suivants :

- Tout apprentissage à cet âge ne se développe que sur une relation faite d'amour, de respect et de plaisir partagé.
- Le trop est l'ennemi du bien : alors respectez le rythme et le désir de votre bébé. Quelques minutes de stimulation par jour suffisent largement : davantage le fatiguerait. Ne vous fixez aucun autre but que le plaisir du bébé et répondre à son besoin de découverte.

Le toucher

Voici quelques échanges que vous pouvez proposer à votre enfant pour stimuler le toucher.

- Massez doucement le corps de votre nouveau-né avec vos mains enduites d'une huile d'amande douce.
- Quand il est plus grand, caressez ses mains ou ses pieds avec une brosse à dents ou un pinceau de maquillage.
- Quand il sait manipuler, confiez à votre bébé des objets de textures différentes pour lui faire explorer le doux, le rugueux, le mou, le dur, etc. Mettez de côté pour lui divers morceaux de textiles ou d'autres matières.
- Attirez son attention sur le chaud ou le froid de l'eau ou du radiateur.

L'odorat

À la naissance, l'odorat du bébé est un sens tout neuf, qui ne lui a pas servi dans le ventre où il logeait, et d'emblée merveilleusement fin et efficace. Le bébé est sensible aux odeurs et la mémoire qu'il en a est certainement supérieure à la nôtre. Comme les petits animaux, le nouveau-né se sert des odeurs pour reconnaître les gens. Quand la vue et le toucher auront gagné en efficacité, l'odorat deviendra moins utile et perdra de sa finesse. Savez-vous qu'un nouveau-né, dès l'âge de trois jours, peut différencier l'odeur de sa mère de celle d'une autre femme ?
Une fois que l'on a conscience de cette compétence, on comprend que l'on va pouvoir s'en servir pour communiquer avec son bébé. Avez-vous remarqué combien il aime se lover dans le creux de votre cou ? Il y retrouve l'odeur de son père ou de sa mère, et il est heureux.

Le hochet

Premier jouet à n'être pas son propre corps, le hochet fascinera longtemps l'enfant. Il apporte des stimulations mentales importantes : le bébé acquiert des notions de couleur, de forme, de texture.
Le hochet a deux rôles essentiels. D'abord il permet au bébé de s'entraîner à la manipulation : le hochet est attrapé, agité, secoué, passé d'une main dans l'autre. Ensuite il stimule l'intelligence du bébé et lui permet de découvrir le lien de cause à effet : il agite le hochet, celui-ci produit un son. Le bébé semble surpris, recommence le même geste et produit le même résultat. Quelle joie pour lui de se découvrir capable d'agir sur les objets !
On comprend mieux que le bon hochet sera un objet de petite taille, facile à prendre en main, souple, léger, incassable, de matière non toxique et qui produit facilement un son.

La vision

Le nouveau-né ne voit bien que ce qui est face à lui, à une vingtaine de centimètres de son visage. Le bébé appréciera que son univers visuel soit enrichi par des mobiles aux motifs divers, des posters que l'on renouvelle régulièrement, des ballons de baudruche suspendus à des ficelles qu'on laisse voler dans le vent, des jouets de couleurs vives, un miroir accroché à côté de son petit lit, etc.

La vision est sans doute le sens qui va demander le plus de temps pour parvenir à maturité. Si plus personne ne pense, comme autrefois, que les bébés naissent aveugles, il est exact que leur acuité visuelle à la naissance n'est pas parfaite et qu'elle se perfectionnera pendant plusieurs mois : les muscles des yeux vont devenir plus forts, la vision des couleurs va se développer et le bébé va apprendre à voir en relief.

Au cours des premières semaines, sa vision est limitée, mais suffisante pour bien voir un visage humain qui se penche vers lui. Il perçoit les objets s'ils sont face à lui, à vingt ou trente centimètres de son visage, et apprend peu à peu à suivre des yeux un objet qui se déplace lentement devant lui.

La perception des couleurs s'établit au cours des trois premiers mois : le bébé voit mieux les couleurs vives et contrastées. Quant à la vision en relief, en trois dimensions, elle ne sera sans doute pas parfaite avant l'âge de quatre mois.

Le goût

Dès la naissance, le bébé préfère le sucré aux autres saveurs. Le lait de la mère a des goûts différents selon son alimentation. Le lait en poudre a toujours le même goût, sauf si l'on décide de le parfumer légèrement. Pour le tout-petit, on peut varier la composition des jus de fruits ; pour les plus grands, celle du bouillon de légumes. Ne pas mélanger les légumes permet mieux d'en connaître le goût.
Tout en respectant la sensibilité gustative d'un petit, on peut lui faire découvrir, sur le bout de son doigt, des saveurs nouvelles. Vous mangez de la sauce tomate ou de la glace à la framboise ? Faites-lui goûter. Plus tard viendra le roquefort, le curry ou l'avocat. Vous serez souvent étonnée de ses réactions !

L'audition

Le bébé aime la musique, et un éveil musical tout en douceur peut commencer dès la naissance : musique classique ou chansons, cassettes de chants d'oiseaux, de cris d'animaux ou de musiques folkloriques, sons de la vie quotidienne et mots doux chuchotés à l'oreille.

● Jouer avec **les sons**

Les bébés entendent parfaitement bien dès la naissance, même si parfois il vous semble le contraire. Leur attention auditive est brève, mais ils prennent beaucoup de plaisir à écouter avec vous différents sons. Autant le bruit du téléphone, de l'aspirateur ou d'un éternuement peut le faire pleurer, parce qu'il a l'ouïe fine et sensible, autant il prendra de plaisir aux registres de votre voix comme aux bruits de la maison.

La voix

Parmi tous les bruits, le bébé préfère celui que fait la voix humaine, ce qui indique clairement son désir de communiquer. Mais une voix violente ou agressive peut le faire pleurer. Une voix froide, sans affection, peut le faire se replier sur lui-même. Une voix d'adulte qui converse avec d'autres adultes peut le laisser indifférent.
Ce que le bébé aime, ce sont les voix douces, bien timbrées, qui se font naturellement plus aiguës pour s'adresser à lui, qui lui parlent tendrement en le regardant dans les yeux, avec des mots simples, des mots qui concernent un bébé. Ou bien une voix qui lui fredonne quelque chanson douce.

La musique

Le jeune bébé aime la musique douce, la musique classique notamment. Certains préludes de Bach se sont révélés tellement efficaces pour charmer et calmer les bébés qu'ils sont utilisés maintenant de manière systématique dans plusieurs services de maternité américains. On a attribué à la musique classique de nombreux pouvoirs sur les bébés, et il est certain que vous ne ferez que du bien au vôtre en lui faisant écouter des morceaux de musique douce, ceux que vous aimez, sans forcer le son. Vous chantez ? C'est encore mieux. N'hésitez pas, même si vous doutez de la qualité de vos cordes vocales. Votre bébé, profitant à la fois du plaisir de votre voix et de celui de la musique, sera comblé.

Les sons

Le bébé aime les sons, pourvu qu'ils soient drôles, surprenants, doux, nouveaux. Toutes les occasions sont bonnes pour exercer son oreille. Seul interdit : les bruits forts, violents, agressifs, désagréables à son oreille encore toute neuve.

- Non à la musique hard rock, aux cris, aux sonneries…
- Oui au hochet, à la clochette, au grelot, au tic-tac de l'horloge, au papier froissé près de l'oreille, au tintement d'un couteau sur différents verres, aux bruits de bouche ou de doigts, etc.

● Il rit **aux éclats**

Le jour où le bébé éclate de rire pour la première fois est une date importante. Souvent lui-même semble étonné par ce son nouveau et incongru. Jusque-là, il riait, la bouche largement ouverte, mais… on n'entendait rien. Et soudain, au détour de quelques chatouilles, ce rire un peu rauque jaillit et réjouit toute la famille…

Il y a un geste que les bébés adorent et qui les fait rire aux éclats, sans que l'on sache vraiment pourquoi. À vous d'essayer.

- Quand le bébé est sur le dos face à vous, sur la table à langer par exemple, prenez ses mains dans les vôtres.
- Écartez largement ses bras sur les côtés puis, simultanément, ramenez-les vers l'intérieur en les croisant sur la poitrine Ouvrez les deux bras, puis croisez-les de nouveau en changeant de sens (l'autre bras dessus).
- Recommencez trois ou quatre fois, tant que votre bébé y trouve plaisir. Si vous terminez par une série de petits baisers sur le ventre, le succès est garanti !

Coucou, le voilà !

Vers quatre mois, le bébé devient conscient de son existence distincte de celle de sa mère, mais il n'est pas encore convaincu de la permanence des objets. Il a tendance à croire que ce qu'il ne voit plus cesse d'exister. Il ne croit pas que les choses puissent rester identiques à elles-mêmes en dehors de son regard, de sa présence ou s'il les voit sous un autre aspect. Non seulement il ne recherche pas les jouets qui ne sont pas très près de lui, mais il ne tente pas de récupérer un jouet que vous avez glissé sous un coussin, devant ses yeux. Pour l'aider à progresser, vous pouvez jouer avec lui à des petits jeux très simples et qu'il adore. Ces jeux sont importants pour lui faire percevoir que les gens et les choses continuent à exister hors de sa vue. Vous saurez qu'il a franchi cette étape lorsque, après que vous aurez caché le lapin, il repoussera lui-même le drap pour le retrouver. Vous lui offrirez de grandes parties de rire.

Jouez à « Coucou, le voilà ! » Cachez votre visage derrière une serviette ou un battant de porte, puis montrez-vous à nouveau, plusieurs fois de suite. Il est important de verbaliser en même temps : « Où elle est, maman ? Elle est partie ? La voilà ! » avec force mimiques et sourires. Vous serez heureusement surprise d'entendre votre bébé rire aux éclats... Tout en intégrant des notions de réalité physique fondamentales.

Le désir d'**échanger**

Pendant ses six premiers mois, le bébé émet des sons, il produit des mimiques et des gesticulations. Il est très important de de l'introduire dans un tendre dialogue. La mère parle, pose une question à son bébé, puis elle se tait, quelques secondes, et le bébé « répond » à sa façon, avec les moyens dont il dispose.

Cette capacité à entrer en communication est la plus importante des « nouvelles compétences des bébés » que l'on a mises en évidence. Le bébé dispose d'une très grande sensibilité à percevoir et reconnaître ce qui vient de la mère (sa voix, son odeur, son contact, l'état d'esprit dans lequel elle se trouve). Cela lui ouvre une vaste gamme de comportements et d'émotions, qui provoquent des comportements et des émotions en réponse chez la mère ou chez l'adulte qui s'occupe de l'enfant.

C'est une réaction en chaîne. L'équipement sensoriel très fin du bébé, sa sensibilité affective et sociale et les stimulations de l'entourage provoquent les conditions nécessaires pour que se mette en place un dialogue qui crée l'attachement. Cela conforte la mère dans son rôle et dans la certitude que son enfant l'aime. Cela conforte l'enfant dans la certitude d'être bienvenu, accueilli et aimé.

Les messages du bébé ne sont pas tous faciles à décoder, notamment les pleurs. Certains enfants sont plus difficiles que d'autres à comprendre. Mais tous ont un désir de contact et d'échange. Aussi dialogue et compréhension s'affinent-ils au fil des semaines.

Soyez disponible

Lorsque votre bébé est calme, qu'il est à l'aise dans son corps parce qu'il n'a ni faim, ni sommeil, ni inconfort, vous

pouvez entamer de véritables dialogues. Cet « accordage » entre la mère et son enfant se construit progressivement au cours des premières semaines. Il est fait de petits riens, tous importants, où l'un et l'autre apprennent à se connaître. Il faut du temps pour repérer les rythmes de l'enfant, la raison de ses pleurs et pour comprendre les signaux qu'il émet. Une mère attentive et disponible va vite savoir répondre par un sourire, par un geste, par une phrase, aux tentatives que fait son bébé pour entrer en contact.
Ce dernier, de son côté, va savoir quelle attitude déclenche quelle réaction. Il saura solliciter la tendresse et le dialogue. Grâce à ces échanges répétés et tendres, il va apprendre à connaître son univers. Parce qu'on lui répondra, de façon adaptée à ses demandes, il saura qu'il est aimé et se sentira en confiance. Ces premiers mots que vous lui adressez, ces paroles douces qui le concernent directement, sont aussi importants que les caresses. Ils l'intègrent au monde des humains et l'aident à bâtir sa personnalité à venir.

Le rôle du regard

Dès les premiers jours, le regard joue un rôle essentiel. Le contact face à face, les yeux dans les yeux, est vraiment important pour le bébé et il y est sensible dès sa naissance : si la maman regarde son bébé bien en face, il répond en clignant des yeux, en bougeant les bras....
Un bébé qui prend le sein ou le biberon aime plonger son regard dans celui de sa mère. Quand elle lui parle, elle sera mieux comprise et mieux entendue si elle se tient bien en face de son enfant, si elle garde un contact visuel et si elle lui sourit.

• Prendre l'habitude **de dialoguer**

Ne croyez pas ceux qui vous disent que votre bébé ne comprend pas quand vous lui parlez. Ces jeux de voix et ces échanges sont la base de son futur langage et de sa sécurité intérieure.
Parlez-lui, posez-lui des questions. Utilisez des mots simples, sans craindre de « parler bébé » si cela vous vient naturellement. Exagérez au besoin vos expressions et vos mimiques. Vous verrez votre bébé s'illuminer de plaisir et vous sourire. Vous le verrez aussi tenter d'imiter vos grimaces et vos expressions.

Pourquoi est-il si important de lui parler ?

Une raison est le plaisir que vous et votre enfant trouvez à ces tendres dialogues. Une autre est que c'est la seule façon de lui apprendre le langage !
Mettez-vous face à votre enfant pour qu'il voie bien votre visage et dialoguez avec lui, vous avec vos mots, lui avec ses

gazouillis et ses sourires : c'est le meilleur moyen de l'habituer aux sons et aux mots de sa langue, mais aussi de lui enseigner les mimiques qui sont le langage non verbal de sa propre culture. Très vite, l'enfant saura déchiffrer sur votre visage le plaisir, l'amour, la tendresse, mais aussi l'agacement, la fatigue ou la colère!

Les premiers mots que l'on adresse à un bébé l'intègrent au monde des humains et l'aide à construire sa personnalité.

Votre bébé vous parle, lui aussi : vos échanges sont un véritable dialogue. Il commence par émettre des sons, les écouter d'un air surpris, puis recommence et se met peu à peu à jouer de cette voix qu'il découvre. Répondez-lui. Gazouillez à votre tour. Vous verrez que ces merveilleux dialogues qui s'enchaînent sont un grand plaisir pour votre bébé. Imitez-le et il vous imitera. Vous pourrez alors lui faire découvrir de nouvelles sonorités.

Des mots vrais

Vous pouvez parler et dialoguer avec votre bébé dans toutes les occasions où vous êtes avec lui. Lorsque vous faites quelque chose avec lui, comme l'habiller, le changer ou lui préparer son repas, parlez-lui de ce que vous faites.

Montrez-lui les objets qui vous entourent et nommez-les, expliquez-lui vos actes, posez-lui des questions et laissez-lui le temps de répondre. Il vous répond avec une grande variété de sons et montre une attention soutenue qui vous pousse à continuer l'échange.

Ne craignez pas de vous répéter : c'est un facteur important de l'apprentissage et les enfants semblent souvent l'apprécier. Enfin, un dialogue n'est pas un flot de paroles ininterrompu : dites des mots vrais, qui ont un sens pour l'enfant, et sachez laisser des silences afin qu'il puisse prendre part à la « conversation ».

Le babillage

Ne vous étonnez pas d'entendre votre bébé parler tout seul, lorsqu'il est calme et tranquille dans son lit. Les sons qu'il produit l'amusent et le surprennent tant qu'il se sert de sa voix comme d'un instrument de musique. Lorsque vous l'entendrez vocaliser, dites-vous qu'il fait ses gammes.

Mais il n'est pas seul : il parle volontiers à ses jouets. Si vous avez mis un miroir contre son lit, il parle aussi probablement à son reflet, ce petit copain qui répond si bien aux mimiques qu'on lui adresse! Puis il vous parle à vous, dès que vous vous installez face à lui et que vous entamez la conversation.

Les tendres **câlins**

Durant neuf mois, le bébé, dont les moyens physiologiques étaient comblés, vivait dans une relation avec sa mère d'une totale complicité, bercé par ses déplacements, charmé par sa voix, caressé par le liquide amniotique. La naissance, « en expulsant » le bébé, va interrompre soudainement cette proximité. La mère et le bébé vont alors, pour rester proches et prolonger le corps à corps, devoir inventer une nouvelle tendresse.

Souvent, les jeunes mammifères s'agrippent à la fourrure de leur mère et se tiennent ainsi en étroit contact avec elle. Les mains des bébés, elles aussi, s'agrippent au moindre contact, témoignant du même désir. Mamans, ne vous privez pas de tout ce qui permet de tenir votre bébé au plus proche, au plus chaud, tout contre vous (porte-bébé, châle...). Par ce contact corporel rassurant, le bébé se sent protégé. Le corps de sa mère l'aide à trouver les limites de son propre corps. La confiance en sa mère vient lui donner confiance en lui.

L'enfant va se construire en mettant à l'intérieur de lui les sensations, les expériences, ce qu'il aura vécu par l'intermédiaire du corps de sa mère. Le confort que sa mère lui apporte, tous les moments de tendresse et de jeu, de complicité autour du repas, au biberon comme au sein, toutes ces merveilleuses expériences donnent à l'enfant l'image d'un monde où il fait bon vivre.

Parce qu'il peut aimer et être aimé sans risque, l'enfant va peu à peu partir avec confiance à la découverte du monde qui l'entoure et accepter, pour cela, de s'éloigner de sa mère.

Pour s'adapter au monde

La quantité de présence que la mère assure auprès de son enfant n'est pas seule en cause. Que peut transmettre un corps crispé, épuisé, tendu, qui dit l'anxiété plutôt que la joie de la rencontre ? Chaque nouvelle mère a besoin d'un temps, variable pour chacune, pour créer des liens affectifs chaleureux et vivants avec son bébé. Ce temps, c'est celui qui lui est nécessaire pour oublier le bébé dont elle rêvait et adopter le bébé réel, celui dont elle a accouché et qui est là, avec ses sourires et ses pleurs.

Par ce contact corporel tendre et paisible, le bébé va s'adapter au monde qui l'entoure. Progressivement, parce que la présence de sa mère ne peut plus être aussi totale que lors des premiers jours, le bébé va découvrir la frustration et ses bienfaits. Parce que sa mère vit aussi en dehors de lui, il va apprendre à assurer sa survie et devenir plus autonome. Parce qu'elle lui parle, l'appelle par son nom, le rassure sur son retour et le comble de mots d'amour, il va devenir pleinement humain, être de langage. C'est par la grâce de la tendresse et la parole qui vient remplir l'absence que l'enfant va grandir, solide et confiant.

Répondre à son besoin d'affection

À l'inverse, l'enfant privé d'affection, qu'on laisse trop souvent face à sa souffrance, risque de se refermer sur lui-même et de se désespérer. S'il pleure, c'est qu'il a quelque chose à vous dire. Si personne n'entend, il commencera par se mettre en rage, puis cessera même de communiquer. À quoi bon ? Quel message transmet-on à un jeune enfant lorsqu'on ne le soutient pas dans ses moments difficiles ? Il se sent abandonné, amer : comment lui ferez-vous croire que vous l'aimez et que la vie est belle ?

Votre enfant pleure, il a besoin de votre contact, de votre odeur, de votre voix, de votre amour. Spontanément, vous avez envie de lui porter secours et de le soulager. C'est vous qui avez raison. Il vous parle : répondez-lui. Il a faim : nourrissez-le. Il a besoin de compagnie : prenez-le dans la pièce où vous êtes et faites-lui la conversation. Il veut vos bras : câlinez-le. Un bébé réagit comme un bébé : il n'est nullement temps de le dresser ou de l'entraîner à supporter les frustrations de l'existence.

Du 6e au 12e mois

Premiers mots et premiers pas

À partir du sixième mois, votre enfant commence à tenir presque assis et observe ainsi le monde d'un peu plus haut. Les jeux de mains se multiplient, il explore bientôt son univers à quatre pattes, il dort moins... Bref, c'est un petit être bien vivant et toujours en mouvement, qui manifeste parfois avec virulence ses oppositions.

Ce qui change mois par mois

À partir de six mois, la plupart des bébés dorment moins : ils peuvent rester éveillés pendant deux heures consécutives. En revanche, ils font des nuits complètes et se réveillent un peu plus tard le matin. Les rythmes de la journée se sont aussi bien régularisés et les plages de découvertes et d'éveil plus longues.

• À 6 mois

Physiquement, on peut dire que la coordination est maintenant bonne. Les yeux, les mains et la bouche fonctionnent dans un but commun : situer les objets, les attraper, les manipuler, les porter à la bouche. Les deux mains se synchronisent.

Mentalement, la mémoire progresse encore et permet la constitution de souvenirs moins éphémères en ce qui concerne le proche passé. Le bébé met en place des habitudes et des références stables qui le sécurisent : connaissant la succession des événements, il peut les anticiper. Cela lui donne l'impression d'un début de maîtrise sur son environnement.

Le bébé tient maintenant assis, même si certains ont encore besoin d'être dans une petite chaise ou d'avoir le dos soutenu par un coussin. La tête tient tout à fait droite. La position assise, parce qu'elle libère les mains, est très importante pour le développement de l'enfant qui peut désormais manipuler tout à loisir, attraper et lâcher sans perdre – ce qui est pour lui très excitant.

Les différences individuelles s'accentuent : ce n'est plus seulement le rythme des acquisitions motrices qui varie, mais aussi l'ordre dans lequel vont se faire ces acquisitions. Certains bébés vont maîtriser en premier les mouvements généraux du corps, par exemple s'asseoir ou ramper. D'autres attendront pour cela d'avoir acquis la maîtrise parfaite des petits gestes, ceux des mains. Rien n'est mieux ou plus prometteur : chacun son style, tout simplement!

Le développement du langage

Vers six mois, les capacités du dialogue sont en constante progression. Il faut en profiter pour apprendre au nourrisson que ses balbutiements peuvent avoir un sens, renforçant ainsi son désir de s'exprimer. Pour cela, il faut partager son langage, lui renvoyer, en les modulant et les enrichissant, ses propres productions. Mais il faut lui parler comme à une personne sensée et capable de vous comprendre. Cela veut dire utiliser les bons mots, les mots précis correspondant à ce que vous êtes en train de faire, et ne pas vous cantonner à un langage « bébé ». Il est d'ailleurs tout à fait erroné de l'appeler ainsi, car jamais un jeune enfant ne dira spontanément « mimine » au lieu de « main » ou « bobo » au lieu de « mal » si un adulte ne le lui a pas appris! Alors, plutôt que de devoir ensuite le contraindre à « désapprendre », autant lui donner tout de suite l'expression correcte.

À 7 mois

Le petit garçon ou la petite fille de six mois révolus est déjà un personnage très complexe qui n'a plus grand-chose à voir avec le nouveau-né qu'il était.
La vue est parfaite : le bébé voit loin, nettement, et distingue toutes les nuances colorées. Il sait distinguer les sons, en reconnaît beaucoup et sait trouver leur provenance. Il se sert très bien de ses deux mains : il les tend vers tout ce qu'il voit et examine tout ce qu'il tient. Il est aussi capable de boire seul son biberon... à condition d'être quand même blotti dans les bras de maman ou de papa.
Physiquement, il peut se tourner dans tous les sens et rouler sur lui-même. Certains enfants ont déjà trouvé comment ramper, ou plutôt comment se glisser sur le sol, poussés par la curiosité. Presque tous commencent par se déplacer vers l'arrière, ce qui leur est plus facile.
Le bébé connaît son nom et se retourne quand on l'appelle. Il apprécie la compagnie des autres enfants et fait une vraie fête à ses frères et sœurs aînés. Pour ceux qu'il aime, il babille, proteste, échange, module sa voix. Il se sourit dans le miroir et devient conscient que les différentes parties de son corps forment une unité.

LA POSITION ASSISE

Les âges donnés ne sont que des moyennes. Aussi, soyez sans inquiétude si votre enfant ne suit pas précisément ce calendrier : il aura appris autre chose dans l'intervalle !

- À cinq mois, le bébé, posé assis, tient son dos droit. Il tombe parfois sur le côté ou devant et ne peut se redresser. Il tient en appui sur les mains. Il se tient bien s'il a des coussins et un dossier.
- À six mois, l'enfant tient assis seul mais il utilise ses mains pour se stabiliser.
- À huit mois, il se tient assis sans appui pendant une dizaine de minutes. S'il se penche, il peut se relever. Mais ce n'est pas parce qu'il sait se mettre debout qu'il peut pour autant se rasseoir. Il reste souvent debout longtemps et finit par se fatiguer et pleurer. C'est le moment de lui apprendre à s'asseoir doucement en pliant les genoux. Sinon, il va avoir tendance à se lâcher brusquement et à additionner chocs et expériences désagréables.
- À neuf mois, l'enfant s'assied seul sur le sol.

Mis debout et soutenu sous les aisselles, l'enfant peut se tenir, jambes droites et résistantes. Il adore cette position qu'il réclame avec ardeur.

• À 8 mois

Jusqu'à maintenant, les gens devaient se déplacer et venir à l'enfant, les objets lui être présentés, puisqu'il était lui-même dans l'incapacité d'aller les chercher. Maintenant, tout change : c'est désormais l'enfant qui va au-devant de ce qu'il désire.

Il a en effet acquis les capacités motrices nécessaires pour se déplacer dans son environnement et aller à la découverte du monde. Le bébé étant d'une grande curiosité naturelle, il va mettre sa toute nouvelle mobilité à son service. Il apprend à ramper, puis à marcher à quatre pattes, pour découvrir ce qui est loin de lui ; il apprend à se mettre debout pour explorer la verticalité.

La main est en passe de remplacer la bouche dans la découverte des objets : c'est désormais elle qui renseigne l'enfant de façon privilégiée. Il faut dire que, depuis que le pouce s'oppose à l'index, permet-

tant de former une pince, la dextérité s'est beaucoup améliorée.
À cet âge, l'enfant est capable de s'amuser vraiment avec ses jouets et de faire des choix parmi eux. Il imite les actions des grandes personnes et cherche à faire les choses par lui-même. Taquin et drôle, il fait preuve d'un vrai sens de l'humour. À côté de cela, apparaissent de vraies peurs et le petit intrépide a souvent besoin de venir se rassurer auprès de vous.

• À 9 mois

Un bébé de cet âge bouge sans arrêt. La coordination des différentes parties de son corps s'améliore de semaine en semaine et cela lui permet de reculer encore les limites de ses explorations. La seule chose qui le retienne vraiment est la peur des nouveautés, des étrangers et des séparations, qui provoque encore bon nombre de retours précipités vers sa mère.
Le bébé se sert de ses mains pour s'essayer à la fois à des gestes énergiques (faire du bruit partout où c'est possible, taper, déchirer) et à des gestes fins (prendre délicatement des petits objets pour les mettre dans une boîte ou dans une bouteille, les vider, laisser tomber, ramasser, etc.). Cette exploration systématique du dessous et du dessus, du contenant et du contenu, de l'intérieur et de l'extérieur est typique de cette période. D'ailleurs, l'enfant de cet âge ne tend pas uniquement le doigt vers ce qu'il peut souhaiter attraper, mais également vers ce qui est hors de sa portée.
La position debout est souvent celle que l'enfant préfère. Il essaie de se hisser contre ce qui peut lui servir d'appui. Debout, sa vision du monde change et la joie qu'il y trouve est évidente. De ses proches, il attend beaucoup d'encouragement et la sûreté d'une vie régulière.

• À 10 mois

À cette période, on a l'impression que le bébé ralentit un peu le rythme de ses apprentissages physiques. En réalité, l'enfant profite de ce moment plus calme pour consolider ses précédentes acquisitions et pour acquérir ce qui ne l'était pas encore.
Comme s'il sentait qu'il allait avoir besoin de toutes ses capacités pour démarrer la marche, il va perfectionner ses capacités motrices. Celui qui se déplaçait à peine sur le sol va le faire de plus en plus vite. Celui qui rampait va passer à l'étape « quatre pattes », mais certains rampent si bien qu'ils passeront directement de ce stade à celui de la marche.
Autre perfectionnement : celui de la position assise. Le bébé sait désormais s'asseoir seul, à partir du sol, quelle que

Premiers déplacements

L'enfant qui a l'occasion de s'entraîner dans un escalier y fait de gros progrès. Pour monter d'abord, ce qui est le plus facile. Tant qu'il ne sait pas descendre, vous avez intérêt à laisser la barrière en haut de l'escalier. Pour lui apprendre à descendre, n'hésitez pas à vous mettre vous aussi à quatre pattes, la tête vers le haut, et lui montrer comment on descend, les pieds d'abord, les mains ensuite. Lorsqu'il aura compris le « truc », il acquerra très vite une grande souplesse et sera capable de descendre rien qu'en se laissant glisser sur le ventre comme sur un toboggan. Mais soyez d'ici là très prudent, surtout si votre escalier n'est pas recouvert d'une moquette. Il est encore trop tôt pour que le bébé assimile vraiment une démarche aussi compliquée que se retourner en sens inverse pour partir les pieds en avant. Or, la tête la première, cela fait très mal !

soit sa position. Assis, il peut tourner librement le torse à droite ou à gauche et cette stabilité lui permet de tenir sur n'importe quel siège. Beaucoup d'enfants de cet âge s'exercent également à se mettre debout et à se déplacer le long des meubles.

L'attrait de la nouveauté

Le bébé aime les nouveaux objets, les nouveaux jeux. Il est d'ailleurs capable d'en inventer tout seul. Il est persévérant et obstiné. Comme il recherche les contacts avec ses proches, il aime aussi les jeux des autres – ce qui n'est pas toujours facile à supporter pour les frères et sœurs ! Il commence à s'intéresser davantage à ses peluches : il les câline, les nourrit, les couche. Il refait avec elles tout ce que sa mère fait avec lui.

Premiers non

Dans le même temps apparaît le « non », qui va devenir un de ses premiers mots-clés. Ne vous inquiétez pas : votre bébé ne sait pas encore vraiment ce que ce mot signifie. Mais il vous a entendue souvent le prononcer, avec un air très convaincu, et il sait que ce mot est puissant. Il devine, lui qui cherche à affirmer sa personnalité, que s'imposer va bientôt passer par le refus systématique de vos exigences. Pour l'instant, il ne fait que s'exercer, essayer...

• À 11 mois

Ce qui domine en cette période, c'est l'apparition massive des capacités d'imagination et d'imitation. Ces progrès sont surtout mentaux, mais l'enfant met l'ensemble de ses apprentissages physiques au service de son imagination – ce qui peut être éprouvant pour la personne qui s'occupe de lui dans la journée…

L'imitation

L'imitation se retrouve dans tous les domaines et va désormais devenir la façon principale dont l'enfant va acquérir ses nouveaux apprentissages. C'est en vous imitant qu'il va apprendre à se déshabiller, à se laver ou à parler. Il est capable de reprendre pour lui des comportements qu'il a observés chez d'autres, adultes ou enfants. Il imite sa mère lorsqu'elle essuie la table ou fait la cuisine et devient lui-même capable de cacher des objets pour les lui faire chercher.

Une main très habile

La manipulation devient de plus en plus fine. L'enfant peut maintenant, en imitant les adultes, tenir un crayon, insérer des petits objets dans une fente, soulever un couvercle, délacer ses chaussures, encastrer, etc.
Les mains ont désormais des rôles différents et l'enfant peut faire deux actions simultanées : tenir un jouet d'une main tout en mangeant de l'autre, se retenir à une chaise tout en se baissant pour ramasser quelque chose, etc.

L'HABILETÉ MANUELLE

• À six mois, le bébé vise mieux et peut maintenant attraper volontairement un objet qu'il vise. Il sait porter à la bouche, passer d'une main dans l'autre et heurter pour faire du bruit.
• À huit mois, le pouce s'oppose aux autres doigts, ce qui permet une prise plus précise et des gestes minutieux. La main sert aussi à jeter ou à repousser ce que l'enfant ne veut pas.
• À dix mois, l'index devient prédominant et l'enfant s'en sert pour montrer du doigt. L'habileté manuelle se développe dans toutes les directions : tourner, faire rouler, tirer, etc.
• À douze mois, la manipulation devient plus fine et plus sûre. Le bébé peut imiter des gestes simples et d'empiler deux ou trois cubes.

À 12 mois

L'âge de un an est généralement associé aux débuts de la marche, mais cela peut varier beaucoup d'un enfant à l'autre.
Celui qui ne marche pas seul peut généralement le faire s'il est tenu par une main ou par les deux. Quant au marcheur débutant, il ne sait souvent pas s'arrêter autrement qu'en se laissant tomber sur le sol. Pourtant, la position debout gagne en stabilité : l'enfant debout sans appui peut désormais pivoter, se pencher, faire des signes de la main, sans pour autant perdre l'équilibre.
Certains enfants précoces dans leur développement moteur sont déjà prêts à aborder l'étape décisive de la marche. D'autres en sont encore loin et parviennent à peine à se mettre debout ou à se tenir assis de manière stable. Ces écarts sont normaux et ne signifient pas grand-chose. Une grande moitié des enfants commence à marcher entre douze et quatorze mois. Ceux qui démarrent moins vite que les autres sont souvent ceux qui seront les plus assurés, tombant moins parce qu'ils se seront davantage entraînés à chacune des étapes précédentes. L'essentiel, à cet âge, est de laisser l'enfant expérimenter physiquement, autant qu'il le peut, sans prendre trop de risques.
Pendant cette période, le bébé semble plus intimidé par les nouveaux espaces que la marche va lui ouvrir. Il paraît moins intrépide que les mois précédents et certains se collent même à leur mère, comme s'ils craignaient de s'en éloigner... au point qu'il faut parfois les enjamber. Enfin, l'attachement au père se fait plus grand et tous les jeux remuants que celui-ci peut inventer sont les bienvenus !

Les vrais débuts du langage

Le vocabulaire se développe, ainsi que la compréhension. Un bébé à qui on a beaucoup parlé est maintenant capable d'obéir à des ordres simples du type « Va chercher tes chaussons », « Passe-moi mon journal » ou « Viens avec moi à la cuisine ».— Lorsqu'il vous ramène un objet, c'est toujours avec une grande fierté qui mérite remerciement et louange.
À cet âge, la plupart des enfants ont parfaitement compris la valeur du mot « non » et s'en servent, avec la voix ou avec la tête, d'une façon que les parents jugent vite abusive : non pour s'habiller, non pour manger, non pour aller dans le bain, non pour marcher, etc. Il va désormais falloir ruser pour le conduire à faire ce que l'on veut.
Il fait aussi très bien la différence entre ce qui est bien, autorisé (et il guette sans cesse l'approbation) et ce qui ne l'est pas, qu'il fera quand même, mais en s'assurant que personne ne le regarde.

Les repas de votre bébé vont connaître un vrai tournant à partir de six mois, âge auquel l'ailimentation peut être beaucoup plus diversifiée. C'est un très bon âge pour commencer à introduire de nouveaux goûts. De plus, au fil des mois, votre bébé va pouvoir régulièrement partager certains de vos repas.

Presque de vrais repas

Au fil des mois, vous allez pouvoir introduire une variété toujours plus large d'aliments. C'est l'occasion de faire découvrir des saveurs différentes. Mais les consistances vont aussi changer car votre bébé va bientôt pouvoir passer à une alimentation plus solide et même à manger des aliments en petits morceaux. À cette occasion, il va adorer user et abuser de ses doigts…

• Ce qui change dans l'alimentation

Vous allez découvrir ici, mois par mois, comment va évoluer l'alimentation de votre enfant. Les exemples de repas donnés ci-après ne sont qu'indicatifs. Vous pouvez commencer la diversification alimentaire plus tard et le faire très progressivement. C'est d'ailleurs vivement recommandé s'il y a dans la famille un terrain allergique. Certains enfants sont curieux sur le plan alimentaire, d'autres font preuves de réticences envers tout ce qui est nouveau : vous devenez en tenir compte et ne pas brusquer pas votre bébé.

À 6-7 mois

Maintenant que votre bébé est bien habitué à sa soupe de légumes du déjeuner, et peut-être aussi du dîner, vous allez pouvoir diversifier davantage son alimentation. L'essentiel est toujours de vous y prendre progressivement, afin de n'introduire dans l'alimentation qu'un aliment nouveau à la fois. Ce mois-ci, vous allez faire goûter à votre bébé le jaune d'œuf (un demi), la viande et le poisson (hachés finement, la valeur d'une cuillerée à soupe).

Vous pouvez varier viandes et poissons, mais choisissez de préférence les chairs maigres. Pour les desserts et le goûter, vous allez également proposer des nouveautés à votre bébé : petit-suisse, yaourt nature, fruit poché et écrasé, compote.

Voici un exemple de régime d'un bébé de six mois environ (à moduler selon votre enfant, son poids et les conseils de votre pédiatre).

Matin : bouillie faite avec un biberon de lait (210 g d'eau + 7 mesures de lait deuxième âge) et deux à trois cuillerées à soupe de farine.

Midi : 1/2 pomme de terre + une cuillerée à soupe de haricots verts, le tout mixé et délayé avec un peu de lait + 30 g de poisson, viande maigre, jambon blanc ou jaune d'œuf dur (hachés). Pour le dessert, yaourt, petit-suisse, fromage blanc.

Goûter : compote de fruits, avec un biscuit. Biberon de lait (180 à 200 g).

Dîner : biberon de soupe de légumes délayée avec du lait (environ 150 g de lait et 50 g de purée de légumes mixée).

Il reste encore des interdits

Ce que vous ne devez pas donner à votre enfant : les fritures, les viandes et poissons fumés, les fruits de mer, les fruits secs ou les fruits à pépins (ou alors ôtez-les) et, d'une manière générale, les aliments trop épicés, trop gras ou trop sucrés. Enfin, ne le nourrissez pas exclusivement de petits pots (ils contiennent trop de féculents et pas assez de viande ou de poisson).

Quand il y a des risques d'allergies alimentaires, les médecins conseillent de ne commencer la diversification que vers six mois et d'éviter jusqu'à un an les aliments industriels.

À 8-9 mois

À cet âge, il est intéressant de ne plus mélanger les légumes en purée, mais de faire goûter au bébé des saveurs séparées : purées de carottes et de brocolis sont côte à côte. Dans les soupes, on peut ajouter semoule, vermicelle et petites pâtes.

Vers huit ou neuf mois, l'enfant peut désormais goûter tous les fruits et profiter de ceux de la saison : framboises, cerises dénoyautées, grains de raisin (au début, vous ôterez peau et pépins), prunes, mangues, quartiers de mandarine ou d'orange pelés, etc.

Voici des exemples de menus qui peuvent composer les repas d'un enfant de huit mois.

Matin : un biberon plein de lait deuxième âge + farine (il en existe de nombreuses variétés) ou biscuits. Ou bien une bouillie épaisse à la cuiller (selon ce que l'enfant préfère).

Déjeuner : purée de légumes avec une noisette de beurre. En très petits morceaux, 30 g de viande, poisson ou jambon. Début de l'œuf à la coque et des crudités. Pour le dessert, fruit cuit, compote ou laitage.
Goûter : biberon de lait (200 g) avec biscuit, ou laitage, ou fruit avec biscuit.
Dîner : soupe de légumes dans le biberon de lait + compote ou fruit frais écrasé. Ou purée de légumes + laitage.

À 10-12 mois

Désormais, votre bébé ne mange plus ses aliments tout broyés et mélangés dans de grandes soupes de légumes. Les menus sont semblables à ce qu'ils étaient à huit mois, si ce n'est que :

- les quantités augmentent progressivement, selon l'appétit de l'enfant ;
- le bébé mange couramment des crudités, des pâtes, du riz, etc. ;
- il mange un œuf entier et, d'une façon générale, élargit son régime à la totalité de la cuisine familiale. Il « goûte » à tout (cervelle, foie, flan, etc.).

Ses menus évoluent peu jusqu'à l'âge de un an. Vous allez maintenant devoir tenir compte de ses goûts et introduire progressivement de nouveaux aliments. Au fil des mois, il boira moins de biberons et mangera davantage avec les doigts ou à la cuiller.

Vers la fin de la première année, vous allez remplacer le lait maternisé en poudre par du lait UHT demi-écrémé ; pour que votre bébé s'y habitue, vous étalerez ce changement alimentaire sur quelques jours en mélangeant le lait de vache avec un peu de lait maternisé. Le biberon du matin contiendra environ 240 g de lait, avec de la farine. Il ne devient plus nécessaire de stériliser les biberons, pourvu qu'ils soient soigneusement lavés à l'eau très chaude.

Manger avec une **cuiller**

Vers six mois, ou avant si vous sentez que votre bébé est prêt, vous pouvez lui proposer de manger à la cuiller. Il va sans doute commencer par téter le bord avant de comprendre qu'elle peut rentre dans sa bouche. Cette découverte se fera en douceur et sans forcer. Si votre bébé est un goumand, il risque d'être surpris par ce mode de dégustation qui ne va peut-être pas assez vite à son goût… Enfin, sachez qu'il peut refuser du jour au lendemain de manger à la cuiller, soit par fatigue, soit pour d'autres raisons. Ne le contraignez pas s'il a envie de retrouver la douceur du beiberon…

- Commencez le repas par la purée ou la compote à la cuiller, quand le bébé a bien faim : cela l'encouragera dans ses efforts. Il sera récompensé de finir le repas par un bon biberon.

- Bébé a une petite bouche : utilisez au début une toute petite cuiller, du genre cuiller à moka, en plastique de préérence au début car le contact du métal dans la bouche n'est pas très agréable et peut rébuter votre bébé.
- Le contact du métal dans la bouche est nouveau et pas très agréable : commencez avec une petite cuiller en plastique.
- Quand votre bébé voudra tenir la cuiller, confiez-lui-en deux, une dans chaque main. Nourrissez-le avec une troisième. Il s'exercera à manger seul sans plonger ses mains dans la purée.
- Certains bébés adorent le biberon. Inutile de les en priver, en plus de la cuiller, tant qu'ils le désireront.
- Donnez-lui très tôt l'habitude de boire son jus de fruit dans une petite cuiller.

Le déroulement du **repas**

L'essentiel est que l'ambiance soit détendue pour que le repas ne se transforme jamais en rapport de force. On ne peut en aucun cas obliger un bébé à manger. Tant pis s'il ne finit pas son biberon ou s'il se trémousse sur sa chaise haute pour quitter la table. Quand il aura faim, il mangera. Si votre enfant est particulièrement éveillé et actif, il se peut que ses repas commencent à devenir difficiles. Curieux de tout, il devient vite capable d'attraper ce qui passe à sa portée ou de jeter ce qui pourrait produire un résultat intéressant.

Distrait par ce qui peut se passer dans la cuisine, il s'agite sur sa chaise haute et en oublie de manger. Vous essayez souvent en vain de le convaincre de rester assis tranquillement et de manger ce qui est devant lui. Ne vous inquiétez pas : ses refus de manger, si vous n'en faites pas une histoire, ne dureront pas. Pour lui, la vie est trop passionnante et il a trop de choses à faire pour perdre du temps assis à table. Cela s'apaisera et l'appétit reviendra !

Une solution consiste à le faire manger seul avec vous à la cuisine, au calme, sans trop de distractions. Bien sûr, ne le forcez pas à finir et ne vous mettez pas en colère face à sa façon de se tenir. Vous pouvez aussi essayer de lui confier un ou deux jouets en plastique avec lesquels il s'occupera en même temps qu'il mangera.

Pourquoi ne pas lui offrir aussi la possibilité de partager parfois le repas familial ? Manger à table avec tous est un grand plaisir pour l'enfant, autant que l'occasion pour lui d'expérimenter de nouvelles odeurs et de nouvelles saveurs. C'est ainsi que commence l'éducation du goût !

Il ne veut rien manger

Il arrive fréquemment qu'un enfant refuse son repas ou n'en accepte que quelques petites cuillerées. La mère, qui a préparé avec soin et attention ce

petit repas, admet mal que l'enfant n'en veuille pas.
Si ce manque d'appétit dure plusieurs jours, elle va s'inquiéter pour sa santé et craindre qu'il ne dépérisse. Le médecin consulté, après avoir vérifié que la croissance de l'enfant est normale, va essayer de dédramatiser la situation, mais souvent sans effet. La mère va alors tenter toutes les ruses possibles pour faire manger l'enfant : insister, choisir les plats qu'il aime, lui chanter des comptines, lui raconter une histoire, ou le placer devant la télévision pendant qu'il engloutit passivement. En vain. Souvent le résultat obtenu est contraire au résultat visé : les repas deviennent de plus en plus longs et pénibles.
Donc, si votre enfant ne veut pas manger, ne faites rien. Ou presque… Si vous retirez simplement son assiette au bout d'un temps raisonnable (dix à quinze minutes) pour passer au dessert, il y a de fortes chances pour qu'il se rattrape au repas suivant. Il n'y a pas lieu de s'inquiéter.
En revanche, si vous montrez votre anxiété et si vous transformez le repas en rapport de force, vous prenez le risque de figer le comportement de l'enfant. Chaque repas sera désormais un temps d'opposition entre votre volonté et celle de votre enfant. Plus vous forcerez votre enfant, plus il s'entêtera dans son refus. Ce qui ne l'empêchera pas de manger tout à fait normalement avec son père ou avec sa nourrice.

Vers **l'autonomie**

Les repas sont pour lui une occasion exceptionnelle de découverte : quelle joie de plonger les doigts dans la purée ou d'attraper seul son biberon ! Bien sûr, le résultat n'est pas toujours heureux. Mais il serait dommage de ne pas profiter du temps des repas pour le laisser s'exercer à attraper, porter à sa bouche et manipuler. Vous pensez bien que, pour lui, ce qu'il y a de plus intéressant à manipuler et à porter à la bouche, c'est la nourriture.

De fréquents conflits

Votre enfant veut attraper la cuiller et le biberon, manger seul, avec ses doigts, le tout très salement. De votre côté, vous voulez le faire manger pour être sûre de ce qu'il a avalé, pour que cela aille plus vite et que ce soit plus propre.
C'est votre enfant qui a raison. Si vous sentez que votre bébé veut manger seul, il est bon de l'y encourager. Si vous refusez, vous risquez de compromettre sa future autonomie. Même s'il mange moins que si vous vous battez pour garder la cuiller en main, ce repas lui est infiniment plus profitable, parce qu'il est en accord avec son développement. Donc éducatif au sens fort.

Pour prendre patience, dites-vous qu'un enfant qui s'exerce beaucoup sera plus vite autonome qu'un autre et plus habile. Essayez de vous convaincre que le résultat est une des premières formes de sa créativité... et soyez prête à passer la serpillière !

Simplifiez-vous la vie

Dès qu'il sera en âge de le faire, confiez à votre bébé une timbale à couvercle avec bec perforé afin qu'il puisse boire seul. En plastique, donc incassable, munie d'anses, à fond alourdi, donc difficile à renverser, elle est l'objet qu'il faut pour aider votre bébé à faire la transition entre la tétine et le verre. Confiez-lui cette timbale vide, dans un premier temps, afin qu'il fasse connaissance avec l'objet : il va la retourner, la secouer, la jeter par terre, etc. Puis remplissez-la d'une boisson qu'il aime particulièrement et montrez-lui comment s'en servir. Il apprendra vite et gagnera chaque jour en habileté.

Un autre objet va vous simplifier la vie lors des repas que votre bébé va prendre à la cuiller : il s'agit du bavoir en plastique rigide qui se fixe autour du cou de l'enfant sans lien, donc rapidement et sans danger. Le bas du bavoir étant moulé en creux, il recueille la nourriture que l'enfant laisse tomber. Il est donc non seulement sûr, mais très pratique. Après le repas, un simple coup d'éponge suffit à le nettoyer. Ne vous privez donc pas de cet objet fonctionnel...

Manger avec les doigts est une étape très importante, qui marque le début de l'autonomie, même si les débuts ne sont pas toujours facile.

Manger avec les doigts

Vient un moment où votre bébé veut manger tout seul et vous le fait savoir en vous prenant la cuiller ou le biberon des mains. Cette étape est importante pour lui. Prendre soin de son propre corps, donc devenir autonome, cela commence par savoir se nourrir. Bien sûr, le laisser faire entraînera beaucoup de saletés dans la cuisine. Mais ce petit inconvénient se gère facilement avec un peu d'organisation et compte pour peu en comparaison des avantages que l'enfant en retirera.

Le bébé veut manger seul, mais il est encore très maladroit avec la cuiller. Et il aime manipuler. Alors il mange avec ses doigts. Il est à l'âge où il attrape pour porter à la bouche : c'est donc ce qu'il va faire avec les aliments. Pourquoi, à côté de la purée traditionnelle, ne pas concevoir une partie du repas qui peut être prise avec les doigts ? Cette période n'a qu'un temps. Vous montrer flexible maintenant vous préservera de bien des occasions de conflits. Et votre enfant va acquérir assez vite une habileté qui lui permettra de se servir correctement de la cuiller.

Certains aliments coupés en petits morceaux réjouiront l'appétit de votre enfant et développeront sa capacité à les attraper délicatement avec les doigts.

- Beaucoup de fruits et légumes, cuits ou crus, peuvent être coupés en morceaux faciles à attraper et avaler : cubes de pomme de terre, petits bouquets de chou-fleur ou de brocoli, petits pois, pointes d'asperge, carottes râpées, pastèque en minu-cubes, melon, avocat, concombre, maïs, ananas, tranches d'orange pelées, etc. ;
- N'oubliez pas non plus **les** miettes de poissons, l'œuf dur, les fromages mous, les mini-tartines, les flocons de céréales, les coquillettes, etc.

Manger « tout seul »

C'est vers sept mois et demi que votre bébé commence à vouloir attraper seul

POUR ÉVITER LA GUERRE PENDANT LES REPAS

- Ne perdez pas de vue qu'un repas est un moment de gaieté, de découvertes et de retrouvailles. Soyez détendue et refusez de vous mettre en colère pendant ce temps-là.
- Ne nourrissez pas votre enfant devant la télévision.
- Tenez compte des goûts alimentaires de votre bébé, ce qui n'empêche pas de lui faire essayer de nouvelles saveurs lorsque l'occasion se présente.
- Ne forcez jamais votre enfant à finir son assiette. Mieux vaut lui servir une petite quantité, à renouveler au besoin, qu'une grosse qui le découragerait s'il a peu faim.
- Ne lui donnez pas à manger, « pour compenser », entre les repas.
- Ne soyez pas obnubilée par sa courbe de poids.
- Faites confiance à l'organisme de votre enfant. Il est parfaitement capable de gérer seul ses besoins alimentaires. Si vous respectez cela, vous n'aurez probablement aucun problème.
- Rappelez-vous enfin que, dans ce type de conflit, vous ne devez pas « gagner » à tout prix. C'est l'autonomie de votre enfant qui est en jeu.

des morceaux de nourriture. Quelques semaines plus tard, il saisit généralement des petits morceaux de nourriture entre le pouce et les deux doigts suivants. Si la nourriture se glisse à l'intérieur de la main, il aura du mal à la récupérer pour la porter dans sa bouche. Il s'essuie généralement la bouche avec sa main pleine de nourriture. Quand il se lasse de ce difficile exercice, il peut lancer par terre le contenu de son assiette ! Prenez patience. C'est le seul moyen de développer son plaisir des repas et de le rendre rapidement autonome et correct à table. Même si vous vous sentez réticente, vous devez l'encourager sur la voie de l'autonomie.

Des raisons pour le laisser manger seul

Laisser son enfant manger seul et choisir la quantité de nourriture qu'il souhaite avaler sont les meilleurs moyens d'éviter les conflits alimentaires si fréquents et souvent si difficiles à résoudre une fois installés.

- Si vous laissez passer le moment où votre bébé veut manger seul, l'envie risque de disparaître et de ne pas revenir de sitôt. Certaines mères doivent ensuite continuer à nourrir leur enfant jusqu'à deux ou trois ans.
- L'enfant a besoin de regarder, manipuler, goûter, sentir les aliments : ses sens sont plus libres et plus fins que les nôtres. Si ce besoin est respecté, le bébé aura plaisir à venir à table, ce qui est un point important pour l'avenir. Il aimera manger, goûter des aliments nouveaux et ne sera probablement pas un enfant « difficile ».
- Il se peut que votre enfant mange davantage, grâce à la dimension du plaisir et du jeu, que si vous tenez la cuiller. Cela vient compenser sa maladresse. En tout cas, il apprend à réguler son appétit.
- L'enfant qui peut manger seul apprend vite à manger de plus en plus proprement. Vers un an, le plaisir de manipuler la nourriture laissera progressivement la place au désir de « faire comme maman », donc de manger correctement. L'enfant devient ainsi plus vite autonome et propre à table. Le temps perdu maintenant sera rattrapé plus tard.

Les rythmes du sommeil peuvent varier d'un enfant à l'autre ou selon les événements de la journée. De plus, vers neuf mois, se coucher veut dire se séparer de papa et de maman, ce qu'il ne veut en aucun cas... C'est aussi vers cet âge qu'apparaissent les premières angoisses et la crainte devant des personnes qu'il ne connaît pas.

Sommeil, pleurs et angoisse

De la même manière qu'on ne force pas un enfant à manger, il est vain d'obliger un bébé à dormir quand ce n'est pas son heure mais on peut l'aider à être calme pour laisser le sommeil arriver. De toute façon, à partir du sixième mois, le sommeil de votre enfant se ressent beaucoup de sa vie éveillée.

• Des **habitudes** différentes

Une autre source de difficultés vient du fait que le bébé s'attache à ses habitudes. S'il a des difficultés d'endormissement dès qu'il n'est plus dans ses conditions habituelles (changement de rythme ou de lieu), c'est que cela l'insécurise certains enfants. La douceur et le calme en viendront aisément à bout.

C'est un couche-tard

Certains jeunes enfants, entre huit mois et un an, ont bien du mal à s'endormir le soir. Une fois mis au lit, ils crient et appellent jusqu'à ce que papa ou maman revienne. Un câlin, on s'assure que tout va bien, on ressort de la chambre... et cela recommence, parfois pendant des heures. Voici quelques-unes des questions que vous pouvez vous poser pour mieux comprendre la situation :

- Mon bébé est-il installé inconfortablement ? Demandez-vous par exemple s'il a trop chaud, s'il a mal quelque part, si l'air est trop sec, etc. Explorez et voyez ce que vous pouvez faire.

- Mon bébé a-t-il eu le temps de présence et de participation à la vie familiale dont il avait besoin ?
- Est-ce que je lui ai donné des bonnes habitudes (mise au lit régulière, avec respect des petits rites de sommeil) ?
- Est-ce que je lui fais confiance pour se débrouiller seul la nuit ?
- Est-ce que je sens que mon bébé me « manipule » ? Et ai-je envie d'être ferme ou est-ce que je prends du plaisir moi aussi à « jouer les prolongations » ?

C'est un lève-tôt

Certains bébés dorment moins que d'autres. Mais même parmi ceux qui dorment un nombre d'heures tout à fait normal, beaucoup sont des lève-tôt. Dès l'aube, ils jouent au réveille-matin, exigent un biberon… puis se rendorment.
En fait, ce n'est pas toujours la faim qui les réveille, mais leur rythme intérieur. La semaine, cela ne vous pèse peut-être pas trop, mais être réveillé à six heures pendant les week-ends peut sembler assez rude.
Certains bébés, qui ont besoin d'un nombre fixe d'heures de sommeil, peuvent gagner à être couchés plus tard occasionnellement. Mais cela marche rarement, car un bébé a besoin, pour son équilibre, de garder le même rythme toute la semaine. La seule solution consiste à lui apprendre à patienter gentiment seul dans son lit en attendant que vous vous leviez. Quelques conseils pour rendre les choses plus faciles :

- Ne vous précipitez pas au premier appel. Qui sait ? Si la maison est bien calme, il se rendormira peut-être.
- Arrangez-vous pour qu'il ne fasse pas trop sombre le matin dans sa chambre, afin que votre bébé puisse voir ce qui l'entoure.

L'heure du coucher

Un jeune enfant s'endort mieux si vous le mettez au lit au bon moment. Il se repère à des petits signes : frottements des yeux, bâillements, ralentissement de l'activité. Pour d'autres, c'est une certaine excitation qui marque la fatigue : peut-être l'enfant aura-t-il besoin de pleurer un peu pour vider ses tensions avant de plonger dans le sommeil. À chaque enfant ses manifestations, mais il ne faut pas rater le train du sommeil !
Il est plus facile de repérer ce moment et d'endormir l'enfant s'il a un rythme de vie régulier. S'il est couché tous les soirs à huit heures, par exemple, son organisme le sait et se prépare à se mettre en sommeil lorsque l'heure arrive. Régularité et petites habitudes sont d'une grande aide.

Les pleurs

Vers huit ou dix mois, le bébé, qui jusque-là s'endormait calmement, repu par son dernier biberon, proteste vigoureusement lorsqu'il est mis au lit et laissé seul dans sa chambre. Il faut savoir que ces pleurs ne relèvent pas du caprice, mais témoignent souvent d'une véritable angoisse et d'une revendication légitime.

Quelles en sont les causes ? L'enfant a clairement conscience de son existence et entretient des rapports déjà complexes avec ses proches. Toute séparation lui est pénible et la mise au lit est vécue comme telle. S'il est gardé pendant la journée à l'extérieur de la maison et ne retrouve son père et sa mère qu'en fin d'après-midi, il vit tmal d'en être séparé de nouveau une heure plus tard. Si son père rentre après l'heure de son coucher, il fera tout pour l'attendre. Il sait aussi que la vie de famille continue, et supporte mal d'en être tenu à l'écart.

Mettre en place un rituel de gestes avant d'aller dormir sécurise l'enfant et lui permet de se préparer doucement au sommeil.

Que faire ?

Toute la difficulté consiste à concilier la compréhension, visant à donner à l'enfant les échanges affectifs dont il a besoin, et une certaine fermeté. Le bébé doit aussi apprendre à s'endormir. Le relever ou lui tenir compagnie chaque fois qu'il proteste risquerait d'aboutir à une multiplication des appels et des réveils nocturnes. Il importe d'être sensible à l'heure où « le marchand de sable » passe. Cette heure, pratiquement la même chaque soir, est celle où l'enfant s'endormira le mieux. Elle dépend en partie de l'heure de fin de sieste.

- Une heure de coucher « raisonnable » est celle qui tient compte du temps que chaque enfant a envie de passer le soir avec son père et sa mère. Temps de de retrouvailles et de câlins, et pas seulement de repas ou de bain. Il n'est pas bien grave de ne coucher l'enfant qu'à neuf heures, dans la mesure où il peut dormir comme il veut pendant la journée.
- Certains enfants, lorsque la fatigue vient, augmentent leur niveau d'activité et d'énervement au lieu de le ralentir. Il est bon de le savoir. Pour ces enfants, les fins de journées doivent être particulièrement calmes et apaisantes. Le bain pris le soir donne parfois de bons résultats.
- Pour aider le bébé à faire face à l'angoisse de séparation caractéristique de cet âge, il est bon de mettre en place un rituel du coucher. Un quart d'heure de gestes habituels, reproduit chaque soir, détend et sécurise l'enfant. Mais évitez de donner à votre bébé des habitudes d'endormissement qu'il ne retrouvera pas tout seul pendant la nuit (mobile musical, tétine, etc.).

Enfin, n'oublions pas la peluche aimée ou le « doudou », si rassurant contre la solitude.

Le rituel du sommeil

La mise en place de gestes répétés chaque soir au moment d'aller au lit aide les enfants à rompre avec les activités de la journée et à se préparer au sommeil. Le bébé repère vite que l'on enchaîne dans le même ordre le bain, le dîner, etc. Cela l'entraîne naturellement vers le lit.

À cet âge, il ne s'agit que d'une ébauche de rituel destinée avant tout à tranquilliser l'enfant et à l'aider à se détendre. Mais avec le temps, les habitudes vont prendre de l'importance et le rituel devenir quasiment immuable. Attention alors à ne mettre en place que des habitudes que vous pourrez tenir des années !

Les troubles **du sommeil**

Autant les problèmes de sommeil des tout-petits sont souvent passagers et se règlent simplement lorsqu'on en a trouvé la cause, autant ceux des plus grands bébés demandent une attention particulière. En effet, il n'est pas rare que certains enfants de six mois n'aient toujours pas pris l'habitude de dormir seuls la nuit entière. Les parents, épuisés, se décident fréquemment à consulter, mais il est rare que le problème soit d'ordre médical. Toutefois, le pédiatre commencera toujours par s'en assurer avant d'évoquer des questions psychologiques.

Se rendormir seul

Ces enfants qui, à six mois, réveillent encore leurs parents une ou plusieurs fois par nuit sont la plupart du temps des enfants comme les autres, mais à qui on n'a pas appris à se rendormir seuls. Il est normal que le bébé se réveille à la fin de chaque cycle de sommeil, mais il doit être capable de se rendormir rapidement et sans aide. Certains ne le font pas. Pourquoi ? Il peut s'agir d'un bébé que l'on a habitué à s'endormir dans certaines conditions (dans les bras de sa mère, ou avec son mobile, etc.) et qui, lorsqu'il se réveille la nuit, a besoin des mêmes conditions pour se rendormir.

Plus fréquemment, il s'agit d'enfants surprotégés. Le père ou la mère se précipitent au moindre appel de l'enfant, même s'il est encore à moitié endormi. Plutôt que de lui faire confiance et le laisser essayer de faire face à ses difficultés, les parents interviennent et convainquent ainsi l'enfant qu'il ne peut se débrouiller seul. L'enfant, insécurisé, devient plus exigeant. Les parents, épuisés, finissent par prendre l'enfant dans leur lit. Et pour l'enfant, qui trouve cela bien agréable, l'exception devient généralité. Ainsi se crée un cercle vicieux dont il est bien difficile de sortir.

Tant que l'enfant trouvera un « bénéfice » à se réveiller la nuit (il vous voit, il a un câlin, vous jouez avec lui, etc.), sachez qu'il n'a aucune raison d'arrêter.
Vous ne pourrez apprendre à votre bébé à dormir seul dans son lit que lorsque vous serez vous-même convaincu qu'il le faut et que c'est bon pour lui. Si vous pensez, au contraire, que la solitude est effrayante et que la nuit doit être conviviale, alors n'essayez même pas ! Dites-vous qu'autrefois les familles dormaient toutes ensemble (c'est d'ailleurs toujours le cas dans d'autres cultures que la nôtre) et acceptez pleinement la situation.

Aider votre enfant à se rendormir

- Faites la part de votre culpabilité (lui donnez-vous assez de temps pendant la journée ?) et soyez convaincu qu'il est meilleur pour votre enfant de dormir seul, tranquille, toute la nuit.
- Ne l'habituez pas à s'endormir dans des conditions qui nécessitent votre présence.
- Ne vous laissez pas manipuler : c'est vous qui savez, c'est à vous d'être ferme et tendre.
- Profitez de la journée pour parler à votre enfant et l'assurer de votre amour.
- Vers huit ou neuf mois, vous constaterez peut-être que votre bébé s'endort plus facilement s'il a auprès de lui un objet privilégié qu'il s'est choisi, son « doudou » (voir page ci-contre). Pour d'autres, ce sera un geste : sucer son pouce, caresser son oreille ou ses cheveux, se balancer en rythme, etc.
- Il est souvent efficace que le père se lève la nuit et explique au bébé que sa mère dort, parce qu'elle est fatiguée, qu'elle ne se lèvera pas et qu'il veuille bien se taire pour la laisser dormir.

Si rien ne marche ?

Si, même en le cajolant, vous ne parvenez pas à calmer votre bébé, il faut consulter un pédiatre. Il y a peut-être un problème qui vous échappe et que lui peut résoudre. Un bébé qui pleure beaucoup la nuit est source de tension et de fatigue pour les parents qui doivent être aidés. Sinon, l'énervement de chacun ne fait qu'aggraver les choses.

L'objet transitionnel ou « **doudou** »

Autrement appelé « doudou », « néné », « dodo », etc., selon le nom que lui inventera l'enfant (ou que lui a déjà donné l'enfant aîné), l'objet transitionnel est le terme que les psychologues emploient pour désigner l'objet qui deviendra le fétiche de l'enfant. Objet choisi et aimé au point qu'il ne voudra plus s'en séparer.
Quand le bébé est fatigué, ou lorsqu'il a un ennui, cet objet privilégié participe à

le réconforter et à le détendre. Aussi avez-vous intérêt à ne pas l'oublier lors de vos déplacements et, si possible, à vous en procurer plusieurs exemplaires !
Il n'y a pas de règle fixe concernant ces objets. C'est l'enfant qui choisit et qui décide lorsqu'il en a besoin. C'est lui aussi qui décidera de s'en passer lorsqu'il se sentira assez sûr de lui. Certains enfants ont un objet privilégié auquel ils tiennent peu ou beaucoup, d'autres n'en ont pas, et tous vont bien.

Un doudou pour se consoler

Vers sept ou huit mois, le bébé commence à réaliser qu'il est une personne distincte de sa maman. Celle-ci peut donc ne pas être toujours disponible, se séparer de lui, voire disparaître plusieurs heures. Et même lorsque maman est là, il y a tous ces moments où l'enfant est au lit, seul dans sa chambre.
C'est à cette période que le bébé va développer un attachement très fort à un objet dont le rôle sera de le consoler, de l'aider à supporter la solitude ou à s'endormir. L'enfant va s'y attacher au point de ne plus vouloir s'en séparer. Il l'aidera à lutter contre l'angoisse de séparation. Au bout de quelques mois (ou quelques années), l'objet finira sale, en lambeaux, laid, mais toujours adoré.
Certains enfants remplaceront la possession d'un objet par un mouvement rituel : faire boulocher un lainage, se frotter le nez ou tortiller ses cheveux. D'autres n'auront en apparence aucun doudou, sans que l'on puisse savoir pourquoi. Tous ces comportements différents sont absolument normaux. Ils doivent être respectés, car ils aident l'enfant à grandir et à trouver son autonomie.
Il n'y a pas de bons doudous, mais il y en a de plus pratiques que d'autres : ceux que l'on peut se procurer en double (très utile en cas de perte), ceux qui passent à la machine (l'enfant n'aime pas, car le doudou perd son odeur, mais c'est parfois indispensable), ceux qui, pas trop volumineux, tiennent dans le sac à main, etc.

De quel objet s'agit-il ?

Il s'agit de l'objet le plus doux que le bébé ait eu fréquemment à sa portée. C'est souvent un objet associé au lit : couche en tissu que l'on place sous la tête des bébés, drap, couverture, mouchoir, animal en peluche. Mais il arrive qu'un enfant s'attache à un objet plus étonnant : brassière en laine, sac de couchage, biberon, gant de vaisselle, etc. Il se peut aussi qu'un geste bien précis soit associé à l'objet : lainage que l'on fait boulocher, drap que l'on glisse entre ses doigts, mouchoir que l'on frotte contre son nez, etc. Finalement, peu importe l'objet : c'est l'enfant qui le choisira et qui l'imposera.

Les enfants sans doudou

Tous les enfants ont-ils un doudou ? Apparemment non. Les enfants qui sucent avidement leur pouce ou bien une sucette semblent être plus nombreux à ne pas se choisir d'objet transitionnel. Néanmoins, en cherchant bien, on trouve fréquemment quelque chose de très discret, un geste par exemple, qui fait office d'objet transitionnel.
On ignore pourquoi certains enfants, rares, n'ont aucun objet transitionnel. Ce qui est sûr, c'est que personne n'a mis en évidence de différences nettes sur le plan du développement général ou psychologique entre ces enfants et ceux qui traînent des années un vieil ours éventré.

Des règles assez mystérieuses président au choix de l'enfant. Parmi tous les objets qui remplissent son lit, il va s'attacher à l'un particulièrement. Souvent à l'insu des parents, qui comprendront après coup, lorsque l'enfant insistera pour emporter cet objet partout. On peut seulement dire que les sens de l'odorat et du toucher interviennent certainement de façon prépondérante dans le choix de tel ou tel objet, même si ce choix reste éminemment subjectif.

Le rôle de l'objet transitionnel

Il est multiple... et toujours très important. Pour le bébé qui commence à prendre conscience de l'éloignement de sa mère, le doudou vient la remplacer. Il est une mère qui rassure, mais aussi une mère qui permet d'exprimer des sentiments contradictoires, sans crainte de représailles. Une mère que lui, tout petit, peut dominer.

- Au sortir de la toute petite enfance, le doudou est l'objet qui permet de retrouver la sécurité que l'on éprouvait, bébé, en se blottissant dans des bras tendres. On grandit, bien sûr, on devient plus autonome, mais pas sans peur ni nostalgie...
- Plus proche de soi que tout autre objet, le doudou réconforte et console. Il aide à récupérer en cas de fatigue ou de chagrin. Emporté partout, il donne un sentiment de sécurité face aux situations nouvelles ou inquiétantes (une visite chez le médecin, par exemple).
- Enfin, serré contre soi le soir dans son lit, le doudou aide à lutter contre les an-

goisses nocturnes. Quand on se retrouve seul dans sa chambre ou que l'on se réveille à l'heure où les monstres rôdent autour des matelas, il est bon d'enfouir son visage dans une odeur amie.

Peut-on supprimer le doudou ?

Je vous le déconseille vivement, si l'attachement est solide. Les parents n'ont pas à intervenir dans cette relation que l'enfant a créée parce qu'il en avait besoin. Cette étape tient une place importante dans son développement. On ne doit laver le doudou qu'avec l'accord de l'enfant, de préférence si on en a un autre, identique, à lui offrir en remplacement. Même si l'enfant maltraite son doudou, le déchire ou le frappe, il faut se garder d'intervenir.

Certains enfants sont peu fidèles, d'autres gardent leur doudou des années. Les parents ne peuvent qu'attendre que le leur s'en détache seul. D'ici là, qu'ils prennent bien garde que le doudou ne soit ni oublié ni perdu : ce serait un vrai drame et l'enfant aurait bien du mal à s'endormir sans lui.

• Le débuts des **angoisses** (8-10 mois)

Voilà que votre bébé, jusqu'ici sociable et aventureux, se met à avoir peur de tout et de chacun. Dès qu'un étranger approche, il se colle à vous. On lui parle ? Il se détourne. Pour peu que l'inconnu le regarde un peu trop directement, il se met à crier, ou même à pleurer si éclate soudainement un brusque éclat de rire ou un gros éternuement. Il ne disait rien lorsque vous le laissiez le matin ? Voilà maintenant qu'il fond en larmes et semble désespéré.

À côté de cela, heureusement, il se console bien vite. L'étranger s'éloigne ? Il redevient gai et joueur. Lorsqu'il est en confiance à la maison, entouré de ceux qu'il aime, il recule les limites de ses explorations et perfectionne les façons de se déplacer tout seul. Préfère-t-il ramper ou marcher à quatre pattes ? L'essentiel est de toucher à tout...

Tous les enfants ne marquent pas avec la même intensité cette attitude de peur des étrangers et de repli angoissé sur leur mère. Chez certains, cette crise sera brève (cinq ou six mois) ou à peine marquée. Chez d'autres, elle pourra commencer plus tard mais durer un an. Ces variations quant à la date du début des angoisses, à leur durée ou à leur intensité sont absolument normales. Elles dépendent de l'enfant, de son caractère. Mais elles dépendent également du mode de vie et du mode de garde du bébé.

D'une manière générale, on observe que les enfants régulièrement gardés depuis plusieurs mois en crèche ou chez une assistante maternelle vivent cette crise de

façon plus discrète : ils ont l'habitude des têtes nouvelles, ils sont très sociables et ils ont appris progressivement que, même si maman s'en va, on la retrouve, intacte, un peu plus tard.

L'origine de ces angoisses

Quelles raisons expliquent les changements intervenant chez les petits enfants de cet âge ? Il y en a plusieurs.

- L'enfant est en phase d'exploration intense. Cela comble son besoin de découvrir et d'aborder l'inconnu. Il a besoin pour cela de se sentir en confiance et en pays connu. Tout changement dans cet environnement, matériel ou humain, rend les choses bien difficiles.
- Le bébé reconnaît de mieux en mieux les visages. Il sait différencier les personnes et faire la part entre les connus et les inconnus. D'où de nouvelles inquiétudes qui n'existaient pas jusque-là.
- Le bébé se rend maintenant parfaitement compte des départs de sa mère, mais il n'est pas encore convaincu qu'elle reviendra. Il hurle lorsqu'elle s'éloigne parce qu'il craint de la perdre. Au cours des semaines qui viennent, il apprendra la permanence des objets : si le jouet que je ne vois plus continue d'exister, alors maman aussi continue d'exister et elle reviendra. Ainsi ses angoisses se calmeront progressivement.

En conclusion, sachez que la crise d'angoisse du huitième mois est normale et qu'elle signifie l'arrivée d'une nouvelle étape dans le développement de votre enfant. Elle passera doucement si vous êtes à ses côtés pour le rassurer et lui donner confiance.

Rex

Au fur et à mesure que le système nerveux du bébé se développe, il lui permet une meilleure coordination et un contrôle musculaire plus précis. L'enfant apprend à tenir sa tête droite, puis à se tenir assis, à ramper puis à marcher. Il contrôle mieux les mouvements de ses mains ses gestes gagnent en habileté et en finesse.

L'éveil de votre bébé

Tous les enfants sont différents. Les uns développent certaines aptitudes plus tôt, les autres plus tard, sans que cela veuille rien dire concernant leurs compétences ultérieures. Au bout de quelques années, tous les enfants se rattrapent, ceux qui ont marché plus tôt et ceux qui ont parlé plus tard, ceux qui ont su ramper très vite comme ceux qui n'ont jamais marché à quatre pattes. Inutile donc de comparer votre bébé avec un autre ou de l'inciter à se dépêcher. Il va à son rythme et il a absolument besoin de votre fierté et de vos encouragements.

• Des points de repère

Les gains en taille et en poids sont proportionnellement considérables au cours de la première année. Dans la mesure où votre bébé est heureux, en bonne santé, actif et montre un appétit normal, inutile de garder l'œil vissé sur la toise ou sur la balance. Les courbes du carnet de santé sont faites pour un enfant « moyen » qui n'existe pas. Seul votre médecin est à même d'interpréter, sur les mois, celles de votre bébé.

Autant les différentes étapes du développement sont acquises dans le même ordre, autant elles ne le sont pas au même moment ou à la même vitesse pour tous les enfants. Un grand progrès est souvent suivi d'une période de stabilité. Toutes les nouvelles acquisitions étant sous le contrôle du système nerveux, aucune ne peut être effective avant que le cerveau du bébé ne soit prêt.

Enfin, vous noterez que le développement va toujours de la tête aux pieds. Le bébé commence par maîtriser la tenue de sa tête, puis de ses bras, du tronc, et enfin des jambes.

Accompagner votre bébé

Ces quelques conseils visent à vous donner des éléments sur la manière d'accompagner votre bébé dans ses acquisitions. Si vous lui facilitez les choses sur le plan matériel et que vous l'encouragez dans son développement, il se sentira soutenu et confiant pour aller de l'avant.

- Même tant qu'il ne tient pas seul assis, le bébé est très heureux dans cette position qui lui libère les mains et lui permet de voir ce qui se passe autour de lui. Alors vivent les transats, les chaises hautes et les gros coussins qui lui tiennent le dos !
- Vous asseoir à deux pas de votre bébé, avec en main son jouet favori, l'encourage à se déplacer pour venir jusqu'à vous. Attention : certains bébés ne ramperont jamais, et c'est leur droit.
- Ne venez en aide à votre bébé que si vous le sentez en difficulté ou très frustré par ce qu'il ne peut faire. Sinon, encouragez-le plutôt de la voix. Faites-lui confiance pour développer ses propres ressources et félicitez-le chaleureusement de ses efforts.
- Les sols glissants sont une aide lorsqu'il rampe car il peut se déplacer très facilement. Mais ils deviennent dangereux quand il commence à marcher car il risque plus facilement de tomber et de se faire mal.
- Vers sept ou huit mois, lorsque votre bébé commence à bien bouger et à vouloir se mettre debout, choisissez des habits qui ne le gênent pas dans ses mouvements et ses explorations. Par exemple, oubliez les robes jusqu'à ce que votre petite fille marche et remplacez, la nuit, le sac de couchage (ou « dors-bien ») par un surpyjama ou une couette.
- Quand votre bébé se met debout, c'est pieds nus qu'il sera le plus à l'aise pour bien sentir le sol et ne pas glisser. S'il fait froid, choisissez des chaussons à semelle souple.

Apprendre à marcher se fait souvent en plusieurs étapes, et l'enfant cherche d'abord à se tenir droit avant d'entamer ses premiers déplacements.

Le stade **du miroir**

Cette étape dans le développement de l'enfant est importante. Au début de sa vie, le bébé n'a pas une conscience globale de son corps. Il ne se vit pas comme clairement distinct de sa mère, et ses mains lui semblent de drôles de jouets... Ce n'est que progressivement qu'il acquerra un sentiment d'identité propre, connaissant bien les limites de

son corps et faisant la part de qui est « moi » et « non-moi ».
Cette étape a été définie comme « le stade du miroir », puisqu'il s'agit du moment où le bébé, se regardant dans un miroir, reconnaît son image et identifie consciemment l'ensemble de son corps comme lui appartenant.

À quel âge l'enfant se reconnaît-il ?

Tous les auteurs ne sont pas d'accord sur l'âge auquel l'enfant atteint ce stade. Aux environs de quatre mois, le bébé jubile devant sa propre image, mais avec la même joie que provoquerait l'apparition d'un autre enfant. Si sa mère apparaît dans le miroir, se plaçant derrière lui, il est évident qu'il la reconnaît. Cela marque l'ébauche de la reconnaissance de soi.
Vers sept-huit mois, cependant, les choses se précisent. L'enfant a longtemps exploré son corps, avec ses mains ou avec sa bouche. Il a appris à s'en servir. Il connaît bien les visages de ceux qu'il aime et répond à son nom. À cet âge, le bébé marque un intérêt certain pour le miroir. Il parle à son reflet et ébauche des grimaces. Il n'y a pas de doute : il commence à reconnaître sa propre image. Ce stade a acquis valeur de symbole : il prouve que l'enfant accède à la conscience de sa personne propre. Mais cette conscience ne se met pas en place du jour au lendemain. Si, entre six ou huit mois, l'enfant semble s'y reconnaître, il faudra attendre l'âge de deux ans environ pour être sûr que l'enfant fasse le lien entre son propre corps et l'image que le miroir lui renvoie.
Les spécialistes utilisent certains « trucs » pour savoir où en est l'enfant dans sa connaissance du miroir. Les parents peuvent les essayer (mais sans garantie !).

- Le bébé étant assis face au miroir, avancez-vous derrière lui sans faire de bruit, de façon qu'il vous voie dans le miroir (sans vous avoir entendu venir). S'il se retourne, c'est qu'il a compris le rôle du reflet joué par le miroir. Sinon, il croit encore que sa mère est en face de lui.
- Faites une petite tache de rouge à lèvres sur le front de votre enfant sans qu'il s'en aperçoive. Puis prenez-le dans vos bras et placez-vous tous deux face au miroir. Le jour où il portera spontanément la main à son front pour toucher la tache, vous saurez qu'il est convaincu d'être face à son image et qu'il a dépassé le fameux « stade du miroir ».

• Droitier ou gaucher ?

Beaucoup d'enfants de cet âge sont encore ambidextres. La manipulation par une main ou par l'autre n'est pas toujours symétrique, une main peut sembler dominer sur l'autre, sans que cela soit forcément déterminant.

Dans ces cas un peu flous, il se peut que l'enfant persiste à se servir de ses deux mains de façon similaire jusqu'à l'âge de deux ou trois ans. Cela ne lui posera le plus souvent aucun problème. Il pourra par exemple tenir son crayon de la main droite, mais sa cuiller de la main gauche. Ou bien tantôt dans une main, tantôt dans l'autre.

Chez d'autres enfants, la latéralisation (la détermination de la main dominante) se met tôt en place et devient nettement visible. Les deux mains n'ont déjà plus le même rôle : l'une tient l'objet, porte, pendant que l'autre manipule ou expérimente. Il se peut qu'une main soit nettement préférée à l'autre pour toutes tâches qui demandent de la précision : retourner, lancer, attraper, enfiler…

Cette préférence ne se limite pas à la main, mais aussi souvent à l'œil ou au pied situé du même côté. Il se développe alors un côté actif du corps et un côté plus passif. Si vous constatez cela, il est bon d'inciter parfois votre bébé à se servir de la main « oubliée » afin qu'elle ne soit pas en reste.

Les débuts de la **motricité**

Dès l'âge de cinq mois, le bébé tente de se redresser sur ses jambes. On sent bien qu'il aime être mis debout, alors même qu'il est incapable de s'asseoir. C'est autour de six mois qu'il peut vraiment se tenir debout, jambes droites et bien fermes, s'il est soutenu sous les aisselles. Puis il prend de l'assurance. Lorsqu'il est assis ou allongé et que vous lui tendez les mains, il s'y agrippe fermement et passe ainsi directement à la position debout. Il apprend peu à peu à se tenir droit, sans être soutenu autrement que par les mains.

Il est manifeste que certains adorent cela : ils jubilent, sautent, plient et tendent les jambes, et hurlent parfois lorsque vous voulez les asseoir.

Mais tous ne sont pas ainsi : certains bébés plus calmes, moins « physiques », attendront encore trois ou quatre mois avant de vouloir tenir debout, sans que cela ait des conséquences sur la nature de leur développement. En effet, si tous les enfants ne marchent pas au même âge, les étapes qu'ils suivent pour y parvenir sont généralement les mêmes.

Il se met debout

Vers neuf mois, un grand nombre de bébés, parmi les plus actifs physiquement, commencent assez à se mettre debout tout seuls. Entraînés à s'agripper à vos mains pour se hisser sur les jambes, ils vont continuer à s'agripper à tout ce qu'ils trouvent. Si se tenir debout est la position préférée de votre enfant, il va passer une partie importante de son

Pour ou contre les chaussures

La coutume, il n'y a pas si longtemps, voulait que tous les petits enfants portent des chaussures montantes supportant bien les chevilles et soutenant la voûte plantaire.
Il est possible que votre mère, quand elle a vu votre bébé se mettre debout le long de son parc, vous ait conseillé de lui acheter des chaussures. En réalité, il n'y a pas d'urgence. Si les chaussures sont évidemment utiles pour aller dehors, elles ne se justifient aucunement à la maison. Même lorsque votre enfant commencera à marcher, vous pourrez sans crainte le laisser pieds nus sur la moquette. C'est à la fois une façon de bien sentir le sol sous ses pieds, et un excellent moyen pour muscler une voûte plantaire inexistante.
Attention ! Ne le laissez pas marcher en chaussettes si le sol de la maison est couvert d'un revêtement lisse ! Une bonne idée consiste à coudre sous ses chaussettes des semelles antidérapantes (vendues très bon marché). Quand vous achèterez des chaussures, faites-le en présence de l'enfant (même s'il a horreur de cela !), afin de vous assurer qu'elles lui enveloppent bien le pied, avec confort.
Une idée : en été, faites marcher votre bébé pieds nus dans le sable : c'est excellent pour la musculation.

temps à s'entraîner. À cette étape, le tout-petit essaie souvent de se hisser en s'aidant de tout ce qui peut lui servir d'appui (parfois il se trompe et renverse alors chaises et guéridons…).
Il s'accroche à tout ce qu'il peut, mais il apprendra progressivement à choisir les meilleures prises, les plus efficaces. L'aide la plus sûre est constituée par la barrière en bois du parc, carré et classique, dans lequel l'enfant jouait jusque-là assis. Le bébé va se tirer aux barreaux pour se mettre debout, puis apprendre à se déplacer sur le côté, faisant ainsi le tour du parc. La marche n'est plus très loin !
Une fois debout, il jubile et va tenter l'étape suivante : lâcher une main, lâcher l'autre. Puis lâcher les deux en prenant appui sur le ventre.

Le « cabotage »

« Cabotage » est un terme que l'on utilise pour décrire le stade où l'enfant se déplace debout, latéralement, en se tenant

aux meubles et en passant d'appui en appui. Assez vite, l'enfant peut glisser le long d'un meuble, un canapé par exemple, sans autre appui que ventral.
Les jeunes enfants qui en sont déjà à ce stade peuvent la plupart du temps, tenus par les deux mains, ébaucher une marche débutante. Mais il leur faudra encore plusieurs semaines avant d'oser lâcher une main, puis l'autre.
Les différences entre enfants peuvent être importantes. Peut-être le vôtre parvient-il, lorsqu'il se met debout, en appui contre un meuble, à lâcher une main ou les deux pour manipuler un objet. Certains sont même capables de se mettre debout au milieu d'une pièce sans avoir besoin de se hisser.
Ce qui est sûr, c'est que presque tous les bébés qui savent tenir debout trouvent que cette position est de loin la plus intéressante. C'est souvent debout qu'il veulent être changés ou habillés, debout encore qu'ils veulent prendre leurs repas. Il leur arrive même de prendre de grands risques lorsqu'ils veut à tout prix se tenir debout sur sa chaise haute ou dans leur poussette!

Les **premiers pas**

Votre enfant marchera seul, comme tous les enfants, entre dix et dix-huit mois. Cela dépend de sa maturité musculaire et neurologique, de son poids, de son tempérament et du temps qu'il passe à s'exercer.
Il n'y a pas à s'inquiéter au sujet de l'enfant qui tarde un peu à marcher. Peut-être est-il si habile à marcher à quatre pattes qu'il ne voit pas pourquoi changer. Peut-être attend-il simplement son heure. Si votre enfant passe, debout, d'un meuble à l'autre, s'il est capable de se mettre debout seul au milieu d'une pièce, alors son heure est proche. Vous pouvez l'aider à s'entraîner en lui confiant un tabouret ou une chaise légère : il marchera en les poussant devant lui et en les faisant glisser sur le sol. Mais le mieux est encore, dès qu'il le peut, de faire marcher l'enfant en lui tenant les deux mains, puis une seule.

Certaines appréhensions

Bien des bébés ont des appréhensions au moment de lâcher le dernier doigt qui assure leur équilibre. C'est pourquoi il ne faut nullement les bousculer ou les presser : ils se lâcheront à leur heure, lorsque leur marche aura acquis une certaine stabilité.
Une chose est sûre : pour qu'un bébé se lâche et fasse ses premiers pas seul, il faut qu'il ait envie d'aller vers quelque chose ou de satisfaire quelqu'un. Si vous sentez que votre bébé est prêt, tenez-vous à un pas ou deux de lui. Puis tendez les bras : il va s'y précipiter. Les premiers pas se font ainsi souvent presque par hasard :

Les bébés nageurs

Le bébé, qui a vécu toute la première partie de sa vie dans l'eau, peut y évoluer de façon naturelle et détendue. Un bébé que l'on emmène en piscine dès l'âge de quatre à six mois n'a pas encore oublié ces sensations. Non seulement il n'a pas peur de l'eau, mais encore il s'y sent très vite en sécurité, capable d'explorer et de s'adapter à ce « nouveau » milieu de la même façon qu'il explore son environnement à la maison.
Le bébé étant toujours accompagné d'un de ses parents, donc en sécurité affective, on ne se préoccupe que de le voir heureux dans l'eau. La découverte doit passer par le jeu, l'échange, le plaisir.
Il est toujours préférable d'intégrer un club ou un groupe de parents et d'enfants, plutôt que d'emmener seul son bébé à la piscine. Vous serez accueillis dans une piscine bien chauffée et aménagée, avec de nombreux jouets, bouées ou tapis flottants. Enfin, on vous expliquera comment vous y prendre pour sécuriser au maximum votre bébé.
Pour trouver les adresses, vous pouvez vous renseigner auprès de la Fédération nationale de natation préscolaire.

on quitte les bras de papa, pour faire un pas et se laisser tomber de tout son long dans les bras de maman, et réciproquement.
Faites avant tout preuve de patience et de calme. Il n'est pas bon pour votre enfant de sentir que vous attendez impatiemment qu'il franchisse une étape qu'il ne se sent pas mûr pour franchir. À l'inverse, s'il sent votre anxiété et voit que vous vous précipitez chaque fois qu'il risque de tomber sur les fesses, vous lui donnez l'idée que marcher est une chose bien dangereuse. La seule chose à faire est de jouer avec lui et de le laisser expérimenter seul le reste du temps. Il va hésiter, progresser, revenir en arrière après une mauvaise expérience. Puis un jour il se lancera… Pour autant, tout ne sera pas gagné. Il va encore un bon moment se servir du quatre pattes pour se déplacer efficacement. Comme il commence à marcher sans toujours savoir s'arrêter, il choisira de se laisser tomber sur les fesses. Mais enfin, semaine après semaine, il va gagner en stabilité et en assurance.

Découvertes et inquiétudes

Les débuts de la marche marquent un virage important dans le développement de l'enfant. D'un côté, il se sent grand et fort. Marcher signifie pouvoir partir debout à la découverte de l'environnement. L'horizon s'élargit : c'est le début de nouvelles expériences.

Explorer la verticalité n'est pas une mince affaire. Cela demande du temps, de l'audace et beaucoup d'énergie. D'un autre côté, le bébé se sent encore bien petit face à un monde si vaste. Il s'excite, voudrait tout découvrir, mais il tombe ou se cogne. La conscience de ses propres limites le fait parfois hurler de frustration. Il veut décider seul et tente de garder le contrôle de la situation, mais s'aventurer ainsi fait très peur. Il trouve bon, souvent, de se réfugier contre maman, de s'enfouir dans ses jupes ou de se blottir dans ses bras, comme lorsqu'il était un bébé qui ne marchait pas… Ce mélange de désirs et d'inquiétudes, se traduit souvent par des troubles du sommeil. L'enfant se réveille au milieu de la nuit et semble avoir peur sans que vous puissiez comprendre de quoi. Rassurez votre enfant, exprimez-lui votre amour et votre soutien, confortez-le dans son désir d'autonomie. Ainsi, progressivement, il retrouvera confiance en lui.

Il ne marche pas « droit »

Faut-il s'inquiéter si un bébé a tendance à marcher les pieds en dedans, ou à avoir les pieds plats, ou encore à marcher sur la pointe des pieds ?

Toutes ces tendances sont banales et concernent la presque totalité des enfants. En quelques mois, les pieds vont se muscler et ces petits problèmes disparaître. Cependant, s'ils vous paraissent inquiétants, n'hésitez pas à consulter votre pédiatre.

Tout cet amour que vous portez à votre enfant ne doit pas vous empêcher de fixer des limites. Le bébé explore tout ce qui s'offre à lui, et cela l'entraîne à prendre des risques ou à faire des bêtises. Mais se fâcher serait inutile et dangereux : le bébé pourrait renoncer à ses explorations et penser que sa curiosité est mauvaise.

Aimer, protéger et savoir dire non

C'est au cours de la petite enfance que se posent les fondations de ce que sera la vie sociale future de l'enfant. D'un nouveau-né passif, il devient vite un partenaire à part entière de la vie et des échanges familiaux et la relation qu'il développera avec ses parents servira de modèle aux relations qu'il créera avec ses pairs.

• Grandir **affectivement**

Les bébés ne naissent pas avec des qualités et des défauts. Ils naissent avec un équipement parfait pour entrer en contact, avec besoin d'aide pour survivre et avec des comportements qui varient beaucoup d'un bébé à l'autre. Selon la façon dont on répondra à ces comportements, ils évolueront d'une manière ou d'une autre. Certains, dès les premiers jours, semblent pleurer davantage, ou sourient rapidement, ou tètent difficilement…

La mère, face à son bébé, va répondre. Si elle a l'impression de le comprendre, de lui faire du bien, d'être compétente, la relation entre eux va se développer harmonieusement. Si elle ne le comprend pas, ne parvient pas à apaiser ses pleurs, devient anxieuse, le bébé va réagir par de nouveaux pleurs et sera trop vite rangé dans la catégorie des bébés « difficiles ».

Le pouvoir des étiquettes

Les parents doivent se méfier du pouvoir des étiquettes. Les paroles du médecin lors de l'échographie ou des auscultations prénatales ont déjà tout un poids. Les parents sont si attentifs, si impatients que des phrases comme « Celui-là, il bouge bien, ce sera un nerveux » ou « Avec celle-là, vous n'avez pas fini d'en voir », quand ce n'est pas « La tête est un peu grosse par rapport à la moyenne », peuvent avoir un effet certain. De même à la naissance, où sage-femme et médecin-accoucheur tiennent la place des fées d'autrefois et où leurs paroles sont de vrais oracles. Malheureusement, on entend parfois des réflexions comme « Beau bébé, mais un peu petit », « Quelle voix, on sent qu'il aime crier ! », etc.

Il n'existe pas de bébés capricieux, gâtés, têtus, paresseux et méchants. Mais si les parents en sont persuadés et ont collé cette étiquette sur le comportement de leur enfant, il y a effectivement des risques pour qu'à terme il le devienne.

Mieux connaître son enfant

Faire connaissance avec son bébé, c'est passer du temps à l'observer pour savoir quels sont ses rythmes et ses positions favorites. C'est au fil des semaines et des mois que vous apprendrez s'il aime être traité avec douceur ou bien jeté en l'air dans les bras de son père, ce qui le rend heureux ou grognon, ce qui le fait rire ou pleurer, ce qui l'aide à se calmer et à s'endormir, où sont les fossettes et les petits plis, quelle est l'odeur de son crâne et la forme de ses pieds. Ces mille petits détails qui font que votre bébé est unique au monde.

Son caractère se construira peu à peu. Si vous ne l'avez pas préjugé, vous aurez plaisir à le découvrir au fil des jours. Mais sachez qu'un bébé heureux et en bonne santé est un bébé gai. Avec un bon caractère, mais pas toujours un tempérament facile.

Répondre à ses appels

Vous ne ferez pas de votre bébé un enfant gâté si vous répondez à ses appels et si vous suivez ce que votre instinct vous dicte. Il existe encore beaucoup de gens pour vous dire : « C'est normal qu'un bébé pleure, il fait ses poumons », « Laisse-le pleurer, il finira par se fatiguer » ou encore « Ne le prends pas dans les bras au moindre caprice, tu vas en faire un enfant gâté », etc.

Pourtant, vous souffrez d'entendre votre bébé pleurer et votre instinct de mère vous souffle de le prendre avec vous pour tenter de le soulager. C'est vous qui avez raison. Un bébé ne pleure jamais pour rien. C'est nous qui ne sommes pas capables de le comprendre. Un bébé n'est pas capricieux : c'est une notion d'adulte qui, à son âge, lui est complètement étrangère. Lui a une raison de s'exprimer par des cris, il vit un malaise. Le minimum que l'on puisse faire, à défaut de le soulager, c'est de lui dire, par des mots et par des gestes : « Je suis là, je ne

Surveiller ne veut pas dire surprotéger

Le très jeune enfant n'a pas la même conscience du danger que nous. Ses instincts, contrairement à ceux de certains animaux, ne l'avertissent pas qu'il est en train de prendre un grand risque et que, s'il tombait de la table, il se ferait très mal. Tout cela, ses parents vont devoir le lui apprendre. Ils vont lui dire ce qui est permis et ce qui ne l'est pas, ce qui est risqué et ce qui ne l'est pas, ce qui peut être tenté en faisant attention et ce qui est vraiment trop dangereux.
Pourtant, on peut aisément imaginer qu'un enfant à qui on aurait sans cesse tout interdit sous prétexte que c'est risqué ne s'aventurerait plus nulle part.
Chaque fois que vous le pouvez, laissez, sans relâcher votre attention, votre enfant faire ses propres expériences : il gagnera en habileté physique et acquérera le sens du danger. Vous vous demandez ce qu'il va retirer de cette plus grande liberté ? Tout simplement que vous le laissez libre d'explorer l'espace, mais que vous êtes attentive à ses gestes. Que vous ne l'accablez pas d'ordres mais que ceux qui sont donnés doivent être suivis. Qu'il peut avoir confiance en vous.
C'est aussi cela, apprendre à grandir…

comprends pas pourquoi tu pleures, mais je vais essayer de te soulager. »
L'enfant qui appelle ou se plaint attend de ses parents une réponse adaptée et compréhensible. C'est ainsi qu'il se sentira aimé, qu'il prendra confiance en lui, qu'il deviendra capable de donner de l'affection et qu'il deviendra autonome.

Votre bébé change

Vers sept ou huit mois, le bébé traverse une phase où il craint d'être séparé de sa maman et s'inquiète de la présence des étrangers. Lui si sociable se met à avoir peur de tout et de chacun. Mais à la maison, dans son cadre, il se rassure vite. Cette phase marque un gros progrès dans son développement : il découvre les limites de son corps et comprend qui il est, et qu'il esty différent des autres. C'est le début des vraies relations sociales entre lui, individu autonome, et l'autre.
Vers dix mois, il progresse dans ses relations en imitant ceux qui l'entourent : paroles, gestes et attitudes. Il aime s'entendre crier, rire, se montre ravi s'il peut

jouer à cache-cache. Les filles sont parfois plus timides que les garçons, d'autres fois plus délurées.
Vers un an, enfin, le jeune enfant se montre intrépide, provocateur et fait volontiers le clown. Il développe l'humour et aime avoir du public. Il comprend le sens du mot « non » et peut alors s'empêcher de faire ce qu'il souhaitait. Ses émotions s'enrichissent et le sentiment de peur peut le faire se précipiter dans les bras de ses parents.
Tous ses changements sont parfois difficiles mais il est possible de l'aider à dépasser ces inquiétudes.

- Gardez-le près de vous lorsqu'il s'y colle, ne vous moquez pas de lui, donnez-lui l'impression que vous le protégez et ne l'obligez pas à embrasser les étrangers.
- En présence d'un inconnu, laissez à l'enfant le temps de faire lui-même la démarche vers l'autre et de s'en approcher lorsqu'il se sentira suffisamment « apprivoisé ». Ne le brusquez jamais.
- Jouez souvent avec lui à des jeux qui aident à mettre en place la permanence de l'objet : cache-cache avec les objets ou avec les gens, marionnettes…
- Si c'est possible, il est préférable d'éviter de commencer à faire garder votre bébé à plein-temps entre huit et douze mois. C'est la période la plus difficile : il se sent abandonné et ne sait pas encore que vous reviendrez. Si vous ne pouvez faire autrement, prévoyez une période d'adaptation aussi longue que nécessaire et prenez tout le temps qu'il faut pour faire comprendre la situation à votre enfant.

Vers huit mois, le bébé traverse une phase où il craint d'être séparé de sa mère et s'inquiète de la présence de personnes inconnues.

La sécurité de votre bébé

La maison, c'est le lieu où l'on se sent protégé. Mais c'est oublier que les accidents domestiques existent et qu'ils causent des blessures ou des décès chez de trop nombreux enfants. Les plus jeunes paient un lourd tribut, même si les risques augmentent lorsque l'enfant se déplace seul. Tous les dangers ne peuvent être évités. Même avec toutes les précautions et une grande vigilance, les petits accidents font partie de la vie de l'enfant. Il n'y a pas de découverte de l'espace et de l'équilibre sans prise de risques et prise de conscience progressive du danger.
Il est donc vain, et il serait dommageable pour le développement psychocorporel

du jeune enfant, de vouloir lui épargner tous les bleus et les bosses.

Des risques selon l'âge

◗ De six à neuf mois, les risques d'étouffement restent prédominants. Tant que l'enfant porte tout à la bouche, faites très attention à tous les petits objets qui sont à sa portée.

◗ Le bain peut être à l'origine d'une noyade, même avec très peu d'eau. Quelques secondes suffisent. Aussi ne laissez jamais le bébé seul dans la baignoire.

◗ L'enfant bouge, se déplace, se met debout. C'est le moment d'équiper la maison : protections pour angles de meubles, fixation des étagères, barrières pour escaliers, cache-prise, etc.

◗ À partir de neuf mois, le bébé peut se déplacer très vite. Vous ne savez pas toujours dans quelle pièce il est. Aussi toute la maison doit-elle être passée en revue en fonction de la sécurité de l'enfant. Pas de produits d'entretien ou de médicaments dans un placard non fermé à clé sauf s'ils sont rangés en hauteur.

◗ L'enfant est très intéressé par l'électricité, les fils, les petits trous des prises. Utilisez des prises spéciales et ne laissez jamais traîner de rallonge électrique.

◗ Vérifiez de façon régulière l'état des jouets de l'enfant. Ne le laissez pas jouer avec les jouets d'un enfant plus grand sans surveillance.

Les consignes de sécurité

◗ Mettez définitivement dans un placard en hauteur et enfermez à clé tous les produits d'entretien. Soyez particulièrement vigilant avec ceux que vous venez d'employer et qui risquent de traîner un moment sur une table.

QUELQUES CHIFFRES SIGNIFICATIFS

- Dans 90 % des cas, le produit toxique avalé par l'enfant est soit un médicament, soit un produit d'entretien.
- Dans 75 % des cas, le produit n'était pas rangé, mais abandonné à portée de main de l'enfant.
- Dans 20 % des cas, le produit dangereux était transvasé dans un emballage inoffensif (par exemple de l'essence dans une ancienne bouteille de jus de fruits).
- Les pièces les plus dangereuses sont la cuisine, la salle de bains, puis la cave, la buanderie, le garage, etc.

- Rangez hors d'atteinte les outils, les rasoirs, les couteaux, les ciseaux, tout le matériel de couture.
- Soyez très vigilant en ce qui concerne les balcons, les terrasses et les fenêtres, notamment celles qui basculent. Les accidents sont fréquents ; ils sont très graves si l'appartement est situé en étage.
- Confiez à la voisine vos plantes vertes pour quelques mois : la terre n'est déjà pas bonne à manger, mais en plus certaines feuilles contiennent du poison.
- Enfermez à clé et hors de portée les médicaments, les produits d'entretien et toutes les substances dangereuses.
- Attention à la poubelle, aux produits de maquillage, aux liquides transvasés, aux emballages colorés et attirants.
- Attention aux cigarettes, aux cendriers et aux restes d'alcool dans les verres, sur la table basse.
- Ne laissez jamais seul l'enfant dans la cuisine.
- Prenez l'habitude de tourner les queues des casseroles vers le mur, de façon qu'elles ne dépassent pas du rebord de la cuisinière.
- Attention aux fours non isolés qui se trouvent sous les cuisinières, aux feux dans la cheminée sans pare-feu, aux loquets faciles à manier qui vous enferment dans une salle de bains.
- Enfin, assurez-vous, lorsque l'enfant est assis dans sa chaise haute, qu'elle a une bonne stabilité et qu'il ne peut en glisser ou en tomber seul (au besoin, s'il se lève tout le temps, sanglez-le).

Tous ces conseils n'empêcheront pas un accident d'arriver. Mais si vous les appliquez, ils diminueront nettement les risques. Ils visent aussi à vous alerter et à accroître votre vigilance. Malgré toutes les campagnes d'information, il existe encore trop d'accidents imputables à la négligence. N'oubliez pas qu'une grande part des accidents ne survient pas lorsque l'enfant est seul, mais lorsque ses parents sont occupés à autre chose, au téléphone par exemple.

Étouffements : que faire ?

Malgré toute votre vigilance, il peut arriver que votre bébé porte à la bouche un petit objet, qu'il l'avale et s'étouffe. Le plus fréquemment, ces objets sont :

- des bonbons durs, de gros morceaux de viande, de carotte, de pomme ou de pain, des noyaux de cerises, des dragées ;
- des « amuse-gueule » servis en apéritif (cacahuètes, amandes, pistaches) ;
- des morceaux de jouets : œil de peluche, bouton de vêtement, bille, pièces détachées ;
- des objets divers de la maison, qui traînaient : capsules de bouteilles, morceaux de crayons, capuchons de stylos, graviers, etc.

Le scénario est toujours le même. Le bébé attrape un objet et le met dans sa bouche. Au lieu de le recracher ou de déglutir, il

SI L'ENFANT NE PEUT NI RESPIRER NI TOUSSER

- Faites appeler les pompiers de toute urgence.
- Ouvrez la bouche de l'enfant et regardez, avec une lampe, si l'on voit l'objet et si l'on peut l'enlever avec ses doigts ou avec une pince. Mais s'il y a un risque d'enfoncer davantage l'objet, mieux vaut ne pas y toucher et tenter la manœuvre suivante : placez-vous derrière l'enfant et tenez-le contre vous, son dos contre votre ventre. Attrapez l'un de vos poignets dans l'autre main et placez votre poing dans le creux situé juste sous les côtes de l'enfant. Appuyez de façon brusque et brève, en enfonçant vos poings et en remontant vers le haut. Si l'enfant ne recrache pas l'objet, recommencez cinq ou six fois en attendant les secours. Le but de cette manœuvre est de faire sortir brusquement l'air des poumons de l'enfant afin qu'il expulse l'objet bloqué sur son trajet.
- Même si l'enfant a recraché l'objet, emmenez-le sans tarder voir un médecin, afin qu'il détermine s'il résulte des lésions ou des séquelles.

le fait passer par mégarde dans les voies respiratoires. Dans le cas d'un étranglement bénin (il a « avalé de travers »), l'enfant est pris d'une quinte de toux et devient rouge. Vous pouvez l'aider en le plaçant la tête plus bas que le corps et en tapotant son dos, de façon qu'il recrache ce qui l'étouffe.

Le cas où l'enfant a absorbé un corps étranger qui s'est bloqué dans le larynx est beaucoup plus grave. L'enfant porte ses mains à son cou. Il respire à peine ou pas du tout, il ne peut ni parler ni tousser, il devient pâle, puis violet. Il se peut même qu'il perde connaissance. Cette situation est tout à fait effrayante, mais vu l'urgence, elle nécessite que vous gardiez cependant votre calme et le contrôle de la situation. Si l'enfant respire, encouragez-le à tousser et emmenez-le en vitesse dans le service des urgences d'un hôpital.

Empoisonnement : que faire ?

Les intoxications représentent 2 % des consultations en pédiatrie. La plupart des cas sont sans gravité mais certains nécessitent une intervention rapide et une hospitalisation.

La situation se déroule toujours de la même façon. L'enfant, laissé seul un moment, est attiré par une substance qui ressemble à quelque chose qu'il aime, bonbon ou jus de fruits, ou qu'il porte

à sa bouche par simple curiosité. Or, il s'agissait de boules de naphtaline, de mégots de cigarettes, d'eau de Javel, de comprimés d'aspirine ou de somnifère.
En cas d'empoisonnement, il y a deux impératifs à respecter : garder son sang-froid et téléphoner immédiatement au centre antipoison de votre région. À défaut, appelez votre médecin traitant, le médecin de garde ou les pompiers. Chaque minute compte. Au téléphone, pensez à informer le médecin de l'âge de l'enfant, de son poids, de la nature du produit absorbé, de la quantité absorbée (environ), de l'heure de l'absorption et des symptômes observés.
Surtout ne prenez aucune initiative, si ce n'est de conduire votre enfant au centre des urgences le plus proche. En effet, la conduite à tenir varie beaucoup selon les produits. Pour certains, il faut faire vomir l'enfant ; pour d'autres produits, cela risquerait d'aggraver la situation. Par exemple : il ne faut jamais faire vomir un enfant évanoui ni un enfant qui a avalé des produits corrosifs ou moussants.

Les bases de **la discipline**

On ne peut pas laisser son enfant tout faire. L'éduquer, c'est lui montrer quels sont les comportements acceptables, souhaitables, et ceux qui ne le sont pas. Il est sécurisant pour l'enfant de sentir que l'adulte sait ce qui est bien et ce qui est mal. C'est un garde-fou qui lui apprend à se maîtriser et l'aide à exercer sa liberté de façon responsable. Rappelez-vous toutefois que les interdits, pour être compris et acceptés, doivent être logiques, cohérents et suivis d'effet. Ce qui est interdit un jour doit l'être aussi le lendemain. Mieux vaut peu d'interdits que vous faites respecter, que beaucoup sur lesquels l'enfant vous aura « à l'usure ».

Un jeune enfant n'agit jamais comme s'il le faisait par méchanceté ou pour vous embêter. S'il râle, c'est qu'il est très fatigué ou qu'il couve un rhume. S'il touche à tout, c'est qu'il est curieux et intelligent. S'il recommence après que vouys le lui avez interdit, c'est que le désir est trop fort ou qu'il veut vous tester. Savoir cela, c'est déjà réagir autrement.

Comment dire non ?

Un enfant acceptera mieux le non si :
- vous joignez le geste à la parole et entraînez doucement votre bébé loin de ses tentations ;
- vous l'exprimez fermement, en le regardant dans les yeux ;
- vous lui offrez une solution de remplacement qui, elle, est permise. Par exemple, vous lui retirez le magazine qu'il est en train de déchirer, mais vous lui confiez un vieux catalogue qu'il peut arracher à

loisir. Ou vous dites non à la main qui agrippe et tire les poils du chien, mais oui à la caresse, paume ouverte.

Si l'enfant recommence, dites non à nouveau. Dans un rapport de confiance et d'affection, n'ayez pas peur d'affirmer vos choix avec calme, fermeté et constance...

Les interdits

Quel que soit le soin avec lequel vous avez aménagé votre intérieur en fonction de votre bébé, il reste malgré tout des comportements qu'il va falloir interdire. Précisons tout de suite que plus son environnement sera varié et stimulant, plus le bébé se sentira heureux.

Qu'allez-vous interdire ?

Cela dépend de vous et de votre capacité de tolérance. Au minimum, vous interdirez tout ce qui présente un danger direct pour l'enfant : fils électriques, prises de courant, porte du four, plaques électriques, objets cassables (en verre) ou pointus, petits objets (risque d'étouffements), etc.

Il est tout à fait légitime également d'interdire à votre enfant de toucher à certains objets que vous ne pouvez mettre sous clé, mais qu'il pourrait abîmer ou dérégler : chaîne stéréo, téléviseur, livre à vous, canapé en cuir clair, etc. On entre là dans les « interdits de confort », auxquels certains ajoutent l'interdiction d'entrer dans telle ou telle pièce (le plus souvent le salon ou la cuisine). Au moment de décider ce que vous allez tolérer et interdire, vous devez réfléchir aux points suivants :

- Plus vous aurez d'interdits, plus ils seront difficiles à faire respecter. Mieux vaut en avoir peu, mais être ferme.
- Ce qui est interdit le lundi doit l'être aussi le mardi, ou une heure plus tard. De même pour ce qui est permis. Ce n'est qu'ainsi que votre enfant apprendra vite à s'y retrouver et à respecter vos règles. Il est donc fortement déconseillé de se faire avoir « à l'usure ». Mieux vaut dire oui d'emblée que de lui laisser croire que vos non sont élastiques.
- Un enfant à qui trop de choses ou d'expériences sont interdites, qui doit sans cesse réprimer son énergie et son désir d'activité finit par devenir soit très agressif, soit inactif et éteint.
- Enfin, ce que vous interdisez doit être raisonnable, en fonction des besoins de l'enfant, et cohérent.

Il est absolument normal que l'enfant retourne, tout de suite ou plus tard, vers ce que vous avez interdit. Il le fera parfois en vous regardant droit dans les yeux et un sourire aux lèvres. Au-delà de l'attirance pour cet objet, il veut vérifier le sens et la valeur de votre parole. D'où l'importance de répéter le non, fermement et à chaque tentative. Il ne doit pas douter de

LES INTERDITS ET LEUR MISE EN PLACE

Même dans un environnement que l'on a conçu pour que l'enfant puisse évoluer librement et sans risque, il reste des choses à interdire :

- Ce qui est dangereux : fils électriques, plaque du four, etc.
- Ce qui casse ou s'abîme : téléviseur, livres, etc.
- Ce que, pour des raisons personnelles, vous ne voulez pas autoriser, comme certains comportements agressifs (mordre, frapper) ou l'accès à certaines pièces de la maison.

Comment faire comprendre que telle chose est interdite ? En joignant le geste à la parole :

- Vous dites non très fermement, mais sans agressivité, avec la voix et avec la tête. Votre non est suivi d'effet, c'est-à-dire que s'il n'est pas obéi, vous intervenez à nouveau.
- Vous allez vers votre enfant, vous le prenez par la main pour l'éloigner de son but et vous tentez de l'intéresser à autre chose, en lui confiant un jouet par exemple. C'est-à-dire que vous compensez vos non par des oui encourageants et des propositions de remplacement.

votre détermination. C'est vous l'adulte et vous ne devez pas laisser croire à votre enfant qu'il pourrait être « seul maître à bord ».

Cela étant dit, vous ne devez pas oublier que le but de votre éducation n'est pas, pour l'essentiel, de faire de votre bébé un enfant d'une obéissance aveugle et sage comme un ours en peluche, mais un enfant heureux et ouvert. Il acceptera vos interdits s'il les sent justifiés et adaptés à son âge. Il vous obéira pour vous faire plaisir, si vous savez créer avec lui des rapports de confiance et de gentillesse. Et si vous lui parlez calmement, sans désir de lui imposer à tout prix votre volonté.

Sachez enfin qu'il est sécurisant pour un enfant de savoir que quelqu'un veille, quelqu'un qui sait où il va et peut lui servir de garde-fou. Dans discipline, il y a disciple : lui apprendre à se maîtriser et à refréner certains élans, c'est aussi lui apprendre à exercer sa liberté de façon responsable.

Savoir dire « stop »

En même temps que votre bébé découvre la possibilité de vous dire non (et il ne va pas s'en priver…), il va tenter de comprendre le sens exact du vôtre. Est-ce juste un refus en passant ? Est-ce un vrai non définitif ? Est-ce un non qu'il peut, à force d'obstination, transformer en oui ? Ce non, quelles sont ses limites (et donc les vôtres) ?

Afin de répondre à ces questions, fondamentales pour lui, votre bébé va mettre rudement votre patience à l'épreuve. Face à cette situation, j'ai pu observer deux attitudes différentes chez les parents.

Le but de l'éducation n'est pas de faire d'un bébé un enfant trop sage mais un enfant heureux et ouvert.

- La première consiste à commencer par dire non à l'enfant. Puis, parce qu'il insiste pour la dixième fois ou parce qu'il hurle, finir par dire oui, lassés et culpabilisés de lui refuser ce à quoi il semble tant tenir. Qu'a appris l'enfant ? Qu'à force d'insister et de crier, il obtiendra tout ce qu'il voudra. Qu'il est plus fort que vous. Si c'est la méthode que vous appliquez, vous n'êtes pas au bout de vos peines !
- La seconde consiste en une attitude inverse. Commencer par faire preuve de patience et de compréhension et offrir au bébé la possibilité de changer d'attitude, par exemple en lui trouvant une activité ou un dérivatif. Puis, dans un second temps, si le bébé insiste vraiment et semble vouloir entamer l'épreuve de force, dire non avec fermeté. Ce qui peut impliquer, s'il n'obéit pas, de hausser la voix ou de l'enfermer quelques minutes dans sa chambre. C'est plus efficace.

Les fessées

Il arrive que votre bébé vous énerve beaucoup et mette vos nerfs à rude épreuve. Les parents d'un bébé qui pleure la nuit et qui vivent dans un immeuble sonore me comprendront. Les parents du bébé « qui ne veut rien manger » aussi. Une fessée parce que « comme ça au moins tu sauras pourquoi tu pleures » vous démange parfois le bout des doigts.

Pourtant, disons-le tout net : cela est aussi dangereux qu'inutile. Votre bébé ne comprendra pas la raison de votre geste et, au-delà de la douleur, en sera très malheureux. Vous, sous le coup de l'énervement, vous aurez parfois du mal à contrôler votre force. C'est toujours un échec.

Si votre enfant pleure de façon excessive, il a une raison pour cela qu'il est important de comprendre. Une fessée ne servira à rien qu'à soulager très ponctuellement la tension de celui qui donne la gifle ou la fessée. Mais pour faire place ensuite à une culpabilité bien destructrice. Même une tape sur les fesses pour sanctionner une bêtise n'a de valeur éducative que si

elle est accompagnée d'une explication simple donnée d'une voix calme.
Si vous vous trouvez dans une situation de nervosité et d'épuisement tels que vous sentez que vous pourriez frapper votre bébé, il est indispensable de vous faire aider et de prendre du repos. Sur le moment, vous pouvez essayer les « trucs » suivants : vous isoler dans une autre pièce ou aller marcher un peu, attraper un oreiller et passer vos nerfs dessus, vous mettre à la fenêtre et respirer profondément…
Si vous vous êtes fâché très fort contre votre bébé et que vous l'avez frappé, réconciliez-vous dès que possible, faites la paix, prenez votre enfant dans vos bras et expliquez-lui, avec des mots, la vérité de la situation : la fatigue, l'énervement, la peur. Mais aussi votre amour que rien n'entamera.
Enfin, si vous vous sentez fragile et débordé, ne restez pas seul dans cette épreuve et souvenez-vous que les cris permanents ne valent guère mieux.

Un enfant en bonne santé et heureux joue spontanément. Avec son corps et celui de sa mère pour commencer. Capable de se déplacer, il joue avec tout ce qui l'attire, surtout s'il s'agit d'un jouet mais d'un objet interdit. Quel plaisir de manipuler la télécommande, de froisser les journaux ou de faire tourner la râpe à fromage !

Le jeu et les jouets

Le jeu et les jouets tiennent une place essentielle dans les mécanismes qui sous-tendent le développement de l'enfant. On sait aujourd'hui que le jeu n'est pas seulement pour l'enfant une distraction, mais un temps d'acquisition et d'apprentissage indispensable à son développement intellectuel, affectif et social.

● À quoi servent les **jouets** ?

Le jeu est loin d'être un domaine accessoire dans le développement et dans la vie de l'enfant. Prenez n'importe quel enfant qui n'a ni mal, ni faim, ni sommeil. Que fait-il? Il joue. C'est même là un signe important de bonne santé physique et psychologique.

Cela montre que jouer est pour lui une activité fondamentale par laquelle il va tout apprendre sur le monde et sur lui-même, et non une vague frivolité qui l'occupe en attendant de passer aux choses sérieuses. Car jouer est une chose sérieuse. L'enfant, en jouant, apprend à se maîtriser en évoluant à son rythme propre, mais il apprend aussi à maîtriser les choses qui l'entourent.

Jouer, c'est apprendre

Le mot « apprendre » ne doit pas vous surprendre : pour l'enfant, il n'y a pas de différence entre jouer et apprendre. Manipuler les objets, secouer, démonter, faire du bruit, remplir d'eau, escalader le canapé, tout cela c'est apprendre.

Mais cela ne signifie pas que l'adulte doive « récupérer » le jeu de l'enfant pour le pousser dans un entraînement intensif ou dans des apprentissages trop précoces. Le jeu sert à jouer, un point c'est tout. L'enfant joue « pour le plaisir », même si,

ce plaisir, il le trouve dans un effort qu'il s'impose à lui-même. Le jeune enfant se livre à de réels apprentissages, essaie, échoue, essaie encore, parce qu'il ne sait pas que davantage de compétences signifie davantage de jeux possibles, donc plus de plaisir. Il progresse également parce qu'il y est poussé par une force formidable. C'est le désir de vivre, de grandir et la curiosité de connaître.
Votre bébé est merveilleusement doué pour cela. Regardez-le lorsque vous lui confiez un nouveau jouet. Il va se servir de tous ses sens pour le découvrir : il va le regarder, le sentir, le goûter, le caresser, le secouer, le cogner, le démonter... tout cela d'une façon ingénieuse et merveilleusement efficace.

Jouer, c'est partager

Jouer est déjà très important pour votre bébé, malgré son jeune âge. Non seulement il joue avec son corps, mais il joue aussi avec l'autre. Quotidiennement, vous avez pris l'habitude de passer un moment à ces jeux que vous partagez avec lui. Regards, sourires, gloussements et chatouilles sont autant de moyens qu'il a de vous dire son plaisir.

Jouer **avec son enfant**

Tous les parents souhaitent que leur enfant acquière un certain sens de l'autonomie, et notamment qu'il soit capable de jouer seul. Il le sera... si vous passez du temps avec lui.
Un bébé joue seul... mais d'autant mieux que l'on passe du temps à jouer avec lui. Si les parents jouent avec l'enfant, il s'attachera au jouet utilisé, parce que, quelque part, « investi » par les parents.
Même si l'enfant est entouré de beaux jouets, très bien étudiés par les fabricants, aucun n'atteindra la valeur d'éveil et de découverte d'un quart d'heure chaleureux passé à jouer avec un adulte. Un moment de disponibilité totale, même court, et d'attention portée à l'enfant, est un cadeau royal. Même si l'on dispose de peu de temps, on peut profiter par exemple du moment du bain ou du change pour jouer et rire ensemble.
Sur le tapis, on peut jouer à cache-cache (d'abord avec son visage derrière ses mains, puis avec un objet) ou à la balle. On peut se chatouiller ou sauter sur les genoux. On peut monter une tour de cubes que le bébé fera s'écrouler... Peu importe le jeu. On ne peut faire plus de plaisir et plus de bien à son bébé que de lui consacrer chaque jour un petit temps d'échange, de jeu et de plaisir.

Investir affectivement le jouet

Pour qu'un enfant s'intéresse à un jouet, pour qu'il y joue lorsqu'il se trouve seul dans sa chambre ou dans son parc, il faut que ce jouet ait été « investi » affectivement, par sa mère ou par son père. Il faut que les parents aient passé du temps à découvrir le jouet avec leur enfant, à le manipuler, à s'en amuser. Tant que le jouet est posé dans le placard, dans sa boîte ou dans le coffre, il est comme mort pour l'enfant. C'est lorsque la mère le prend et l'anime qu'elle lui donne vie et éveille ainsi le désir de son enfant. Plus tard, lorsque l'enfant se retrouvera seul avec le jouet, il se souviendra de sa mère en train de jouer et il lui sera plus facile alors de jouer seul. À travers l'objet, il retrouvera sa mère. De temps en temps, il faut ainsi « animer » les jouets.

Il ne s'agit nullement d'expliquer au bébé la meilleure manière de jouer avec tel ou tel objet – il se débrouille très bien tout seul – mais de lui montrer que l'on s'intéresse à lui et que l'on prend plaisir à être avec lui. Il suffit, chaque jour, de se mettre un moment à sa hauteur, sur le tapis, et d'être ensemble autour des joujoux, de parler, de rire… C'est à l'enfant de choisir le jeu : laissez-vous guider par lui. Mettez-vous simplement à sa disposition et soyez réellement avec lui.

La **main** et le jeu

La plupart des bébés tendent clairement la main vers les objets qu'ils souhaitent attraper, lorsqu'ils sont capables de saisir un jouet suspendu au-dessus d'eux. Une fois en main, l'enfant est à même de tourner son poignet afin de regarder l'objet sous différentes faces. Étudier les objets sous plusieurs perspectives, à différentes distances ou à l'envers fait partie des intérêts de l'enfant. Il apprend ainsi qu'un objet peut se présenter sous de multiples apparences, tout en restant identique à lui-même. C'est le commencement de ce que l'on appelle la permanence de l'objet.

Savoir lâcher

Si l'enfant de sept mois sait bien attraper les objets, il a encore des difficultés pour les lâcher. Bien sûr, il lâche un objet qu'il tenait pour en attraper un autre, ou par maladresse. Mais lâcher délibérément, pour tendre à quelqu'un ou pour envoyer, nécessite une détente musculaire inverse de la tension exercée pour tenir. Il s'agit là d'un apprentissage pour lequel vous pouvez aider votre enfant.

Lorsqu'il a un objet en main, placez votre main à plat sous l'objet. Montrez-lui qu'il peut lâcher l'objet sans que celui-ci tombe : il reste posé, à plat sur votre main, et votre bébé peut le reprendre sans problème.

Prendre et donner

Une fois cela acquis, vous pouvez jouer ensemble, chaque fois que l'occasion se présente, à « prendre et donner ».

Même très jeune, l'enfant s'attache à ses jouets

Dès qu'il est en âge de tenir dans la main un hochet ou une petite poupée, l'enfant les serre contre lui et proteste quand on tente de les lui enlever. Dès qu'il découvre un nouveau jouet, il se l'approprie et s'y attache. S'il s'amuse à lancer loin de lui la tétine ou le nounours auquel il tient, c'est pour réclamer aussitôt qu'on le ramasse pour le lui rendre.
Dès qu'ils sont en âge de se déplacer seuls avec leurs jouets, certains enfants prennent l'habitude de les regrouper autour d'eux, dans leur petit lit ou dans le parc, comme pour signifier : « Ceci est à moi, prière de ne pas y toucher. » Il aime avoir ses jouets autour de lui, à portée de main, notamment la nuit. C'est une sorte de rite qui le rassure, en lui donnant un sentiment de pérennité et de confiance.
Cet attachement est exclusif : l'enfant n'est pas prêteur. Ou, s'il prête, dans un jeu d'échanges, il réclame aussitôt ce qu'il vient de confier. Il y a donc bien un sentiment de propriété et un attachement très précoces de l'enfant à ses jouets, qu'il est important de respecter.

Par exemple, lorsque le bébé est assis face à vous, tendez-lui une petite balle. Lorsqu'il l'a prise, incitez-le à vous la confier. Demandez-la-lui en tendant la main : « Tu me donnes ta balle ? » S'il vous la donne, faites une chose amusante avec la balle, par exemple la lancer en l'air, puis rendez-la-lui. L'enfant est alors incité à lâcher les objets qu'il tient et à vous les donner, parce qu'il est amusé par ce que vous en faites.
Ce jeu peut intervenir à tout moment. Il est avec vous dans la cuisine, assis dans sa chaise haute ? Tendez-lui une spatule, une carotte ou un gobelet, etc., puis demandez-les à nouveau. Chaque fois, jouez une seconde avec l'objet avant de le rendre.
Une fois bien compris, le jeu peut se compliquer. Vous pouvez aborder les échanges : « Tu me donnes la carotte ? Tiens, prends la cuiller à la place. »
N'oubliez pas de verbaliser ce que vous faites. Ainsi vous pouvez également en profiter pour accroître le vocabulaire de votre enfant : « Oh, tu as pris le cube bleu ? Tiens, donne-le-moi. Moi je te donne le cube vert. Tu vois le vert ? Main-

tenant, donne-moi le vert et je te rends le bleu. » Et ainsi de suite…
Enfin, une fois que l'enfant sait lâcher en ouvrant simplement les doigts et en posant l'objet sur votre main, vous pouvez passer à l'étape suivante. Assis tous deux face à face, à un mètre ou deux de distance, vous lui apprenez à lâcher en accompagnant le geste d'un mouvement du bras. Si vous prenez un petit ballon, l'enfant vous imitera et apprendra peu à peu à lancer.

Quelques jeux avec les mains

Premier jouet du bébé, les mains deviennent le vite le premier et le meilleur outil du bébé. Elles apportent à la bouche, elles explorent, elles manipulent.

Premier jouet du bébé, les mains sont une source de découvertes inouïes.

- Confiez à votre enfant une boîte facile à ouvrir et fermer (par exemple une boîte à chaussures) dans laquelle vous mettrez quelques objets sans danger qu'il pourra manipuler tout à son aise. Comme la nouveauté provoque toujours un renouveau de l'intérêt, il est bon de changer ces objets souvent.
- Faites toucher à votre bébé des objets procurant des sensations variées : un glaçon, ou une vitre l'hiver, puis dites « Froid ». Un radiateur, ou son biberon de lait : « C'est chaud. » Les promenades permettent d'élargir ces expériences.
- Le bébé assis sur vos genoux, laissez-le manipuler de petits objets, par exemple remplir une tasse avec un tas de petits raisins secs posés à côté.

Il jette tout par terre

La scène est classique : bébé est assis dans sa chaise haute, plusieurs jouets posés devant lui. Soudain, il vous appelle : sa girafe est tombée. Vous la ramassez, lui rendez et retournez à vos activités. Mais cela se reproduit, une fois, deux fois, dix fois, et vous constatez que votre enfant fait exprès de jeter sa girafe par terre dès qu'il l'a récupérée. Croyant qu'il n'en veut pas, vous enlevez l'objet, mais il le réclame vigoureusement.
Deuxième variante : il est dans son parc et jette les jouets par-dessus la barrière. Puis hurle pour les récupérer.
Troisième variante, très vite lassante : au cours du repas, il s'amuse à jeter par terre timbale, nourriture ou cuiller pleine de purée. C'est généralement à ce stade que la mère craque et se dit que son bébé la prend pour ce qu'elle n'est pas !
Il serait pourtant dommage de supprimer les objets qui se trouvent à sa portée dès qu'il commence à les jeter par terre. Jeter à terre, pour que vous ramassiez et ainsi de suite, est le passe-temps favori du bébé quand il a découvert qu'il savait lancer.

Dites-vous que, si tous les enfants traversent cette phase, c'est qu'elle est importante pour eux. Ils ne lancent pas les choses pour embêter leurs parents, mais pour s'exercer à une nouvelle compétence : ils sont tout simplement curieux de découvrir ce qui arrive aux choses que l'on jette. Ils apprennent que les objets (et les gens) peuvent disparaître et revenir. Donc, lorsque maman s'en va, elle ne disparaît pas définitivement : elle aussi va revenir…

Ils apprennent que l'on peut avoir un geste agressif envers les objets (ou les gens) sans qu'ils soient abîmés (ou qu'ils vous en veuillent). Enfin, l'aspect social du jeu – vous faire intervenir à intervalles réguliers pour lui rendre l'objet – le réjouit fortement.

Maintenant, vous avez compris pourquoi ce jeu est important pour votre enfant. Alors, sans pour autant rester à genoux pendant des heures à ramasser, acceptez par moments de jouer avec lui.

Pour faire évoluer le jeu

Fournissez à votre bébé des objets qu'il va pouvoir lancer sans risque et qui vont tomber de façons variées.

- Des objets qui roulent (bouteille en plastique, balle…) ou qui restent sur place (petit coussin, sable…).
- Des objets légers (plume, papier froissé, ballon gonflable…) qui tombent lentement et sans bruit, et des objets plus lourds (cube en bois, cuiller en métal…) qui tombent vite et bruyamment.
- Offrez-lui de s'entraîner à viser en plaçant devant sa chaise un grand récipient en plastique : plutôt que de ramasser dix fois le même objet ou dix objets épars, vous lui rendez d'un coup tout le contenu de la bassine.
- Déposez au fond de la bassine un plateau en métal retourné (ou un couvercle de casserole). Le bruit produit l'amusera beaucoup.
- Lorsque le jeu a usé votre patience, attachez un objet « à lancer » à une extrémité d'un morceau de ficelle. Nouez l'autre extrémité à proximité de l'enfant, sur sa chaise ou la barrière de son parc. Il ne vous reste plus qu'à lui apprendre à récupérer l'objet en le hissant grâce à la ficelle.

Qu'est-ce qu'un « **bon** » **jouet** ?

Voilà une question difficile, tant la réponse varie selon que l'on se met à la place de l'enfant, du parent ou du psychologue.

Pour les parents, un bon jouet est généralement celui qui fait beaucoup d'usage : l'enfant y joue souvent et longtemps. C'est aussi celui qui va lui apprendre quelque chose et qui le fera progresser. Pour l'enfant, c'est sûrement, une fois le premier

attrait passé, le jouet qui offre le plus de possibilités de jeux. À ce titre, le grand carton vide détient une sorte de record…
Mais il y a aussi mille et une autres qualités dans un bon jouet. Je vais tenter ici de donner quelques éléments de réponse.

- Un bon jouet correspond à son destinataire. Cela signifie que, s'il y a de mauvais jouets (parce qu'ils sont dangereux et inutiles), il y a peu de bons jouets dans l'absolu. Un jouet est bon pour tel enfant parce qu'il correspond bien à ses goûts et à son niveau de développement, mais sera moins bon pour tel autre. Donc, un bon jouet est avant tout un jouet choisi en fonction de celui à qui on le destine.
- Un bon jouet est un jeu étudié. Il a été conçu par des spécialistes (certains papas en sont d'excellents!) en fonction des enfants auxquels il est destiné et il a été testé sur des enfants. Il est solide, résistant, et parfaitement fiable sur le plan de la sécurité.
- Un bon jouet est simple. Il ne fait pas tout à la place de l'enfant. Au contraire, il laisse à l'enfant toute la place pour agir, concevoir et imaginer à partir du jouet. C'est l'enfant qui est l'initiateur et l'acteur du jeu, le jouet offrant seulement un support à son imagination.
- Un bon jouet est multi-usages. Il doit pouvoir servir de différentes façons, à différents usages. Selon l'humeur du moment de l'enfant, selon l'évolution de son développement, le jouet doit pouvoir évoluer. Par exemple, un camion-porteur est mieux s'il peut aussi servir de coffre à jouets, s'il fait «vroum-vroum» et si

Quels jouets choisir?

De six à neuf mois, c'est l'âge où le bébé commence à jouer avec les balles, les cubes en tissu, les quilles, les boîtes en plastique, l'ours en peluche, tous les petits «bidules» amusants à manipuler et qui, si possible, produisent des bruits.
Les jeux de bain se développent et prennent de l'importance.
Les tableaux d'activités, accrochés aux barreaux du lit ou du parc, deviennent une bonne source d'entraînement manuel.
En plus de tout ce qui précède, les «grands» de neuf à douze mois apprécieront les porteurs, gros camions en plastique, chien ou cheval à roulettes, objets à tirer au bout d'une ficelle.

l'enfant peut prendre appui dessus pour se mettre debout.

- Le bon jouet, pour l'enfant, c'est celui que son père ou sa mère aura pris le temps de découvrir avec lui, celui qu'il aura « investi » de son attention et de son amour.
- Un bon jouet, bien sûr, est solide, sûr, simple et offre à l'enfant de multiples possibilités de jeu. Jouet manufacturé ou grand carton vide, tout est possible si l'enfant est content.
- Un bon jouet est étudié pour l'enfant. Résistant, il offre toutes les garanties de sécurité. Il est destiné à un enfant particulier en fonction de son développement et de ses goûts. Il n'est pas destiné à lui faire faire des progrès mais à l'amuser et à servir de support à son imagination. Un bon jouet, c'est simple. Parce que moins le jouet en fait, et plus l'enfant devra être actif et inventif. C'est lui qui sera l'auteur du jeu. Alors que le jouet sophistiqué ne laisse plus assez de place à la créativité de l'enfant. Si bien qu'un bon jouet pour un petit sera multi-usages et saura s'adapter aux désirs du moment.

La peluche

Il faut quelques mois avant que le bébé ne s'intéresse à ses peluches. Jusque-là, il est inutile d'encombrer son lit avec des animaux qui risqueraient de le déranger. Mais peu à peu, le bébé va découvrir le plaisir de caresser, agripper, plonger ses petits doigts dans la fourrure, regarder dans les yeux, mâchouiller, câliner. Très vite, le jeune enfant va s'attacher à ses peluches, et il se peut que l'une ou l'autre devienne un vrai substitut maternel, source de consolation et de réconfort en cas de fatigue ou d'absence de maman. Le bébé va vouloir se coucher avec sa peluche dans ses bras, ou bien lui dire bonsoir. Des histoires d'amour se nouent là qui dureront parfois toute une vie (nombre d'adolescents ont encore leur ours en peluche). Il arrive que l'enfant joue avec la peluche comme avec une poupée, mais, le plus souvent, elle sera un compagnon que l'on transporte partout avec soi, que l'on assied à table, que l'on emmène en promenade. Douce, consolatrice, elle deviendra vite et restera longtemps un compagnon privilégié. Pour un tout-petit, choisissez des peluches en petit nombre, de petite taille, très souples (le bébé s'endormira dessus) et facilement lavables en machine.

Le premier livre

Les bébés adorent les livres. Dès six mois, vous serez surpris de l'intérêt qu'ils peuvent leur porter et du plaisir qu'ils prendront à les feuilleter avec vous. Les tout premiers livres sont en carton épais, en tissu ou en plastique (ils seront mis en bouche et soumis à rude épreuve). Ils seront des simples imagiers thématiques ou des livres d'images très simples.

LE JOUET, MODE D'EMPLOI

Les jouets doivent répondre à certains critères. Si, pour le jeu lui-même, le mieux peut se révéler l'ennemi du bien (couvrir de jouets un enfant n'est pas toujours la meilleure solution), il convient aussi de respecter scrupuleusement les consignes quand il s'agit de sécurité.

CONSEILS D'UTILISATION

- N'offrez pas à votre enfant des jouets trop en avance sur son âge. Vous le mettriez en situation d'échec et de désarroi.
- N'encombrez pas sa chambre ou son lit d'une multitude de jouets. Un seul jouet suffit, que vous remplacez lorsque l'enfant se lasse.
- Trop de stimulations, des jouets trop bruyants ou trop lumineux, peuvent fatiguer un petit enfant.
- Choisissez des objets d'une taille adaptée. Évitez les grosses peluches. Pour les jouets, assurez-vous qu'une petite main peut les agripper.

CONSEILS DE SÉCURITÉ

- N'achetez que des jouets conformes aux normes de sécurité. Ils portent le marquage CE ou le label NF.
- Choisissez toujours des jouets adaptés à l'âge de l'enfant tel qu'il est défini par le fabricant.
- Ne confiez jamais à votre bébé des objets trop petits, pointus, tranchants, cassants).
- Vérifiez régulièrement l'état des jouets, la solidité des attaches, les yeux des peluches, etc.
- Ne laissez jamais votre bébé jouer avec des sacs en plastique ou des emballages en polystyrène expansé.
- À moins d'être certain de tous les objets qui s'y trouvent, ne laissez jamais un bébé jouer seul dans une pièce, sans surveillance. Si c'est nécessaire, choisissez de l'installer pour un moment dans un parc.

Vous pouvez aussi fabriquer à votre bébé son premier livre. Achetez un album photo au format carte postale et glissez dans les feuillets plastifiés des dessins que vous renouvellerez souvent : de jolies cartes de Noël ou d'anniversaire, des photos de la famille, des cartes postales d'animaux, des photos d'objets quotidiens découpées dans des magazines, etc.

Le panier à « bidules »

Le petit enfant devient vite un être parfaitement sociable, pourvu qu'il soit entouré des gens qu'il aime. Avec sa mère, il dialogue longuement. Il s'agrippe à elle et s'enfouit dans ses bras, mais déploie aussi ses talents d'imitateur et de séducteur. Avec son père, il apprécie les jeux plus physiques et les jeux de cache-cache. Il a une passion particulière pour ses frères et sœurs avec qui il est un vrai clown.

Il n'est jamais trop tôt pour se procurer de petits livres et s'acccorder tous les jours un moment pour les feuilleter et les raconter.

Dès que ses mains sont assez habiles, il n'a de cesse d'attraper, de secouer, tripoter, d'ouvrir, de fermer, tourner, glisser… bref, d'explorer les objets en tous sens et sous tous les angles. Et puis vider, remplir, vider encore, quelle joie ! Profitez-en pour lui procurer le meilleur des jouets, celui qui lui fera le plus d'usages : un carton ou un grand panier plein de « bidules ». Ses explorations nécessitent une grande variété d'objets, aussi ne vous limitez pas aux jouets « prévus pour » comme les cubes, les animaux couineurs ou les hochets. Prévoyez des objets de toutes les couleurs, textures ou formes.

• Le parc

Le parc n'a qu'un temps. D'abord parce que le bébé va vite en faire le tour et ce n'est pas là qu'il va développer au mieux son intelligence avide de découvertes. Ensuite, parce qu'il va bientôt s'y ennuyer. Vous n'aurez le choix qu'entre être avec lui dans le parc pour l'amuser ou le laisser sortir.

Le parc est très utile dans les moments où vous ne pouvez pas surveiller votre bébé, car il le protège du danger. Vous êtes appelée au téléphone ? Vous devez aller faire quelque chose dans une autre pièce ? Mettez votre enfant dans son parc, même s'il n'est pas d'accord. Un petit enfant n'a que très peu conscience des risques qu'il prend. Dans ce domaine, vous devez à la fois le protéger et tout lui enseigner. En vous souvenant qu'il n'apprendra que s'il peut faire ses propres expériences.

Durant sa première année, l'essentiel des découvertes et apprentissages du bébé passent par les sens et par le corps. Progressivement, il passe du simple au complexe, de l'objet à son symbole. Mais c'est dès sa naissance qu'il communique et que se mettent en place, au fil des mois, les bases du langage.

Les débuts du langage

Pour développer son langage, l'enfant a juste besoin d'un environnement riche qu'il peut explorer sans danger. Mais il ne faut pas oublier le rôle de la transmission culturelle et sociale, celui de tous les petits actes de la vie quotidienne.

• Favoriser la communication

Éveiller l'intelligence de son bébé, cela ne veut pas dire lui « enseigner » quoi que ce soit, mais l'introduire dans notre monde et l'aider à lui trouver du sens. Faire ensemble, nommer les objets et les actions, encourager tous les progrès, soutenir les tentatives, féliciter à la moindre réussite, voilà qui aide un bébé à se développer.

Il ne faut jamais oublier, dans ce domaine comme dans les autres, que tous les enfants sont différents et que le rythme de leurs acquisitions est très variable. Des périodes d'acquisitions sont suivies de phases de consolidations plus discrètes. À accompagner, échanger et jouer, on stimule l'intelligence de l'enfant. À vouloir le forcer, on risque de le bloquer.

Faut-il lui parler « bébé » ?

Avant de déterminer la façon dont il convient de parler à un bébé, je dirai qu'il y a seulement une nécessité à lui parler, tout simplement. Alors faut-il lui parler un langage de bébé ? Cela dépend uniquement de vous, si cela vous semble plus naturel. Votre enfant, lui, n'a pas d'*a priori*. Il n'aura pas plus de mal à com-

L'importance de la parole

Encore trop de gens pensent qu'il est inutile, voire ridicule de parler à un bébé, dans la mesure où celui-ci ne vous comprend pas. Or, rien ne vous dit qu'il ne comprend pas ; s'il ne connaît pas précisément le sens de mots, il perçoit le contenu global à travers une interprétation très fine du « non-dit » que sont les intonations, les mimiques et le ton de la voix.
Et même s'il ne comprend pas, il faut lui parler, justement pour qu'il apprenne. L'aptitude au langage est présente chez tout être humain de façon innée. Il apprendra à parler sans difficulté pourvu qu'il ait trouvé autour de lui, à l'âge requis, la « parole » nécessaire, variée, tendre et porteuse de sens. Non seulement l'aptitude de base restera lettre morte si l'enfant n'est pas, dès son plus jeune âge, intégré dans un processus de communication verbale, mais en plus l'acquisition d'un bon langage est directement fonction de la quantité et de la qualité de celui qu'il aura entendu. Le langage, c'est ce qui fait de nous des êtres humains. Parler à l'enfant, c'est le respecter et l'intégrer dans la communauté humaine.

prendre « chat » que « minet », « main » que « mimine ». Il utilisera ce que vous utiliserez. S'il commence à dire « le oua-oua » au lieu de dire « le chien », c'est que ses cordes vocales sont encore immatures et que ce « oua-oua » signifie bien plus que le seul mot chien. Mais très vite, il l'abandonnera de lui-même au profit du bon mot si, au lieu de reprendre ce mot de bébé à votre compte, vous lui répondez : « Ah, oui, tu as bien reconnu le chien là-bas, bravo. »
Lui apprendre un mot « bébé » a un inconvénient : l'enfant devra un jour « désapprendre » ce mot pour employer le mot correct. Alors pourquoi ne pas utiliser d'emblée ce dernier ? Sans pour autant employer un vocabulaire et des tournures sophistiqués, il me semble toujours préférable d'utiliser le mot précis. L'essentiel est toujours de parler avec (et pas seulement « à ») votre enfant de façon naturelle, intéressée et en accord avec la réalité. Ne doutez pas qu'il vous comprenne.
Dites-lui qu'il est huit heures et qu'il ira bientôt se coucher, que son biberon sera

vite prêt, que vous entendez son bain couler. Dites-lui comment s'appellent les parties de son corps ou les objets qui l'entourent. Confiez-lui que vous êtes fatiguée, que vous avez l'impression qu'il s'est enrhumé. Demandez-lui s'il aime ce légume ou s'il trouve que cette fleur sent bon. Dites-lui votre amour et que vous trouvez son nez ravissant. Etc., au fil de la vie.

Ce dialogue chaleureux va le mettre en confiance. C'est votre voix entendue depuis une autre pièce qui le rassure sur votre absence, avec ces mots : « Attends-moi, je reviens. » Ce sont vos mots qui lui donnent le courage d'affronter une réalité bien mystérieuse et inquiétante. Ce sont vos propos rassurants qui l'aident à supporter l'attente et les frustrations de son existence.

En conclusion, rappelez-vous que le bébé a absolument besoin qu'on lui parle et qu'on l'écoute, l'accompagnant, très jeune, dans ses gazouillis et dans ses productions vocales. Dans ces moments-là, il est important de savoir lui parler « bébé ». À côté de cela, il faut lui parler avec des mots et des phrases du langage courant. Comment l'apprendrait-il autrement ? Il ne s'agit nullement de le soûler de mots, l'entourant d'un discours ininterrompu dans lequel il n'aurait pas sa place : on n'apprend pas à communiquer en écoutant la radio ! Il s'agit de s'adresser à lui pour lui parler de ce qui le concerne, des mots de sa vie.

La parole

L'apparition du langage chez le bébé a quelque chose de fascinant. Pendant plusieurs mois, on communique avec des signes non verbaux, faits de cris, de babillages et de gestes. Puis on sent que bébé comprend de mieux en mieux ce qu'on lui dit, même s'il s'exprime encore peu. Et enfin les premiers mots, maladroits et difficilement reconnaissables, apparaissent, ouvrant la voie à la parole et au vrai dialogue.

Du babillage aux premières syllabes

Les productions du bébé sont d'abord limitées à l'émission de voyelles (*i*, *a*, *e*, *o*, *u*). Puis interviennent les consonnes, qui enrichissent le vocabulaire (*pi*, *pa*, *bi*, *bo*, *mo*, *ma*…). Comme certaines syllabes ressemblent à des mots que vous aimeriez lui entendre prononcer (*pa* pour papa, *ma* pour maman), vous allez, parfois inconsciemment, renforcer la production de ces syllabes. Au point que votre bébé s'en servira bientôt pour vous appeler.

Enfin, il s'exerce à imiter vos intonations ou vos accents. Vous les reconnaîtrez, aussi clairement que lorsque vous faites semblant de parler une langue étrangère : lui aussi, il connaît l'air avant d'avoir les paroles…

Assez vite commencent à apparaître d'importantes différences d'un enfant à l'autre dans l'utilisation du langage. Mais ces différences n'ont pas une grande valeur concernant l'avenir. L'essentiel est que l'enfant sache communiquer et qu'il puisse faire comprendre ce qu'il désire ou ce qu'il refuse.

D'ailleurs, quand un enfant sait-il parler ? Telle mère dira que son enfant sait parler le jour où il est capable de prononcer des syllabes simples ou doublées (tata, po, etc.), qu'elle-même comprend ou interprète, donc assimile à des mots. Telle autre mère ne dira de son enfant qu'il parle que le jour où il saura émettre des mots corrects, prononcés sans ambiguïté et associés à leur sens exact. Peu importe : l'essentiel est de pouvoir dialoguer. Chaque enfant, à sa façon à lui, est unique et merveilleux.

Au cours des mois passés, le bébé a affiné sa capacité d'imitation. Il peut s'amuser à répéter un grand nombre de sons ou d'onomatopées. Il a des syllabes de prédilection qu'il peut répéter longuement. « Tata » ou « engue » peut signifier à la fois « ici » ou « je veux cela » ou « j'ai faim ».

Certains bébés, avant un an, disposent déjà de quelques mots intelligibles qui ont acquis une signification précise, même s'ils sont incorrects, ne correspondent pas à des mots réels ou sont imparfaitement prononcés. Un même mot, « sa » pour « chat » par exemple, peut signifier « voilà le chat », « où est le chat ? », « est-ce que cet animal est un chat ? », etc.

Comment viennent les premiers mots ?

Le bébé qui joue à prononcer « papapa... » ou « mamama... » perçoit vite le plaisir et les encouragements de son père et de sa mère, heureux d'être nommés. Ces réactions parentales viennent renforcer les syllabes qui vont ainsi devenir importantes, alors que l'absence de réaction à « tututu... », par exemple, finira par entraîner son extinction dans le langage de communication. L'enfant, encouragé par la réponse apportée à « mamama... », redira les mêmes sons pour produire les mêmes effets. Enfin, il s'en servira pour faire venir ses parents en leur absence. Nous sommes encore loin d'un véritable langage où l'enfant pourra exprimer avec des mots ce qu'il souhaite communiquer, mais c'est là le début tout à fait évident.

Mais il ne faut pas confondre ce que les jeunes enfants sont capables de dire et ce qu'ils sont à même de comprendre. Les parents le savent bien, lorsqu'ils disent de leur enfant, qui ne parle pas encore, qu'il « comprend tout ». En effet, si le « langage actif », soit ce que l'enfant émet, est fonction de la maturité de son système phonatoire et nécessite un long entraînement, le « langage passif », soit ce que l'enfant est capable de comprendre, est beaucoup plus vaste qu'on l'imagine. Vers la fin de la première année, l'enfant connaît le rôle symbolique des mots : il sait qu'ils permettent de nommer l'objet présent, mais également d'évoquer l'objet absent ou de nommer sa représentation imagée. Il a un grand vocabulaire, composé de noms communs simples, mais aussi d'actions, d'adverbes et d'idées. Il est capable d'obéir à des demandes comme « attraper le pull bleu qui est sur la chaise », ce qui suppose déjà une compréhension d'une grande complexité.

Apprendre à nommer

L'utilisation plus poussée des livres, pour apprendre du vocabulaire ou raconter une histoire, suppose que votre enfant a déjà fait une acquisition fondamentale : savoir ce que désigner veut dire. Lorsqu'il saura que le mot « biberon » sert à évoquer l'objet en son absence, qu'il désigne à la fois l'objet concret dans lequel il boit son lait et la représentation imagée qu'il peut en trouver dans un livre, alors il aura fait un grand pas. L'usage de l'imagier deviendra possible et les livres prendront alors une tout autre signification. Il s'agira désormais de bien davantage que la simple satisfaction d'un goût pour des couleurs et des formes variées.

À un an, l'enfant dispose d'un grand vocabulaire, composé de noms communs simples, mais aussi d'actions, d'adverbes et d'idées.

Lui parler deux langues

La question se pose généralement lorsque les parents sont de langue maternelle différente ou lorsque, de même nationalité, ils vivent ensemble dans un pays étranger. Beaucoup de parents se demandent s'il est bon de parler deux langues à leur bébé et si cela nuira à ses apprentissages ou à son équilibre. Les études récentes montrent que non, surtout si une langue est clairement dominatrice sur l'autre.
Car des petits bébés ont un « don » presque inné pour les langues. La structure de leur pensée et celle de leurs cordes vocales vont se déterminer en fonction de la langue maternelle entendue et parlée. C'est ainsi que l'on explique qu'une langue apprise une fois l'enfance passée ne pourra jamais l'être parfaitement. On comprend dès lors la richesse que peut constituer pour l'enfant la possibilité de ne pas être rigidifié dans un seul système de pensée et de parole. À l'ère de l'Europe et de la communication, on peut dire que les enfants à qui leurs parents ont très tôt parlé deux langues ont une grande chance, car ils ont appris sans effort ce qui demandera des années de travail à d'autres.

Faire preuve de patience

Apprendre à maîtriser deux langues présente malgré tout une difficulté supplémentaire pour l'enfant. Aussi, faire preuve de patience et de compréhension est indispensable. Mais si les choses se font naturellement et qu'on n'attend de sa part aucun exploit, il n'y a limite d'âge inférieure pour commencer. Pour que le bébé apprenne simultanément les deux langues, sans rejet à terme, deux règles semblent importantes. D'une part, il faut que chacun des parents parle à l'enfant dans la langue où il se sent à l'aise, pour ne pas nuire à la communication. D'autre part, il faudra laisser l'enfant, lorsqu'il parlera, employer la langue de son choix. Il semble néanmoins que les cas où les parents parlent la même langue, et où l'enfant en apprend une seconde au-dehors (nourrice, garderie, crèche, etc.), soient plus faciles à gérer pour lui. La distinction entre la langue familiale, maternelle, et la langue sociale, extérieure, est plus simple à faire.

Quoi qu'il en soit, ici encore, l'essentiel est de privilégier avec son bébé la communication vraie. Ce qui veut dire lui parler la langue dans laquelle les mots doux viennent le plus spontanément. C'est cette langue-là qu'il comprendra et apprendra le mieux : la langue de la tendresse.

Ce tout-petit dont la fragilité vous émouvait et vous inquiétait si fort a désormais un an. Douze mois d'apprentissage, d'éveil, d'éducation, de soins et de tendresse. Cinquante-deux semaines de vie commune pendant lesquelles vous avez appris à vous connaître. Vous repensez sans doute doute avec émotion à ces premières heures où l'on vous a mis votre bébé dans les bras. C'était hier, et pourtant vous avez parcouru tant de chemin tous les deux, tous les trois.

Le nouveau-né vagissant est devenu un petit enfant à la personnalité affirmée. Cette année est sans doute la plus importante et la plus formatrice de toute sa vie. Quant à vous, vous êtes devenus parents.En douze mois, il a eu le temps de nouer des liens avec ses proches. Sa mère, si elle reste une personne privilégiée, n'est pas le seul objet d'amour et son père a pris une très grande importance. L'enfant connaît l'heure de son retour et l'attend avec impatience pour entamer des jeux qui n'appartiennent qu'à eux.

Au fil des mois, sa personnalité s'est affirmée. Certains traits lui viennent de vous, ses parents, sans que l'on sache bien s'il en a hérité ou s'il les a copiés. D'autres ne tiennent qu'à lui. Vous avez appris à en tenir compte pour ne pas le brusquer, tout en ne vous laissant pas manipuler par ses oppositions systématiques. Vous savez qu'elles font partie de son développement. Avec son tempérament, ses accès de rage, avec ses goûts et ses refus, mais aussi avec sa merveilleuse adaptation à votre existence, il tient désormais une place à part entière dans la famille.

La seule chose qu'il craigne vraiment, c'est de perdre votre amour. Aussi est-il très angoissé dès qu'il sent qu'il est allé trop loin. C'est dans ces moments-là qu'il a le plus besoin que vous le preniez dans vos bras en lui murmurant dans le creux de l'oreille. Avec douceur et fermeté, vous le faites progressivement passer d'un monde du plaisir, où tous ses besoins peuvent être satisfaits, à un monde de la réalité où il faut faire la part entre les désirs accessibles et les autres. C'est le rôle de la première discipline (dont le sens vient du mot disciple, ne l'oubliez pas).
Il ne serait pas souhaitable de lui laisser encore croire qu'il a tous les droits et que tout est possible. À un an, il peut commencer à tenir compte des limites que lui impose la réalité ou la présence des autres.

La deuxième année de votre enfant

De 1 an à 18 mois
Un bébé curieux de tout

Le bébé d'un an est un compagnon tendre et curieux de tout. Il aime faire du bruit et vider les tiroirs. Dès qu'il sait marcher, il adore escalader, courir et toucher à tout. Ses jouets le passionnent, la nourriture beaucoup moins... Il s'intéresse de plus en plus à ceux qui l'entourent mais il commence aussi à devenir jaloux .

Ce qui change

À un an, l'enfant se déplace seul, que ce soit à quatre pattes ou debout, avec ou sans l'aide d'une main adulte. Qu'il ne marche pas encore tout seul ne l'empêche nullement de se déplacer à grande vitesse. Les progrès seront importants dans les mois qui viennent : il va apprendre l'équilibre, va se mettre debout seul, puis se lâcher. Le temps des explorations commence, qui apporte de nouvelles découvertes et de nouveaux jeux...

• Son **développement** physique

Quand il commence à savoir marcher, l'enfant va occuper une grande partie de son temps à acquérir de l'assurance dans ce nouveau mode de locomotion. Cela va lui prendre plusieurs mois pendant lesquels la marche sera encore branlante et les chutes nombreuses, ce qui ne l'empêchera pas d'expérimenter peu à peu d'autres manières de marcher : en trottinant, en flânant, en courant, puis à reculons... Malgré son plaisir évident de marcher, la fatigue vient vite et la poussette est encore la bienvenue pour les promenades ou les courses.

L'escalade est encore, et pour un bon moment, bien tentante. Escalader les barreaux de son lit ou sa chaise haute, grimper sur les fauteuils et canapés ou traiter les étagères de la bibliothèque comme les barreaux d'une échelle sont des exploits courants. Grimper l'escalier est aussi bien intéressant, mais le redescendre s'avère beaucoup plus délicate.

Des mains plus habiles

Les mains de l'enfant deviennent plus habiles et certains bébés sont déjà capables de boire à la timbale sans trop de dégâts. D'autres font une tour en superposant deux cubes, un étant tenu dans chaque main, et cela témoigne déjà d'une bonne maîtrise du geste. Le pouce et l'index s'opposent en une pince qui rend le geste plus précis et lui permet, par exemple, d'attraper un petit morceau de nourriture ou un grain de poussière. Une fois que l'enfant sait marcher, ses mains, jusque-là très occupées avec le « quatre pattes », vont se trouver complètement libres : votre enfant va devenir un vrai touche-à-tout. Plus rien de ce qui lui est accessible ne lui échappe. La tâche est rude pour les parents qui ne peuvent passer leur temps à imaginer toutes les bêtises possibles : cendrier vidé, étagère renversée, rouleau de papier de toilette déroulé, poubelle explorée, etc.

L'enfant s'intéresse tout particulièrement à cet âge à explorer les notions de dur et de mou. Qu'il s'agisse de caillou, boue, terre ou eau, son étude le pousse à taper, à cogner, à manipuler ou à porter à la bouche. Grâce à des mains plus habiles, il commence aussi à savoir lancer un objet, comme un ballon par exemple, et à lâcher au bon moment. Ces actions nous paraissent simples, mais c'est une erreur. Lâcher au bon moment, par exemple, témoigne, bien plus qu'attraper, d'une maturation déjà importante du système nerveux et musculaire et présente pour l'enfant de cet âge un véritable exploit. Enfin, il commence à griffonner spontanément avec un crayon, mais sans bien réaliser le rapport entre l'acte et le résultat.

Mais la bouche reste encore un élément fondamental de la connaissance des objets. C'est par la bouche que l'enfant explore et découvre les objets, d'autant plus que les poussées dentaires rendent les gencives particulièrement sensibles.

Sa **personnalité**

À partir du moment où l'enfant marche, un grand chagment se produit en lui, tant sur le plan physique que psychologique. Car c'est toute la vision du monde qui change quand on ne le voit plus du ras du sol, mais c'est aussi le rapport au monde et à ceux qui l'occupent. Debout, on se sent plus fort et on revendique ses droits… Mais marcher, c'est aussi pouvoir s'échapper. L'enfant est à l'âge terrible où il vous glisse entre les mains à tout propos. Pour lui, il s'agit le plus souvent d'un jeu et il adore que vous lui couriez après en faisant semblant d'être un loup. Pour vous qui marchez dans la rue ou vous faufilez dans les allées d'un magasin, c'est beaucoup moins drôle…

Une grande curiosité

À un an, l'enfant a déjà une personnalité affirmée. Ce qui le caractérise est une immense curiosité pour tout ce qui l'entoure. Qu'il se déplace à quatre pattes ou sur ses deux pieds, c'est avec un but précis. Il se passionne longuement pour les petits objets, les insectes minuscules, les grains de poussière. Les portes des placards exercent sur lui un attrait non négligeable, et il adore faire l'inventaire de leur contenu.

Les parents devraient préserver cette curiosité, quels qu'en soient les inconvénients apparents, et accompagner leur enfant dans ses découvertes. En effet, ce désir de connaître est le même qui le mènera, plus tard, à la découverte de la lecture, de l'écriture et de toutes les connaissances. Être curieux de tout est une bonne chose, car cela témoigne d'un élan vital fondamental. Mais encourager cette curiosité suppose que l'on rende sûr l'environnement de l'enfant. Le laisser toucher et explorer, oui, à la condition que cela se fasse sans risque pour lui, pour les autres et pour vos objets favoris.

La curiosité du jeune enfant témoigne d'un élan vital fondamental et il est très important de l'encourager.

Il peut rire beaucoup et crier tout autant…

Son sens de l'humour va croissant : il adore faire des blagues, faire le clown ; alors ne boudez pas son plaisir et le vôtre. Passer du temps à rire ensemble vous sera précieux par la suite : beaucoup de petits conflits sont plus faciles à gérer s'ils sont traités par l'humour et savoir rire de soi est un acquis important.

D'autant que tout n'amuse pas l'enfant. Le décalage entre tout ce qu'il aimerait faire (enfiler ses chaussons, habiller sa poupée, fermer la porte qui est bloquée par un jouet, etc.) et le peu qu'il est capable de réaliser provoque en lui un sentiment de frustration qui n'ira qu'en s'aggravant au cours des mois suivants.

Il déteste d'ailleurs être entravé dans sa liberté de mouvements. Non seulement il ne veut plus rester dans son parc, mais même rester assis sur une chaise haute est une épreuve qui ne doit pas durer longtemps. Allonger un enfant de cet âge sur la table à langer pour le changer ou l'habiller prend aussi parfois l'apparence d'un tour de force. Heureusement pour les parents, il est encore facile de distraire son attention le temps nécessaire !

Un an, c'est également le tout début des peurs enfantines, qui se développeront davantage au cours des deux années qui viennent. Certains enfants sont sensibles aux bruits forts, d'autres craignent l'eau du bain, l'obscurité ou les inconnus. Tout cela témoigne que l'enfant grandit. Nous verrons comment les parents peuvent aider leur enfant à faire face à ses craintes, en le rassurant et sans le brusquer.

● Son **langage**

Un an marque les vrais débuts du langage. L'enfant ne parle pas encore mais accumule du matériel verbal à grande vitesse. Aussi est-il particulièrement important de lui parler souvent, de commenter ses actions et sa vie quotidienne, et de le faire dans un langage clair, précis et simple. On peut aussi commencer à lui apprendre le nom des parties du corps, d'abord sur une poupée, puis sur son propre corps.

Bien sûr, cela doit se faire sous forme de jeu et non de leçon, et se termine bien souvent par une partie de chatouilles !

Si l'enfant ne parle pas, il communique. Non seulement il comprend ce qu'on lui dit et peut obéir à des ordres simples (« Passe-moi la balle bleue » ou « Ramasse le gâteau, s'il te plaît »), mais il se fait très bien comprendre. Et puis, s'il n'a pas les mots, il a déjà l'intonation.

Le vocabulaire actif prononcé par un enfant de cet âge se compose de très peu de mots, dix à vingt environ. Mais ces mots sont chargés de beaucoup de sens différents qu'il est généralement assez facile de comprendre en fonction du contexte. Pour apprendre des mots nouveaux, l'enfant s'entraîne à répéter ceux qu'il entend afin d'en posséder la prononciation.

Il enrichit aussi très vite son vocabulaire « passif », c'est-à-dire celui qu'il est capable de comprendre et non d'utiliser. Il est heureux de comprendre ce que vous lui dites et de vous le prouver. Pour cela, son grand plaisir est d'obéir aux demandes verbales des adultes.

Il a de plus l'impression d'aider et de se rendre utile si vous lui demandez gentiment de bien vouloir allumer la radio, aller chercher son pyjama dans sa chambre, jeter une vieille enveloppe dans la corbeille ou vous passer la cuiller qui est sur la table.

Il adore dire non !

À partir de quinze mois environ, il commence à enrichir son vocabulaire d'un nouveau mot que vous n'avez pas fini d'entendre : non. Ce petit mot va prendre, au cours des mois qui suivent, une grande force et se trouver doté d'une formidable efficacité.

L'enfant qui refuse devient un partenaire actif du dialogue. Il ne se contente plus de subir les désirs de l'autre : il affirme son point de vue avec force. Que ce point de vue soit systématiquement l'opposé de celui de ses parents témoigne assez de sa volonté d'indépendance et de son désir d'être pris au sérieux comme un membre de la famille à part entière.

Son **rapport** aux autres

Ses rapports avec les autres enfants ne sont pas empreints d'une grande considération. Il peut se montrer aimable à un moment, puis taper l'instant d'après. Les jouets que les autres ont en main sont toujours plus beaux et plus attrayants que les siens, même si aux yeux des adultes ce sont rigoureusement les mêmes ou qu'un objet identique traîne sur le sol. Aussi va-t-il tenter de se l'approprier. Ce jouet-là est vivant, il est amusant puisqu'il amuse l'autre : l'enfant dote l'objet de qualités propres et ne sait pas encore que seule la personne donne vie à l'objet.

Ses rapports avec les adultes sont plus harmonieux. L'enfant est demandeur de leur présence et de leur attention. Il sait tirer par la manche celui qui cuisine, fermer le livre de celui qui lit, ou encore faire une bêtise pour faire cesser une conversation téléphonique. Car, plus que tout, il aime avoir un public, qu'il sait acquis d'avance, et faire applaudir ses clowneries.

C'est justement à cette époque que les parents vont devoir mettre en place les débuts de la fermeté. Si, au cours de la première année, l'autorité n'avait aucun sens, il va falloir maintenant commencer à apprendre à l'enfant ce que « non » veut dire. Bien des parents pensent qu'ils ont tout le temps et se retrouvent, un an plus tard, avec une petite terreur qu'ils ne savent plus par quel bout prendre. Mieux

Le premier anniversaire

C'est une étape importante dans le développement de l'enfant.
Mais c'est avant tout une étape très forte pour les parents sur le plan symbolique.
L'enfant, quant à lui, ne se rend pas compte qu'il est l'enjeu d'une année qui vient de s'écouler. Ce qu'il perçoit et sent, c'est toute cette fête, autour de lui, dont il est le héros. Sa maman a préparé un gâteau, il reçoit un petit cadeau, il est l'objet de toutes les attentions. Il saisit parfaitement tout cela, toutes ces gratifications. Il perçoit le caractère exceptionnel de la fête : l'ambiance est différente.
Il s'imprègne de la fierté de devenir un grand garçon, une grande fille, ce qui sera un moteur pour aller de l'avant, malgré les craintes qu'il peut parfois ressentir.

vaut mettre en place en douceur et progressivement les règles qui rendront la vie plus facile à tous dans les années à venir.

Ses **jeux** favoris

Ils consistent à pousser et tirer, remplir et vider. Aussi est-il bon de mettre à sa disposition beaucoup de petits bazars auxquels il aura librement accès. Un tiroir bas qui sera le sien, un bas de placard dans la cuisine ou le séjour, une étagère, de grands bacs ou cartons, pleins de mille trésors sans danger et régulièrement renouvelés, lui apporteront une grande joie. Il aime d'ailleurs autant remettre les choses en place et remplir les bacs que les vider.

Parmi ses jeux favoris, on trouve aussi les jeux de bain, les balles, les ronds à enfiler sur des tiges, ce qui s'empile et s'emboîte.

Enfin, il a une attirance particulière pour les jouets bruyants : plus il fait de bruit, plus il se sent puissant – ce qui n'est pas du goût de tous les parents…

Pourtant les adultes, et les parents de façon privilégiée, sont bien les interlocuteurs favoris pour les jeux. Se courir après, se rattraper, se cacher, se chatouiller, sauter dans les bras, répéter des comptines sont de très grands plaisirs pour l'enfant et sans aucun doute ses jeux préférés. Des adultes, il tire encouragement, rire, émotions. Il apprend des mots et il apprend la vie.

La **marche**

C'est vraiment la grande affaire des six prochains mois. L'étape de la marche est beaucoup plus importante et décisive pour le changement de comportement de l'enfant que son premier anniversaire, auquel elle est généralement, et à tort, associée. En fait, la marche survient entre dix et dix-huit mois, la moyenne des enfants marchant aux environs de quatorze mois.

Un enfant marche quand il est prêt

Le développement de la capacité de marcher s'appuie à la fois sur une maturité suffisante, tant physique que psychique, et sur le tempérament de l'enfant : les actifs, ceux qui aiment aller à la découverte, marcheront le plus souvent de bonne heure ; les paisibles, ceux qui préfèrent observer, prendront davantage leur temps.

Si un enfant de dix-huit mois ne marche pas encore, il faut essayer, avec le pédiatre, de comprendre pourquoi. Mais, jusqu'à cet âge, aucune inquiétude : le moment de la marche n'est lié à aucun autre indice de développement. Être précoce dans ce domaine n'indique pas qu'on le sera dans un autre. Tous les enfants, lorsqu'ils sont prêts, le font clairement comprendre. Leur besoin de s'entraîner à marcher prime sur tout le reste. Ils y passent l'essentiel de leur temps et les chutes ne les rebutent pas.

Une question de tempérament

À l'âge d'un an, les enfants peuvent en être à des stades très différents. Certains marchent à quatre pattes, sur les genoux ou sur la plante des pieds et s'en trouvent très bien ainsi. Ils ont généralement développé une vitesse et une agilité qui leur conviennent pour l'instant. Ceux qui marchent sur les pieds et les mains se lèveront généralement plus vite.

D'autres enfants passent leur temps debout, contre les meubles, essayant de marcher en passant d'un appui à l'autre. D'autres enfin se sont déjà lâchés et franchissent les quelques pas qui séparent l'adulte qui les incite à se lancer de celui qui leur tend les bras pour les accueillir.

Une étape symbolique

La marche est aussi une étape importante sur le plan symbolique. L'enfant debout rejoint le monde des humains et sort de sa petite enfance. Il peut désormais partir à la conquête de son autonomie. Les parents sentent bien que leur petit leur échappe, au sens propre comme au sens figuré. L'enfant va y mettre beaucoup d'énergie et cette lutte pour l'indépendance, pour la reconnaissance d'une existence autonome et entière, sera la grande affaire de sa deuxième année.

La marche, en libérant les mains, va permettre des progrès énormes dans bien d'autres domaines. Parce qu'il peut lui aussi partir et revenir, l'enfant va sortir de l'angoisse des mois précédents où il subissait les départs et les retours de ses parents. Son monde s'élargit, il voudrait tout découvrir. Mais il va vite se heurter à des limites : celles que mettent ses parents et celles qu'il ressent de lui-même. Les frustrations qui en résultent seront les grandes difficultés des mois à venir.

Comment l'encourager ?

On peut aider à s'entraîner un enfant que l'on sent sur le point de se lâcher. L'une des façons consiste à lui fournir un appui mobile (dossier de chaise, tabouret, poussette). Il le tient à deux mains et marche tout en se retenant. L'autre façon consiste à l'encourager chaque fois qu'on le voit s'entraîner. L'enfant tombe sur les fesses ? Inutile de se précipiter, puisque les couches ont amorti le choc... Mieux vaut dédramatiser et l'inciter à se relever.

Au cours des mois qui viennent, les chutes seront nombreuses. Il faut que l'enfant comprenne qu'elles ne sont pas graves et, pour cela, l'attitude des parents est déterminante. Lui donner confiance dans ses capacités physiques implique qu'on ne s'arrête pas au premier obstacle.

La propreté : encore un peu de patience…

Il est incroyable de voir à quel point les parents s'inquiètent et se compliquent la vie sur ce sujet, alors qu'il ne s'agit somme toute d'une évolution naturelle de la maturité de leur enfant. Pour ma part, je pense qu'un enfant, avant dix-huit mois, est trop jeune pour qu'on exige de lui qu'il soit continent et je voudrais en convaincre les parents qui souhaiteraient déjà entamer cet apprentissage.

Pourquoi être si pressé ? Les changes complets, même si leur prix est élevé, offrent un très haut niveau de confort, pour les parents comme pour l'enfant, par rapport aux couches qu'il fallait laver chaque jour. Les conditions d'hygiène de nos pays sont bonnes. À tel point, peut-être, qu'on ne supporte plus les odeurs et les émissions corporelles. Les parents se sentent pressés également parce que, dans une société de compétition comme la nôtre, il faut être le meilleur, le plus rapide.

Partir tôt pour arriver… où ? Un enfant que l'on maintient sur le pot est un enfant qui n'occupe pas ce temps pour grimper, sauter, expérimenter, dessiner, développer son intelligence. Il y a tellement d'autres choses plus intéressantes à faire avec lui ! Soyez tranquille : l'âge de la propreté n'a absolument rien à voir avec tout autre indice de développement.

La seule chose qui relève d'un apprentissage, c'est la « technique » de la propreté (où faire, quand et comment), particulière à notre civilisation. Mais la continence, elle, qui se définit comme le contrôle et la maîtrise des fonctions d'excrétion, est naturelle.

Tous les mammifères sont continents. Dans des pays ou des civilisations où les parents ne s'occupent pas de l'apprentissage de la propreté comme c'est le cas chez nous, les enfants sont « propres » vers deux ou trois ans, sans histoires, par l'évolution du corps et par l'imitation. L'éducation permet seulement de gagner quelques mois. Le reste est une question de maturation et de satisfaction : tout ce que les parents ont à faire est d'expliquer clairement ce qu'ils attendent de l'enfant.

On voit trop d'enfants de deux ans qu'il faut encore nourrir, simplement parce que l'âge où ils souhaitaient apprendre est passé sans qu'on leur en ait laissé la possibilité. Manger seul est, avec marcher seul, la grande prise d'autonomie de cette période et il est bon de la respecter.

Manger comme un grand

À cette période de sa vie, tout enfant revendique haut et fort de faire seul ce que l'on faisait généralement pour lui. Se nourrir n'échappe pas à cette règle.

• Comme **un grand**

Alors qu'il vous laissait jusqu'alors tenir gentiment la cuiller, le voilà qui veut la prendre. Mais comme il ne sait pas la manier, il la met à l'envers, renverse sa nourriture, s'en colle partout, et c'est une vraie catastrophe dans la cuisine. Parfois, pour aller plus vite, il plonge carrément ses mains dans la soupe de légumes et s'en barbouille copieusement. Le résultat est désastreux et plus d'une mère serait tentée de se réapproprier la cuiller une bonne fois. Ce serait une erreur. Si votre enfant ne s'entraîne pas, comment apprendra-t-il à manger seul ? Cet apprentissage demande un peu de patience mais aussi quelques aménagements pour éviter vous énerver…

- Au lieu d'avoir une seule cuiller, il est pratique d'en avoir deux : une pour l'enfant, avec laquelle il fait ses tentatives, mais qui ne lui amène pas grand-chose dans la bouche, et une que tient l'adulte. L'enfant s'occupe et s'entraîne pendant qu'on le nourrit.
- Laissez l'enfant commencer tout seul le repas, quand il a bien faim, puis prenez la relève lorsqu'il commence à se fatiguer.
- Un autre aménagement consiste à protéger table et sol, puis à laisser l'enfant se nourrir. Au choix, vous pouvez étaler

une toile cirée facile à laver d'un coup d'éponge ou du papier journal qu'il suffira de jeter.

- Pour protéger l'enfant, il existe des bavoirs en plastique qui récupèrent la nourriture. Mais vous pouvez aussi fabriquer un petit tablier à manches qui s'enfile par-devant coupé dans une toile cirée ou dans de vieilles chemises.

Laisser son enfant manger seul et choisir la quantité de nourriture qu'il souhaite avaler est une bonne façon d'éviter les conflits alimentaires.

Il ne reste plus qu'à laisser faire, en tentant de maintenir les choses à un niveau raisonnable. Tout au long de cette année, votre enfant aura envie de jouer avec la nourriture, de même qu'il aura plaisir à jouer avec du sable, de la boue ou de la pâte à modeler. C'est ainsi. Si vous en prenez votre parti et gardez votre sérénité, vous verrez que ses progrès seront rapides et que, avant sa deuxième année, il mangera très correctement.

Qu'importe si un peu de nourriture est renversé et si votre enfant finit son repas très sale : le but n'est pas encore de lui apprendre les bonnes manières – vous verrez cela plus tard – mais de lui donner d'une part le plaisir de venir à table, d'autre part la capacité de se débrouiller tout seul avec sa nourriture. Cela étant dit clairement, vous n'êtes pas obligé d'accepter que votre enfant renverse volontairement le contenu de son assiette par terre ou qu'il se serve de sa purée pour badigeonner les murs. Vous avez le droit de dire stop et de retirer simplement l'assiette si l'enfant continue malgré tout. Et s'il ressemble à un petit cochon après le repas, confiez-lui un gant de toilette humide et apprenez-lui à s'essuyer seul la bouche et les mains.

Sachez enfin que l'enfant qui s'est le plus exercé est aussi celui qui deviendra vite habile à manger seul. Finalement, laisser son enfant manger seul et choisir la quantité de nourriture qu'il souhaite avaler est une bonne façon d'éviter les conflits alimentaires si fréquents et souvent si difficiles à résoudre lorsqu'ils sont installés.

Bien choisir ses menus

Vous pouvez également limiter les dégâts en composant vos menus. Pour la soupe, il y a peu de solutions, si ce n'est de la donner épaisse, sous forme de purée de légumes. Mais vous pouvez surtout proposer à votre enfant une nourriture sous forme de petits morceaux, doux à mâcher et à avaler, qu'il pourra attraper seul et porter à sa bouche. Les doigts peuvent dans ce cas, sans trop de dégâts, prendre le relais de la cuiller.

La nourriture que l'on peut donner sous forme de petits morceaux est variée : légumes crus (tomates, concombre...) ou cuits (petits pois, morceaux de haricots, pommes de terre en cubes, macédoine...), céréales (pâtes, riz, grains de maïs, céréales de petit déjeuner), morceaux de foie ou de jambon, miettes de poisson, fruits pelés et coupés, etc.

Des progrès rapides

Lorsqu'il approche de ses dix-huit mois, l'enfant sait généralement mieux se débrouiller avec sa cuiller et il est capable de porter, seul, la nourriture à sa bouche. Cela se fait encore le plus souvent très salement et il n'est pas rare que l'enfant se fatigue et finisse par demander de l'aide. Il n'est pas question, bien sûr, de la lui refuser. On peut même lui proposer de l'aider pour terminer son repas.
En revanche, il serait dommage, à son âge, de continuer à tenir systématiquement la cuiller pour lui. Il est capable de commencer à bien se débrouiller : qu'il le fasse, systématiquement, au moins au début des repas, lorsqu'il a très faim. Continuer à le nourrir entièrement reviendrait à prolonger une habitude dont vous risqueriez d'avoir bien du mal à vous débarrasser.
Votre enfant est responsable de son corps : ce qui y entre et, dans les mois qui viennent, ce qui en sortira. Vous ne devez pas, du jour où il est assez grand pour accomplir ces tâches, vous substituer à lui. C'est également ces temps-ci que votre enfant peut tenir seul sa timbale, puis son verre, et boire, progressivement, sans renverser.

Un enjeu de pouvoir

Passé un an, l'enfant a moins faim. Manger n'est plus une priorité. Il grignote, il traîne. Sa maman, qui jusqu'alors était rassurée par son ardeur à finir l'assiette ou le biberon, s'inquiète, l'encourage, et l'enfant découvre que manger ne satisfait pas seulement son besoin (et son plaisir) de se nourrir, mais satisfait aussi ses parents. Et qu'arrêter de manger leur déplaît, les mobilise et les inquiète.
Manger était un acte simple : l'enfant mangeait quand il avait faim. Cela devient un enjeu de pouvoir. Ce que l'enfant comprend très vite. Et il va vite savoir jouer de l'inquiétude ou de l'irritation qu'il suscite. Il a le pouvoir d'ouvrir ou non la bouche, voire, si on le force, de tout recracher. Maman n'a que celui d'implorer pour une cuiller de plus... Ce tout nouveau et si séduisant pouvoir, il n'est pas près d'y renoncer.

• Qu'est-ce qu'il mange **après un an** ?

Les repas de votre enfant vont beaucoup évoluer au cours des mois qui viennent. D'une part, il va commencer à manger seul. D'autre part, en fonction de sa dentition, vous allez pouvoir laisser de côté le mixer de plus en plus souvent et introduire des morceaux dans son alimentation. Pour la viande en morceaux, mieux vaut attendre le trimestre suivant. Mais tous les autres aliments peuvent être donnés en petits morceaux ou, au début, écrasés à la fourchette.

De même qu'il ne faut pas continuer à nourrir vous-même votre enfant au-delà de dix-huit mois environ, mais lui confier une cuiller. Je vous conseille aussi vivement de ne pas vous servir systématiquement du mixer, mais d'habituer doucement votre enfant aux morceaux. Sinon, il risque d'avoir de plus en plus de mal à les accepter et à ne pas vouloir se servir de ses dents à l'approche de ses deux ans.

Un régime désormais varié

Une fois le stade des morceaux atteint, le régime se diversifie très rapidement. Vous verrez qu'à deux ans votre enfant mangera de tout. Il est curieux de tout goûter et ses préférences risquent de vous surprendre : j'en connais, à cet âge, qui se sont pris de passion pour les cornichons, le poisson fumé et le roquefort!

Vous trouverez ci-dessous des idées pour composer des repas adaptés à un enfant entre un et deux ans (au-delà, votre enfant mangera de tout et partagera, à table, le repas familial), mais un exemple n'est pas une consigne. Vous seule connaissez votre enfant et pouvez tenir compte de deux facteurs essentiels :

- ses goûts et ses dégoûts, variables d'un mois à l'autre, mais néanmoins respectables ;
- son appétit, qui déterminera seul la quantité à lui donner.

Un régime équilibré, conçu pour un enfant à l'appétit égal, avec quatre repas par jour et une alternance harmonieuse de tous les types d'aliments, est un mythe qu'il vaut mieux dénoncer tout de suite si vous ne voulez pas vous consumer d'inquiétude dans les mois à venir. Les propositions de menus qui suivent indiquent des aliments qui sont bons pour un enfant de cet âge, ce qui ne signifie pas qu'il doive absolument les apprécier tous et en quantités égales.

Vous ne trouverez dans ce livre aucune référence concernant la quantité de tel ou tel aliment que votre enfant doit manger à tel ou tel âge. Je l'ai dit : tout dépend de son appétit et de ses goûts, et cela est très variable d'un enfant à l'autre. Fournir des chiffres ne pourrait qu'accroître l'inquiétude des parents qui sont déjà convaincus que leur enfant ne mange pas assez. Votre enfant mange assez s'il est actif et en bonne santé, même s'il a avalé de très mauvaise grâce ses cinquante grammes de viande hachée et ses deux cuillers d'épinards...

Petit déjeuner

À un an, l'enfant boit encore un biberon de lait le matin, auquel on ajoute des farines instantanées aux parfums variés. Quand il ne boira plus au biberon, il devra continuer à prendre une quantité raisonnable de lait, qui peut être remplacée par un yaourt ou du fromage. Mais s'il tient à son biberon du matin et le boit avec appétit, il n'y a aucune raison pour le supprimer et le remplacer arbitrairement par un bol.

Le petit déjeuner ne doit pas être négligé. Il est fréquent que les enfants aient peu d'appétit à ce moment-là, surtout s'ils sont bousculés pour partir à la crèche ou chez l'assistante maternelle. En cherchant bien ce qu'il aime et en lui proposant un choix, il est rare qu'on ne trouve pas ce qui plairait à l'enfant. Voici quelques idées :

- Lait aromatisé, bouillie.
- Yaourt, fromage blanc, petit-suisse...
- Céréales dans du lait, müesli, flocons d'avoine...
- Jus de fruits, jus de légumes, fruits frais (banane, pomme, kiwi, par exemple).
- Tartine de miel, de confiture, de fromage fondu...

Déjeuner

Pour presque tous les enfants dont les mères travaillent, le déjeuner est donné en dehors de la maison. Il est généralement prévu de manière équilibrée et adéquate. Voici ce qu'il peut comporter à titre d'exemple :

- Une entrée sous forme de crudités.
- Un plat principal fait en alternance d'une viande, d'un poisson ou d'un œuf, accompagné de légumes à varier le plus possible.
- Un fromage ou un yaourt et/ou un fruit, une compote ou un entremets.

Nombreux sont les enfants qui refusent certains légumes : soit vous les oubliez un temps, soit vous les insérez dans une soupe ou une purée de pommes de terre (pendant longtemps encore, les aliments en purée ou hachés seront préférés aux aliments en morceaux).

De la même façon, viandes et poissons peuvent être acceptés ou refusés selon la manière dont ils sont cuisinés. Mais la gamme des aliments qu'il est possible de proposer à une enfant de un an est suffisamment vaste pour ne pas avoir à se bagarrer contre un refus spécifique : mieux vaut trouver un aliment possédant des qualités équivalentes.

Goûter

Ce petit repas va rester important pendant des années. À l'âge scolaire, c'est souvent celui où l'enfant se sent le plus d'appétit. Raison de plus pour ne pas le nourrir exclusivement de pains au chocolat et de gâteaux secs.

Tout goûter devrait comporter un laitage (lait ou dessert lacté), ou bien un jus de

fruits si un laitage a déjà été donné en dessert pour le déjeuner.

Selon l'appétit de l'enfant, il peut prendre également des céréales, du pain d'épice, une tartine, etc. La « baguette viennoise » est très appréciée des jeunes enfants et se mange souvent plus facilement qu'un autre type de pain.

Faites preuve d'imagination pour recouvrir les tartines : miel, confiture, fromage fondu, chocolat râpé, pâte à tartiner…

Un enfant mange assez s'il est actif et en bonne santé, même s'il a avalé de très mauvaise grâce ses cinquante grammes de viande hachée et ses deux cuillers d'épinards…

Le dîner

Dans l'idéal, le menu du dîner tient compte de ce que l'enfant a mangé au déjeuner et il n'a pas besoin de comporter de la viande ou du poisson si ces aliments ont été consommés le midi.

- La soupe continue le plus souvent à former la base du dîner, mais vous n'êtes pas limitée au potage de légumes (moitié légumes verts, moitié féculents) : essayez les bouillons avec des petites pâtes ou du vermicelle, les crèmes de tomate, les potages au cresson, etc.
- Le plat principal peut également se composer d'une assiette de riz ou de pâtes si l'enfant a mangé des légumes à midi.
- Enfin, vous pouvez proposer un œuf ou une tranche de jambon.
- Au dessert, les enfants adorent le riz au lait ou le gâteau de semoule qui complètent bien une soupe légère, mais une compote ou un entremets font aussi bien l'affaire.

Le lait

Certains petits enfants, si on les écoutait, ne se nourriraient que de biberons de lait. Lait au chocolat, lait au miel, lait aux céréales, lait nature, matin, midi, goûter et soir… Il n'y a plus de place pour de la nourriture solide.

Le lait est un aliment formidable… pour les veaux. Pour le petit d'homme, à un an, il ne suffit plus à apporter les éléments nutritifs nécessaires à un développement harmonieux. Un biberon de lait ajouté à une alimentation normale ne pose aucun problème. Mais si l'enfant ne se nourrit que de cela, il est temps de diminuer la quantité par deux et de lui proposer autre chose. Il va commencer par râler, puis il trouvera merveilleux le goût de la compote maison ou la texture des petits pois.

À l'inverse, votre enfant a peut-être décidé un beau jour que le lait, c'était pour les bébés. Biberon ou gobelet, vous ne lui en ferez plus avaler une goutte. Or, le lait est la principale source de calcium des petits enfants, qui en ont grand besoin. Heureusement, la plupart de ceux qui rejettent le lait continuent à apprécier les laitages. Les petits enfants généralement adorent le fromage, source de calcium et de protéines. Les fromages pour les petits ont du succès, mais également les fromages au goût soutenu que vous n'auriez pas osé leur proposer.

Pour ceux qui n'aiment pas le fromage, il reste encore les yaourts, le fromage blanc, les crèmes dessert, etc. Il est rare que les petits gourmands ne craquent pas pour l'un ou l'autre de ces produits.

Les petits pots et les surgelés

Certains parents hésitent encore à donner à leur enfant un repas composé à partir de petits pots pour bébés ou de surgelés. En fait, ces produits, si l'on respecte bien les dates limites de consommation et, pour les surgelés, la chaîne du froid, sont tout à fait bons pour votre enfant. Ils permettent de varier les repas et de gagner un temps fou. Quel parent a encore le temps, le soir, d'éplucher et de mixer amoureusement une carotte, un fond d'artichaut et dix haricots verts ?

S'il n'est pas recommandé de ne servir que des petits pots, car leur goût et leur consistance sont tout assez éloignés des préparations maison, ils dépannent en revanche très bien et sont pratiques pour les balades ou les voyages.

Les magasins de surgelés offrent aujourd'hui un choix importants de légumes présentés en petits palets et de mélanges de légumes en petits dés, permettant de disposer de légumes « frais » en toute saison. Quant à votre congélateur, vous pouvvez y conserver de petites quantités de soupe maison que vous aurez sous la main pour quelques jours.

Les risques de **surpoids**

Un bébé trop gros a davantage de risques de souffrira plus tard de surpoids. Car c'est dans les premiers mois de sa « vie alimentaire » que notre corps constitue son stock de cellules graisseuses.

Pourquoi y a-t-il aujourd'hui davantage de problèmes d'obésité ? L'hérédité a son importance dans la constitution physique de chacun, mais elle n'est pas seule en cause. Les habitudes de vie jouent leur rôle. Un enfant trop gros est simplement un enfant qui, régulièrement, avale plus de calories qu'il n'en dépense. La prévention consiste à ne jamais forcer votre enfant à manger s'il n'a pas faim et à ne pas compenser toute frustration ou tout chagrin par un bonbon ou un biscuit.

Les aliments à limiter

Le régime d'un enfant n'est ni très compliqué ni très particulier. C'est un régime que pourrait presque adopter l'ensemble de la famille. Mais votre enfant est encore trop jeune pour un certain nombre d'aliments qui, s'ils sont donnés, doivent l'être en quantité très réduite. Ce sont, d'une manière générale :

- les fritures et tout ce qui cuit dans la graisse (préférez les cuissons à la vapeur au four à micro-ondes) ;
- les aliments trop gras (pâtisseries, crèmes au beurre, sauces, charcuteries autres que le jambon) ;
- les aliments trop sucrés (bonbons, confiseries, crèmes glacées, sodas). Cela lui coupe l'appétit sans vraiment le nourrir et renforce son désir de manger des sucreries. Il sera bien temps qu'il en mange quand il sera plus grand et que vous ne pourrez plus contrôler son alimentation de la même façon.

Pour éviter des problèmes alimentaires

Les problèmes alimentaires des adolescents, voire ceux des adultes, ont à voir avec l'attitude que leurs parents ont adoptée vis-à-vis de la nourriture lorsqu'ils étaient petits. C'est pourquoi il est si important de ne pas faire certaines erreurs.

Un bébé crie lorsqu'il a faim, mange jusqu'à ce qu'il se sente comblé, puis il arrête de boire. Rien de plus normal. Lorsque les parents forcent un petit enfant à manger et à finir son assiette alors qu'il n'a plus faim, ils perturbent ce merveilleux système de la satiété. L'enfant apprend à continuer à manger alors qu'il est rassasié et risque un déséquilibre pondéral. Ce qui ne veut pas dire lui proposer des pâtes lorsqu'il refuse ses pommes de terre... Respecter sa faim ne veut pas dire en faire un enfant difficile et capricieux, au contraire.

Le **manque** d'appétit

Nous reviendrons plus loin sur le problème, si fréquemment évoqué par les parents, de l'enfant qui « ne mange rien ». Mais dès maintenant, il est important de dire certaines choses sur l'appétit de l'enfant qui, si elles étaient mieux connues, éviteraient bien des conflits aux heures des repas.

L'enfant arrive à l'âge où sa courbe de croissance va se ralentir. Si l'on ajoute à cela sa vive curiosité et son envie de s'échapper des contraintes, on comprend qu'un enfant, qui avait jusque-là parfaitement fini ses purées et ses soupes, se mette à poser des problèmes à ses parents en devenant un mangeur plus difficile. Ce virage est très important à négocier pour l'avenir de la relation et l'ambiance des repas au cours des années qui viennent. Il est important que les parents se gardent bien de montrer à leur enfant à quel point ils sont contrariés et inquiets de son manque d'appétit.

Manger n'est pas un exploit lorsqu'on a faim et ne mérite aucune félicitation. S'abstenir de manger lorsque l'on n'a pas faim ne justifie ni punition, ni clowneries, ni chantage. Dès que l'enfant joue avec la nourriture ou dès qu'il la refuse, la meilleure attitude consiste à retirer l'assiette en disant : « Il semble que tu n'aies plus faim. Dans ce cas, tu as raison de ne pas te forcer. Mais j'aime mieux que tu joues avec autre chose qu'avec tes coquillettes. » S'il ne reçoit rien d'autre à manger jusqu'au repas suivant, il s'y rattrapera en mangeant de meilleur appétit.

À partir d'un an, l'appétit de l'enfant diminue et ses besoins également. Il peut aussi varier d'un repas à l'autre.

Les parents évitent, en procédant ainsi, de laisser croire à leur enfant qu'il mange pour leur faire plaisir, ce qui lui fournirait une arme de rêve pour les contrarier. Et ce qui est faux : il mange à la fois pour se nourrir et pour le plaisir et ne se laissera jamais mourir de faim.

Un appétit variable

Qu'un enfant ait moins d'appétit parce qu'il est malade, toute mère est prête à le comprendre et à l'accepter... pour peu que cela ne dure pas trop longtemps. Mais qu'il n'ait pas faim et soit en parfaite santé, voilà qui est inadmissible et inquiète bien davantage la mère nourricière. Tant que la courbe de croissance ne marque aucun fléchissement, tout va bien pour l'enfant, qui réagit comme tout enfant normalement constitué et qui a un appétit variable comme tous les appétits. Mais que les parents ne l'admettent pas et s'angoissent, et les vrais problèmes vont se mettre en place. Aussi faut-il rappeler les choses suivantes :

- À partir d'un an, l'appétit de l'enfant diminue et ses besoins également. Ce mécanisme est physiologiquement normal. D'autre part, l'enfant a des goûts et des dégoûts alimentaires plus nets et il est plus à même de les manifester. Pour être nets, ces dégoûts n'en sont pas moins changeants et tel plat aimé la semaine dernière peut être refusé aujourd'hui.
- L'appétit peut varié d'un repas à l'autre, d'un jour à l'autre, et cela sans raison apparente. Inutile donc de s'en inquiéter : l'enfant se rattrapera au repas suivant ou au jour suivant. Mieux vaut respecter ces fluctuations et laisser manger l'enfant en fonction de sa faim. Lui seul connaît véritablement ses besoins et ses désirs.
- Les fantaisies de son appétit peuvent amener votre enfant à commencer par le fromage et finir par les carottes râpées. Si vous n'en faites pas une histoire, tout rentrera vite dans l'ordre habituel.

Des goûts personnels

À l'âge de votre enfant, vous pouvez mettre de côté vos projets de menus idéaux. Ce sera pour plus tard, si tout va bien. Lui n'a aucune envie de tenir compte des protéines, des vitamines et des sels minéraux. Il aime certains plats, certaines saveurs, et mangerait bien tous les jours les mêmes.

Si ce qu'il mange par vingt-quatre heures est suffisant, en quantité et en qualité (votre médecin pourra vous renseigner là-dessus), pour qu'il soit en bonne santé et ait une bonne croissance, alors laissez de côté vos menus élaborés et votre anxiété. S'il aime les sardines à l'huile sur un toast beurré, inutile de vous battre pour lui faire manger sa ration de lieu au beurre noir. Et s'il ne mange bien que quand il picore dans les plats du menu familial, arrêtez de lui faire de la cuisine de bébé rien que pour lui.

L'envie de dire non

Votre enfant traverse une phase d'opposition et d'affirmation de soi : il serait bien étonnant que les repas y échappent. Certains refus alimentaires de cet âge sont motivés par le désir de marquer son opposition. Sur ce plan-là, l'enfant le comprend vite, il est toujours gagnant. Aussi va-t-il prendre sa revanche contre tous les interdits et les obligations qui lui sont imposés par ailleurs. Ne pas entrer dans ce jeu est la seule parade : « Tu ne veux pas manger ? Ce n'est pas grave, tu mangeras mieux ce soir. » Et on enlève l'assiette. Difficile ? Oui, bien sûr, car cette attitude est tellement éloignée de la pulsion maternelle profonde et instinctive qui veut que nourrir son enfant soit la tâche première et essentielle, celle qui traduit le mieux dans les faits l'amour et le souci que l'on a de celui que l'on aime…

CE

Ce n'est pas toujours facile pour un petit de un an. Ses journées bien remplies le rendent plus irritable. Il se montre souvent jaloux des autres enfants. Il lui faut aussi apprendre à s'entendre dire non… Accepter les limites, tenir compte des autres ne va pas sans peine. Mais ces étapes sont indispensables pour grandir…

Vivre avec les autres

S'il est accueilli en crèche collective, votre bébé va désormais passer dans le groupe des « moyens » (mot très laid mais unanimement employé). Ce passage est important pour vous tant sur le plan symbolique (votre enfant n'est désormais plus un bébé) que sur le plan pratique (saura-t-il s'adapter, lui qui est encore si petit ?).

• La fatigue de l'enfant en crèche

Ce passage est également très important pour lui. En dépit d'une légère anxiété tout à fait normale, il sait qu'il va découvrir de nouvelles activités, un rythme de vie plus soutenu, des possibilités d'action plus grandes.

L'adaptation à ces nouvelles conditions de vie se passe généralement d'autant mieux que l'enfant change de section en même temps qu'un petit groupe d'enfants de son âge et que son auxiliaire de référence (on nomme ainsi la personne qui s'occupe plus particulièrement de lui).

Ce passage dans le groupe des « moyens » se déroule généralement sans histoires, après un temps d'adaptation plus ou moins long. Mais un problème surgit immanquablement dans les semaines et les mois qui suivent : l'enfant est très fatigué.

Car le niveau d'activité est beaucoup plus soutenu, le niveau sonore et d'agitation permanente beaucoup plus élevé. Les enfants marchent beaucoup, courent, grimpent partout, jouent ensemble, se querellent, etc. On comprend qu'en fin de journée ils en aient « plein la tête ».

De plus, comme il n'a plus de lit accessible en permanence, mais un matelas, que l'on pose sur le sol à l'heure de la sieste, rangé en pile le reste du temps, il ne peut plus faire un petit somme le matin. Bien souvent, un « coin-repos » est aménagé dans la pièce, mais il n'est pas facile de s'y endormir quand les copains s'agitent et crient autour de vous. Or, certains enfants, arrivant à la crèche dès sept heures du matin, sont réveillés aux alentours de six heures…

Ajoutez à cela les très longues journées que font les enfants dans cette ambiance (plus longues que celles de leurs parents puisqu'il faut y ajouter les temps de transport) et vous aurez une juste idée de la fatigue que votre enfant va ressentir ces premiers mois. En fait, celle-ci va durer jusqu'à ce que son organisme s'habitue et que l'enfant puisse compenser l'absence de petits sommes par une longue sieste en début d'après-midi.

Des conséquences fréquentes

Au cours de cette phase, les « exigences sociales » subies par l'enfant sont trop peu respectueuses des processus biologiques, soumis, eux, à des rythmes naturels.

Un comportement « difficile »

Certains troubles du comportement peuvent alors apparaître, tous dus à une même cause : la fatigue. Cette fatigue se traduit la journée par des pertes de tonus, des difficultés d'attention, des troubles légers du comportement (irritabilité par exemple), une difficulté à bien manger à midi (l'enfant s'endort sur sa chaise ou pique du nez dans son assiette).

Un enfant irritable

Le soir, lorsque vous retrouvez votre enfant, sa fatigue va se traduire le plus souvent par des pleurs et une irritabilité bien difficile à gérer. Son auxiliaire vous dira qu'il a bien joué et couru toute la journée (ce qui est vrai), mais vous, vous récupérez ses larmes.

N'en soyez pas trop chagrinée : il s'agit d'une preuve de confiance. Avec vous, enfin, il peut montrer sa lassitude et se laisser aller. Une fois rentrés à la maison, vous n'aurez guère le temps que de le baigner et de le faire dîner avant de le mettre au lit. Parfois même, il s'écroulera avant.

Que faire ?

Cette situation est frustrante, mais elle ne dure généralement pas très longtemps. La seule solution, si vous le pouvez, consiste à alléger le temps passé à la crèche. Il est bon que l'enfant puisse se réveiller spontanément le matin (preuve qu'il a assez dormi) et avoir, le soir, le temps de retrouver ses parents, sa maison, ses jouets, ses frères et sœurs, etc.

Si vous pouvez faire appel à un grand-parent, à une nourrice, à une autre maman, à une jeune fille… bref, à quelqu'un qui pourrait vous aider à déposer votre enfant plus tard ou à le reprendre plus tôt le soir, faites-le sans hésiter. Sinon, veillez à ce qu'il ait une vie régulière et puisse compenser son manque de sommeil la nuit et le week-end.

Le silence de la nuit

Beaucoup de parents croient que les petits enfants ont besoin de silence pour bien dormir et maintiennent la maison sans un bruit aux heures d'endormissement, fermant les portes de communication entre la chambre et la salle de séjour. Or, il se passe bien souvent l'inverse. N'entendant plus rien, les petits s'imaginent qu'ils ont été abandonnés, seuls à la maison. À cause de cette peur, ils se présentent régulièrement au salon pour vérifier que papa et maman sont bien là et bien vivants. Autre effet pervers de ce silence que l'on entretient autour du sommeil de l'enfant depuis sa naissance : il engendre, chez lui, une plus grande sensibilité au bruit. Si l'entourage s'oblige à marcher sur la pointe des pieds et à parler tout bas dès que le petit est couché, ce dernier risque de prendre le travers de se réveiller au plus petit bruit. Aux bruits de la maison, d'abord, puisqu'il n'y a pas été habitué. Mais aux bruits extérieurs également, parce qu'ils tranchent sur le silence ambiant et sont d'autant plus inquiétants que rien de « familier » ne vient les soutenir. Crissement de pneus, bruits de Klaxon, démarrage de motos, voix fortes des voisins peuvent être source d'inquiétudes importantes.

Le silence de la nuit inquiète les petits enfants qui souvent se lèvent pour vérifier que ses parents sont toujours là.

Pour que l'enfant se sente moins seul

Il est sûr que les jeunes enfants ont une sensibilité au bruit très variable. Si certains ne semblent absolument pas gênés par le bruit et pourraient même s'endormir en plein concert de rock, d'autres ont plus de mal à s'isoler mentalement pour trouver le sommeil et ont le réveil plus facile. Il est bon dans ce cas de laisser la porte de la chambre de l'enfant entrouverte afin qu'il puisse rester, de loin, en contact avec les bruits de la maison, les activités de ses aînés et les voix de ceux qu'il aime.

En revanche, la télévision ne fait pas partie de ces bruits rassurants. Ces voix étrangères, impersonnelles, qui ne parlent à personne mais rendent les parents indisponibles et impatients de conclure la mise au lit, peuvent parfois provoquer une inquiétude. Alors l'enfant va se relever pour voir ce qui se passe de si intéressant et s'assurer qu'il l'est lui-même, à vos yeux, encore davantage.

Les débuts de **la jalousie**

Au début de sa deuxième année, le jeune enfant commence à manifester clairement des sentiments complexes, dont l'un des plus évidents est la jalousie. Dès dix, douze mois, il en montrait les premiers signes, par des grognements caractéristiques. Mais il ne se préoccupait guère des relations entre deux personnes de son entourage. Seule sa propre relation à elles l'intéressait. À présent, ce qui l'irrite, c'est lorsque sa mère ou la personne qui s'occupe particulièrement et régulièrement de lui entre en relation intense avec quelqu'un d'autre. Les parents se font-ils un câlin ou s'embrassent-ils ? L'enfant s'arrange pour détourner l'attention et réclame d'être pris dans les bras. Sa mère prend-elle un frère ou une sœur contre elle ? L'enfant tente de se glisser entre les deux, voire les agresse physiquement. D'autres enfants n'interviennent pas directement mais grognent, geignent, pleurent ou tendent les bras.

L'angoisse de séparation

Apparue vers huit mois, l'angoisse de séparation va évoluer doucement et se résoudre vers l'âge de trois ans. Ce qui explique que, pendant quelque temps encore, votre enfant aura du mal à se séparer de vous et de ceux qu'il aime. Il pleure et s'agrippe lorsque vous le laissez à la crèche, il amène ses jouets à vos pieds plutôt que d'investir sa chambre, il vous appelle la nuit pour s'assurer que vous êtes toujours là… Autant de manifestations de cette difficulté à se séparer.
Cette angoisse est commune à la plupart des enfants de cet âge-là. Si elle est très importante, c'est peut-être qu'elle trouve un écho chez l'un ou l'autre des parents. L'enfant qui ne veut pas vous lâcher veut juste vous signifier combien vous êtes important pour lui. C'est en le rassurant sur votre amour et en l'assurant de votre retour, calmement, sereinement, que vous l'aiderez à accepter la situation et lui apprendrez en douceur à se séparer de vous.

L'enfant est devenu capable de pressentir les liens existant entre sa mère et une autre personne de son entourage, et souffre de ne pas se voir comme l'objet exclusif de son amour et de son désir.

Comment réagir ?

Il faut bien comprendre qu'à cet âge, l'enfant est très dépendant affectivement de sa mère. D'autre part, ses désirs sont plus clairs et il commence à mettre en œuvre des stratégies d'opposition pour parvenir à ses fins. La réaction de simple bon sens consiste donc à le rassurer sur l'amour et l'intérêt qui lui sont portés, mais en affirmant clairement les sentiments qui lient la mère à son conjoint et à ses autres enfants. L'enfant doit apprendre, dans la tendresse et la gentillesse, qu'il est aimé totalement mais qu'il n'est pas le seul objet d'amour de sa mère. Le père a un rôle important à jouer en faisant passer le message suivant : « Moi aussi, j'aime ta mère et elle m'aime. Elle était ma femme avant d'être ta mère. Alors, permets que nous nous embrassions et nous te ferons un câlin aussi. »

Les débuts de **la discipline**

Jusqu'à un an, la question de la discipline ne se posait pour ainsi dire pas. Il s'agissait avant tout de respecter les besoins de l'enfant et de lui donner confiance en lui-même et en ses parents. Les « bêtises » ne pouvaient être réellement sanctionnées, puisque l'enfant n'était pas encore responsable de son comportement. Il était impossible d'exiger qu'il contrôle ses actes : il en était incapable. Simplement, la sagesse voulait qu'on ne favorise pas trop l'arrivée de caprices en offrant systématiquement à l'enfant plus qu'il n'avait demandé.

À partir de l'âge d'un an, les perspectives changent. Son champ d'investigation s'agrandit à la dimension de sa curiosité. La marche lui offre de nouveaux espaces et il part en exploration avec un grand enthousiasme. Pendant cette période, l'enfant va avoir besoin de beaucoup d'espace et de beaucoup de liberté : il a tant à apprendre ! Trop de restrictions ou d'empêchements risquent de miner sa confiance en lui et de détruire sa curiosité.

C'est pourtant aussi l'époque où vont devoir se mettre en place les premiers interdits. Les parents vont s'apercevoir qu'ils disent non à leur enfant de plus en plus souvent. Il veut toucher à tout, mais il abîme ou il casse. Il lui arrive de frapper ou de mordre. Il supporte mal qu'on s'oppose à ses désirs. D'ailleurs, il ne va pas comprendre tout de suite la valeur de ces premiers interdits. Est-ce juste un mot que maman prononce comme cela ou bien a-t-il plus de valeur ? Est-il

valable pour aujourd'hui seulement ou le sera-t-il encore demain ?
Toutes ces questions que se pose votre enfant sont déterminantes pour l'avenir de son éducation. Aussi ne vous étonnez pas s'il cherche les réponses à travers ce que vous appelez de la provocation et qui sont le plus souvent des moyens de vous tester. Même s'il vous regarde droit dans les yeux en refaisant ce que vous venez juste d'interdire, ne croyez pas qu'il soit sourd ou qu'il veuille vous agacer. C'est plus simple que cela : il apprend.

Autoriser et interdire

La marge de manœuvre est assez étroite. Disons que vous devez mettre votre enfant en « liberté surveillée ».

- Aménagez l'espace où évolue votre enfant de façon qu'il le fasse en toute sécurité pour lui-même et pour les objets auxquels vous tenez.
- Limitez vos interdictions, sinon vous passerez votre temps à essayer de les faire respecter ou à crier. En revanche, arrangez-vous pour qu'il comprenne que vos non sont de vrais non et pas seulement des mots qu'on peut ne pas entendre. Montrez-lui très tôt que votre patience et votre volonté sont supérieures à la sienne.
- Si vous voyez votre enfant se livrer à une activité interdite, dirigez son attention sur autre chose plutôt que d'entamer un rapport de force. C'est encore relativement simple à cet âge. Une phrase comme « Oh ! Regarde ce qu'on voit par la fenêtre ! » marche à tous les coups et vous laisse un peu de temps pour trouver ce que vous allez lui montrer.
- Les interdits sont mieux acceptés lorsqu'ils sont expliqués brièvement mais clairement, à plusieurs reprises. De même s'ils sont compensés par des comportements qui sont, eux, autorisés. Par exemple : « Non, je t'interdis d'écrire sur les murs de la maison. Ce n'est pas bien. Mais tu peux le faire sur le grand tableau qui se trouve au mur de ta chambre. »
- Le désir principal de l'enfant de cet âge n'est pas d'embêter ses parents mais de leur faire plaisir. Il est ravi d'obéir quand cela est compatible avec son besoin d'exploration. Aussi faut-il le récompenser et manifester largement son contentement quand il se livre à un comportement « autorisé ». Les autres ne méritent pas de punitions ni de disputes.

● Savoir lui dire **non**

Dire non à ses enfants, c'est-à-dire pouvoir faire preuve de fermeté à leur égard, n'est pas une façon d'écraser leur personnalité ou d'en faire des enfants malheureux.
Loin de l'autoritarisme aveugle, il s'agit d'apprendre aux enfants à se maîtriser et à exercer un contrôle sur leur propre vie.

Le beau mot de « discipline »

Voici un mot qui revient à l'ordre du jour, avec celui d'« autorité », mais sans que l'on sache très bien quel contenu il convient de lui donner. Il n'est plus question d'instaurer à la maison une « discipline militaire » à laquelle chacun serait tenu d'obéir, quel que soit son « grade », sous peine de sanctions... S'il a existé chez certains, ce temps-là est révolu. Le mot « discipline » veut aussi dire qu'il s'agit :

- de discipliner, au sens d'humaniser, de socialiser,
- de donner de la force ;
- de faire des disciples, c'est-à-dire de transmettre des valeurs ;
- de mener les enfants vers l'autodiscipline, c'est-à-dire de leur apprendre à devenir autonomes.

Il y a de multiples façons de discipliner les enfants, toutes aussi valables. À chaque couple de parents de trouver son style. Il existe cependant deux écueils à éviter : la sévérité excessive et le laxisme. La première demande beaucoup d'énergie de la part des parents pour un résultat souvent médiocre et une ambiance pénible. Répressive, elle suscite chez les enfants soit la révolte, soit la passivité. C'est un mauvais chemin vers l'indépendance. Quant au laxisme, sous une apparence plus sympathique, c'est un système qui ne permet pas à l'enfant de se structurer. Un enfant libre de tout finit même par se demander sises parents s'intéressent vraiment à lui.

Ils ne pourront exercer pleinement leur liberté que s'ils sont responsables d'eux-mêmes, et c'est ce que la discipline doit leur enseigner. Nous vivons dans une société de loi où le « Tout, tout de suite, sinon je crie » n'a aucune valeur. L'enfant de cet âge, contrairement aux apparences, ne veut pas être celui qui décide : il s'en sait, au fond, incapable. Il veut juste pouvoir s'opposer et avoir son mot à dire dans ce que l'on décide pour lui.

Nous l'avons dit : pour se construire, pour se forger une personnalité, l'enfant a besoin de s'opposer. À quoi s'opposerait-il s'il n'y avait aucune règle à transgresser ? On ne peut être en désaccord avec « rien » : car alors, comment devenir soi-même ?

L'enfant se sait petit face à un monde grand dont il ignore le mode d'emploi. Qu'on le lui laisse déterminer seul est pour lui une source d'angoisse. Il sait que ses parents sont des « grands » : alors, pourquoi le laissent-ils décider plutôt que de lui indiquer ce qu'il doit faire ? Perdu, l'enfant pousse la provocation plus loin en espérant qu'un jour on veuille bien l'arrêter.

La fermeté sécurise l'enfant

La fermeté des parents et un système cohérent d'exigences concernant son comportement rassurent profondément l'enfant et l'aident à se construire une personnalité forte. Les parents sont affectueux, attentifs, mais ils ne laissent pas l'enfant sortir des limites définies. Celui-ci n'est pas écrasé : il est soutenu, réconforté. Car « si papa et maman sont plus forts que moi, c'est qu'ils sont plus forts que le monde entier et qu'ils peuvent me protéger. Ils savent clairement où ils vont : je peux donc les suivre. Allons découvrir le monde : il y a des garde-fous. »

À l'inverse, l'enfant dont les parents ont du mal à exiger quelque chose, à fixer des limites claires et à se faire obéir est souvent anxieux. Si les non auxquels il s'oppose finissent toujours par céder, il aura bien du mal à faire face à des exigences scolaires ou autres : il découvrira dans la douleur et les conflits que la vie, elle, se moque de ses désirs.

Comment s'y prendre ?

Autant le non dit fermement rassure l'enfant, autant l'excès de non l'inhibe et le rend agressif. Il ne s'agit nullement de dire non à tout et d'exiger de l'enfant une obéissance absolue et immédiate. Les non doivent, pour être acceptés, être peu nombreux et bien choisis.

Un bon non est un non raisonnable, cohérent, respectueux et adapté à l'âge de l'enfant. Il doit aussi être expliqué. Sinon, comment l'enfant s'y retrouverait-il ? Tantôt il prend la forme d'un interdit, tantôt d'une exigence, tantôt d'un : « Maintenant, ça suffit ! » qui met effectivement un terme à une situation qui a déjà trop duré. Car le non est aussi patient et compréhensif…

Tout cela paraît bien compliqué. Il n'en est rien. Nos enfants n'attendent pas de nous que nous soyons des parents parfaits. Mais il semble important d'exposer quel est le point de vue de l'enfant, à un âge où il ne peut l'exprimer lui-même. Il faut comprendre que ses besoins profonds sont souvent en contradiction avec ce qu'expriment ses désirs du moment.

Il dit : « Je veux la voiture », mais il est satisfait si vous répondez : « Je te comprends, elle est superbe. Est-ce qu'elle ne ressemble pas à la bleue dont le capot s'ouvre ? Elle a l'air de te plaire vraiment. Peut-être pourrais-tu attendre jusqu'à ton anniversaire ? » Son désir a été entendu et reconnu comme valable, vous lui avez montré que vous l'aimiez en vous intéressant à lui. Il ne demande, au fond, rien de plus.

Pas toujours facile de dire non

Bien des parents sont d'accord sur le papier, mais ils ne peuvent se résoudre à dire non à leur enfant. Il y a principalement trois raisons :

- Les enfants ont un charme fou, ils sont désarmants. Comment les faire pleurer quand leur sourire est si beau ?
- Les parents ont souffert dans leur enfance d'un système d'éducation trop autoritaire. Plutôt pécher par excès de laxisme que de faire subir à son enfant ce dont on reste encore blessé aujourd'hui.
- Les parents n'ont pas assez de temps pour expliquer ou pour mettre en place des principes cohérents. Qui sait si ceux qui sont appliqués sur le lieu de garde sont les mêmes ? Ils refusent de faire preuve d'autorité et de se disputer avec leurs enfants pendant le peu de temps qu'ils passent ensemble mais préfèrent que tout le monde soit content.

Ces pièges par rapport aux bonnes résolutions ne sont pas les seuls que les parents, même les mieux intentionnés, peuvent rencontrer. Ce n'est pas grave s'ils restent convaincus – et finissent par transmettre qu'un non, bien dit et bien accepté, ouvre la porte à beaucoup de oui tout à fait encourageants et épanouissants.

Des objets qu'il tire avec une ficelle, des boîtes qu'il entasse dans un chariot, les cuillères en bois qu'il prend dans la cuisine : les jouets de l'enfant de un an n'ont pas besoin d'être très sophistiqués. Car il adore jouer à « faire semblant » et les objets les plus simples l'aident à laisser libre cours à son imagination débordante.

Jeux et jouets pour grandir

Vider/transvaser/remplir reste parmi les jeux favoris de l'enfant entre un an et un an et demi. C'est pourquoi il prend beaucoup de plaisir à la « patouille », ces jeux d'eau merveilleux auxquels il peut passer tant de temps. Une baignoire ou une grande bassine posée sur le sol, un filet d'eau, un entonnoir, une éponge, des récipients incassables, et voilà votre enfant passionné et calme.

• Ses **occupations** préférées

La marche, parce qu'elle libère les mains, permet d'utiliser tous les jouets que l'on tire sur le sol à l'aide d'une ficelle. Un chariot bas et stable autorise de nombreux jeux, mais les jouets qui font du bruit lorsqu'on les tire ont aussi beaucoup de succès.

L'enfant commence à aimer plus particulièrement les boîtes ou les cubes gigognes, les pots que l'on empile, les grosses briques faciles à manipuler qui sont l'ébauche du premier jeu de construction, les animaux à bascule et les poupées souples. D'une manière générale, il préfère les objets de la vie quotidienne à ses jouets manufacturés : à vous de trouver dans la maison, la cuisine ou l'établi ce que vous pouvez lui confier sans crainte ni pour lui ni pour l'objet.

Enfin, l'enfant de cet âge aime l'ordre : il prend plaisir à aider à ranger. Il repère tout de suite ce qui n'est pas à sa place habituelle et tient à le ranger. Il aime les habitudes et la répétition : toujours le même menu, le même horaire, le même trajet, toujours la même histoire ou la même comptine, cela lui conviendrait parfaitement…

La première **poupée**

Avec les débuts du langage commencent les jeux de « faire semblant ». Petits garçons et petites filles se mettent à imiter leurs parents. Laurent, seize mois, donne à manger à son ours. Amélie, au même âge, se raconte des histoires en déplaçant des personnages. Cette étape est très importante pour l'enfant. Imiter son papa ou sa maman, c'est déjà se mettre à la place des autres. Mais c'est aussi exprimer ses propres idées et construire sa confiance en soi.

Dès un an, vous pouvez offrir à votre enfant sa première vraie poupée, celle qui lui permettra de faire « comme si ». Celle que l'on aime et que l'on gronde, que l'on habille et que l'on nourrit, celle dont on est parent mais qui reste un peu soi. Celle, surtout, qui apprend à grandir.

Car c'est sur cette poupée que l'enfant va reproduire ce qu'il vit et ce qu'il découvre. En câlinant sa poupée, en la grondant et en la nourrissant, l'enfant projette une image de lui-même. Sa poupée lui fait revivre ses émotions, ses plaisirs et ses chagrins.

Une poupée toute simple

Poupon, poupée de chiffon, baigneur sexué, comment bien choisir la première poupée de votre enfant ? À cet âge, une règle prime : plus un jouet est simple, plus il permet de développer l'imagination.

Fuyez donc la poupée qui chante, pleure et dit : « Bonjour maman ! » Une bonne poupée n'a pas besoin non plus de marcher, de boire ni de faire pipi. Ces poupées-là sont généralement fragiles et encombrantes pour de petits enfants.

On peut même dire, au contraire, que plus la poupée en « fera » par elle-même et moins l'enfant sera libre de lui en faire faire. D'une poupée qui vous dit « Maman », on peut faire son propre enfant, mais pas une image de soi-même ni la maman d'une autre poupée.

Une petite fille ne s'identifiera pas avec un baigneur doté d'un sexe de garçon (et réciproquement). De plus, une poupée « multifonctions » est généralement grande et lourde (il faut la place des piles et du mécanisme), si bien que l'enfant a du mal à la prendre dans ses bras.

Un bébé à soi

Choisissez la poupée de votre enfant pas trop grande, pour qu'il puisse bien la tenir dans ses bras (comme vous avec lui…). Un corps souple, en tissu, sera plus facile à habiller et plus doux pour qui s'endort dessus. Mais vous pouvez également choisir une poupée que l'on puisse plonger avec soi dans la baignoire.

Beaucoup d'enfants préfèrent que la poupée ait des cheveux. Mais l'essentiel reste qu'elle soit dotée d'un regard avenant. Si vous en trouvez une qui partage quelque peu le type physique de votre enfant (couleur de la peau, des yeux, des cheveux), c'est encore mieux. Ce qui est important, c'est que cette poupée suscite un échange affectif avec l'enfant, qui pourra l'animer et recréer ainsi un monde à la taille de son imagination.

Imiter son papa ou sa maman, c'est déjà se mettre à la place des autres. Mais c'est aussi exprimer ses propres idées et construire sa confiance en soi.

Les habits de poupée que l'on achète sont souvent difficiles à enfiler et à enlever par un jeune enfant. Avec quelques chutes de tissu, du Velcro, de l'élastique, vous fabriquerez quelques vêtements faciles à mettre pour des petites mains parce qu'il seront bien larges et sans boutons : capes, ponchos, moufles, gilets sans fermeture, jupes à élastique, foulards, etc.

Une autre façon de faire des habits de poupée très simples à enfiler consiste à utiliser des chaussettes dépareillées ou trop petites. Quelques coups de ciseaux pour les emmanchures et le cou : voici une robe-chaussette fort seyante !

Les garçons aussi jouent à la poupée !

Si leur petit garçon leur réclame une poupée, bien des parents pensent au fond d'eux-mêmes que cette demande n'est pas tout à fait « normale ». Ne signifierait-elle pas que l'enfant développe des tendances féminines ?

C'est plus simple que cela. Peut-être votre fils a-t-il vu jouer une petite fille et son plaisir apparent lui a donné l'envie d'en faire autant ? Peut-être a-t-il un petit frère ou une petite sœur et cherche-t-il à imiter sa maman qui s'en occupe ? Peut-être est-il, au contraire, un enfant unique et cherche-t-il un support (la poupée) pour s'inventer un compagnon de jeux ? Prendre plaisir à s'occuper d'un enfant, c'est bien ce que l'on attend aujourd'hui des « nouveaux pères ». Ils n'y laissent pas pour autant leur virilité !

Il découle de tout cela que non seulement vous pouvez tranquillement accéder au désir de votre fils, mais qu'au contraire lui interdire les jeux de filles pourrait être dommageable. Cela risque de lui mettre à l'esprit l'idée que son « être masculin » n'est pas une chose évidente, acquise, mais qu'il peut être remis en question en fonction des activités auxquelles il se

Poupée pour les filles et ballon pour les garçons ?

Jusqu'aux environ de trois ans, petits garçons et petites filles diffèrent assez peu dans leurs jeux. On le constate couramment en crèche: les petites filles jouent volontiers au ballon et au vélo; les petits garçons ne sont pas derniers dans le coin dînette ou à jouer avec les baigneurs.
Si les rayons des magasins de jouets se spécialisent à ce point ensuite, avec des rayons filles et garçons bien séparés, c'est à la fois pour répondre au goût des consommateurs et pour des raisons de marketing : on vend davantage en segmentant le marché. Pour les enfants, cela ne correspond pas du tout à des impératifs. Donc, sentez-vous libres de faire vos achats dans la totalité du magasin!

livre. Ne créons pas un problème là où n'existe qu'un désir tout à fait légitime.

Jouer à **faire semblant**

Au cours de la première année de l'enfant, les objets semblent soumis à l'usage qu'on en fait. Puis, lorsque l'objet disparaît de la vue, il cesse d'exister. Progressivement, un glissement se fait dans l'esprit de l'enfant : d'une part l'objet est doué d'une existence propre (on peut désormais jouer à cache-cache), d'autre part il peut devenir ce qu'on décide qu'il sera. C'est ainsi qu'une casserole sera tour à tour chapeau ou contenant. Le jeu symbolique est né. De ce jour, l'enfant devient le roi : grâce à son imagination, il peut «faire semblant» autant qu'il le désire. D'un bâton il fait un fusil, d'un carton une cabane. Inutile de lui offrir certains jouets sophistiqués à l'usage unique et défini ; il préfère celui, plus simple, avec lequel il peut jouer à l'infini.
Savoir faire semblant ouvre aussi la porte à tous les comportements d'imitation : on fait semblant de nourrir son ours, de gronder sa poupée, de conduire son camion, de parler avec un copain invisible, etc.

Une évolution importante

Cela peut étonner parfois les parents qui craignent que leur enfant ne fasse pas bien la part entre l'imaginaire et le réel. En fait, jouer à faire semblant témoigne d'un progrès très important pour l'enfant, pour trois raisons essentielles.

◗ L'enfant, au lieu d'être limité par le rôle premier des objets, est capable de leur en attribuer un autre. Il peut prendre ses distances par rapport au concret et accéder, grâce au jeu, à l'ordre symbolique. Dès lors, il pourra donner libre cours à son imagination, inventer des histoires, devenir le personnage de son choix.

◗ Il sait que les objets, donc les êtres humains également, ont une existence propre. Ils ne sont pas une extension de lui-même et continuent d'exister hors de lui. Cette découverte lui ouvre la compréhension du monde en lui faisant perdre peu à peu la position narcissique qui était la sienne. Mais il se sent aussi beaucoup plus petit face au monde.

◗ L'imitation va jouer un grand rôle dorénavant dans le psychisme de l'enfant. Il va pouvoir reproduire, avec ses poupées et peluches ou de façon totalement imaginaire, les expériences passées.

● L'enfant et **l'animal**

Le mythe de la complicité entre l'enfant et l'animal remonte très loin dans l'Antiquité. Voyez l'histoire de Romulus et Remus… Aujourd'hui, dans nos sociétés techniques et urbaines, le mythe imprègne plus que jamais la vie de l'enfant. Cette histoire d'amour, on la retrouve très tôt dans les peluches que l'on offre

Faire semblant : un processus complexe

Les situations, agréables, mais surtout désagréables, que l'enfant a vécues mais qu'il n'a pas totalement assimilées vont être rejouées, autant de fois que nécessaire, jusqu'à ce qu'elles aient été véritablement apprivoisées. C'est ainsi que l'on entend l'enfant gronder son ours parce qu'il ne mange pas ou le contraindre à s'habiller sous peine d'une fessée.

L'enfant prend la place du parent, ce qui est une façon de reprendre à la fois le pouvoir et la maîtrise de la situation. Il rejoue l'événement, en le modifiant au besoin, jusqu'à ce qu'il en ait vraiment fait le tour. Cette façon d'appréhender la réalité est très utile à l'enfant. Elle l'aide à se mettre à la place de l'autre, elle atténue la culpabilité et elle évacue les impressions désagréables.

aux bébés : ours, lapin, chat, chien, mais aussi âne, girafe, poussin ou hippopotame. Puis dans les petites histoires des journaux ou des livres pour enfants : de Petit Ours brun à Gertrude l'autruche, on propose à l'enfant de se projeter dans un petit animal et de partager sa vie et ses émotions. Les animaux sont souvent habillés et dotés de la parole, mais cela ne dérange nullement l'enfant.
Au stade suivant, les films, dessins animés ou feuilletons prennent la relève, comme en témoigne la popularité toujours très vive des productions de Walt Disney. Dans les vrais films, les animaux sont mis à leur place réelle et c'est la complicité entre l'enfant et l'animal qui est célébrée. L'animal est le consolateur, l'ami, le sauveteur, le confident. Tout cela montre à quel point les enfants se sentent spontanément proches des animaux, même si leur entourage en est largement dépourvu. Faut-il pour autant en adopter un ? Si vous les aimez, si votre logement et votre emploi du temps le permettent, si vous êtes prête à vous engager sur des années, pourquoi pas ? Pour votre enfant, ce sera une grande source de joies, de découvertes et d'expériences.

Très vite, il faut apprendre à l'enfant à respecter l'animal, ses droits et ses besoins. Même à cet âge, on ne doit jamais admettre que l'enfant torture l'animal.

Quel animal choisir ?

La perruche en cage, la tortue ou le poisson rouge, même s'ils attirent joyeusement l'attention de l'enfant, offrent peu d'échanges véritables. En fait, ce qu'aiment les jeunes enfants, c'est caresser l'animal et pouvoir se frotter contre lui. Ce contact doit donc être à la fois possible et doux.
Ils aiment aussi avoir un compagnon de jeux qui ne rechigne pas à la tâche et qui soit d'une taille compatible avec la leur (le poney comme la souris blanche paraissent inadaptés à cet âge). Un ami libre de ses mouvements et non pas enfermé dans une cage, un aquarium ou un clapier.
Finalement, que reste-t-il ? Un chien, voire un chat. Un chat docile et affectueux ou un chien d'une taille moyenne, pas trop jeune, gentil. Le chat sera souvent moins docile et moins patient, mais les occasions de conflit seront également moindres (le chat sait préserver sa tranquillité).
Avec un chat dans la maison, il faudra veiller à de bonnes conditions d'hygiène (brosser le chat, changer régulièrement sa litière, etc.). Le chien sera plus disponible, mais le premier contact risque

d'être délicat. Il est bon de laisser le chien renifler l'enfant, le flairer, voire le lécher. Quand il s'en sera fait un ami, il ne manifestera plus de jalousie et ce sera entre eux « à la vie, à la mort ».

Les consignes de sécurité

Attention ! à un an, on a des gestes souvent brusques et pas très bien contrôlés. Vous devez être absolument sûre de votre animal de compagnie, savoir qu'il ne fera aucun mal à l'enfant. Malgré tout, il n'est pas souhaitable de les laisser ensemble dans une pièce sans surveillance : on ne sait jamais ce qui peut arriver.

Très vite, il faudra apprendre à l'enfant à respecter l'animal, ses droits et ses besoins. Même à cet âge, il ne faut jamais admettre que l'enfant torture l'animal. Chaque fois que vous êtes témoin d'une scène ou seulement d'une menace, il est nécessaire d'arrêter l'enfant et de rediriger fermement et gentiment sa main en une caresse et non plus en un coup.

Apprenez-lui à interpréter les signes d'alerte, quand le chien grogne ou que le chat tend une patte toutes griffes dehors. Expliquez-lui qu'on ne dérange pas un animal pendant son repas où quand il se retire au calme dans une autre pièce.

Une fois ces quelques règles acquises, les rapports entre l'enfant et l'animal deviendront vite une source de joie et d'épanouissement affectif.

De 18 mois à 2 ans
La lutte pour l'autonomie

La grande affaire de cette fin d'année, pour les parents, c'est l'acquisition de la propreté. Pour l'enfant, c'est la propriété : ce qui est à moi, ce qui ne l'est pas. Avide d'autonomie mais incapable de faire par lui-même, il est aussi en proie à de violentes colères. Mais il y a plus passionnant : le langage qui démarre et se développe.

Ce qui change

L'enfant continue à explorer toutes les possibilités que lui offre l'équilibre global de son corps. Il marche à reculons, s'assied seul sur une chaise, s'accroupit puis se relève, escalade de plus belle et recommence mille fois. Tout cela le conduit à prendre des risques et parfois à surévaluer ses compétences. Comme sa coordination motrice et son sens de l'équilibre ne sont pas encore parfaits, il tombe beaucoup. Il est donc important de rendre son environnement assez sûr pour ne pas trembler sans cesse pour lui et risquer de le freiner dans ses élans.

• Son **développement** physique

Bien vite, il est capable de monter un escalier debout, sans aide, en se tenant à la rampe. Il prend beaucoup de plaisir à danser sur de la musique et à sauter pieds joints sur un trampoline muni d'une barre d'appui ou sur un lit si on lui tient les mains.

Avec ses mains, l'enfant sait désormais faire au revoir, bravo et construire une tour de trois cubes. Certains ont déjà une main de prédilection, alors que la plupart sont encore ambidextres et se servent alternativement de la main droite et de la main gauche.

Vers vingt mois, les mains sont plus habiles. Elles savent désormais tourner, pivoter, enfoncer, relâcher. Du coup, l'enfant devient plus sûr et plus rapide pour faire des puzzles simples et encastrer des formes dans les trous correspondants. Il différencie bien les formes les unes des autres. Il mange aussi plus proprement. Mais, surtout, il devient très fort pour allumer la chaîne stéréo ou jouer avec la télécommande du téléviseur !

Sa personnalité

Le tempérament de l'enfant est caractérisé par deux points essentiels.
D'une part, le désir de toucher à tout, qui en fait un enfant traînant dans son sillage beaucoup de bruit et de désordre. Aucun tiroir, bas d'armoire ou de placard, sac à main, porte-documents,ou corbeille n'échappent à sa curiosité. C'est parfois difficile à supporter pour l'entourage, mais c'est le signe d'un développement sain et normal : c'est le silence et la sagesse d'un enfant de dix-huit mois qui doivent bien davantage inquiéter les parents.
D'autre part, les nombreuses frustrations consécutives au fait que l'enfant veut mais ne peut pas, voudrait faire seul mais s'en trouve incapable, et n'est, de toute façon, pas encore capable de demander clairement ce qu'il souhaite. La violence de ses colères désarçonne souvent les parents : l'enfant jette ses jouets, hurle, se débat, donne des coups de pied, parfois se cogne la tête par terre. Puis il se calme et oublie pourquoi il s'est mis dans un tel état. Il est encore incapable de contrôler la violence de ses pulsions et de ses émotions. Tout délai et tout refus sont très durs à supporter, alors il frappe ou il mord.
Ce n'est que progressivement que le contrôle de soi pourra se développer, entraînant des manifestations d'affection de plus en plus explicites.

Comment se comporter ?

C'est le moment ou jamais, pour les parents, d'aller chercher au fond d'eux des trésors de patience, de calme, de compréhension et d'humour. Cette période va se révéler pour eux à la fois épuisante physiquement et éprouvante nerveusement. Pourtant, l'enfant n'arrivera à se contrôler que si ses parents contrôlent leur propre énervement, leur colère et leur violence. Tâchez d'être des modèles : il finira par vous ressembler.
Veillez aussi à être tolérants envers ses progrès (ou son absence apparente de progrès) et à ne pas le mettre en échec en attendant de lui plus qu'il ne peut donner. Face à un être qui construit sa personnalité et son identité, il est important d'œuvrer pour qu'il développe la confiance en soi.
Le réprimander sans cesse ou le juger en le traitant de vilain, de méchant, n'aurait d'autre effet que d'abîmer gravement l'image qu'il se construit de lui-même. Même s'il est apparemment infernal, votre enfant n'a d'autre désir que de vous plaire et d'être aimé de vous.
Face à une agression physique de l'enfant, le mieux est d'arrêter fermement et calmement son geste tout en lui expliquant avec des mots simples que de tels comportements sont totalement inadmissibles. On peut aussi dériver son geste en une caresse ou bien faire semblant de prendre cela comme un jeu

et jouer alors « à la bagarre pour rire », c'est-à-dire en contrôlant ses gestes pour ne pas faire mal.

Des rituels pour rassurer

À part tout cela ? L'enfant entre dix-huit et vingt mois est charmant, amusant et tout à fait passionnant à voir grandir... Lui aussi est assez perturbé et inquiet de sa propre intrépidité. Aussi, pour se rassurer, met-il en place et s'attache-t-il fortement à des rituels variés qui rythment sa journée. Qu'ils concernent le déroulement du repas, du bain ou de la mise au lit, ces rituels méritent l'attention et le respect des parents.

Qu'ils concernent le repas, le bain ou le coucher, les rituels que l'enfant met en place vers dix-huit mois méritent l'attention et le respect des parents.

D'une part, parce qu'ils rassurent vraiment l'enfant : malgré tout ce qui se déroule dans une journée, son petit monde reste le même, immuable et fidèle. Son agressivité n'a rien détruit, ses repères sont toujours là.

D'autre part, ils sont une bonne formation de compromis entre l'enfant et ses parents : l'enfant est actif, il veille à la bonne exécution du rituel et en contrôle rigoureusement le déroulement ; ses parents, grâce à ce moyen, le mènent où ils le souhaitent, à table, au bain ou dans son lit.

Un tempérament déroutant

Entre dix-huit mois et deux ans, l'enfant peut s'accrocher à un désir ou à une idée, et on a l'impression que rien ni personne ne le fera changer d'avis. À d'autres moments, il est agité et ne tient pas en place. Il court comme un jeune chiot, comme pour épuiser un trop-plein d'énergie.

Parfois, il semble très sûr de lui et revendique son indépendance, mais peu de temps après il est pris de frayeurs : il a peur du noir, des insectes, de tomber, et ses parents ont fort à faire pour le rassurer.

Cela ne signifie pas qu'il faille protéger l'enfant de tout. Passer son temps à le poursuivre en lui annonçant, tel le mauvais augure, « Attention, tu vas tomber, tu vas te faire mal, tu vas te salir », etc., non seulement ne l'aide pas à se forger un vrai sens du danger, mais ces injonctions le poussent aussi à imaginer que le monde est plein de risques et de pièges, et qu'il ne saura jamais y faire son chemin ni ses preuves.

Un côté tyrannique

Vers deux ans, l'enfant se montre plus affectueux, même s'il reste très actif. Mais le conflit intérieur entre son désir d'indépendance et le besoin qu'il ressent de ses parents n'est pas résolu. Il se traduit par une lutte quasi permanente pour le pouvoir. La question sous-jacente est : « Qui dirige ici ? Qui décide de l'ambiance, de l'heure du coucher, etc. ? » Ce n'est pas toujours l'adulte, car l'enfant passe son temps à donner des ordres à tout le monde. Sans écraser cette nouvelle tendance de son caractère, il est possible de l'initier progressivement à la négociation et au compromis – ce qui rendra la vie de tous plus facile !

Certains enfants sont volontiers frondeurs et désobéissants. Plutôt que de les prendre de front, il semble souhaitable de renforcer les comportements positifs en les félicitant et en les récompensant chaque fois qu'ils se conduisent conformément à ce que l'on attend d'eux, et de leur donner pendant quelque temps un surcroît d'attention et de présence.

Interdire les actes agressifs

L'agressivité physique de certains enfants de cet âge vis-à-vis des adultes est encore forte. Les parents ou les adultes éducateurs ne doivent en aucun cas accepter de se laisser frapper ou mordre.

Un comportement agressif doit être stoppé dès qu'il est perçu et l'on doit fermement faire comprendre à l'enfant qu'une telle attitude est réprouvée. Ce qui exclut tout renvoi agressif de la part de l'adulte car, alors, où serait l'exemple ? La fermeté confiante, qui ne punit pas, mais explique et exclut si nécessaire, est beaucoup plus efficace à long terme.

Des intérêts variés

L'enfant s'intéresse généralement à la propreté : pour ceux que l'on sent prêts, il est temps de leur proposer le pot. Il s'intéresse aussi à l'ordre (on peut lui expliquer où se rangent les choses : il s'en souviendra et saura les remettre à leur place) et à la propriété (ce qui est à moi, ce qui est à toi). Ces trois éléments : propreté, ordre et propriété, sont, avec l'autorité, les points fondamentaux qui définissent le caractère de l'enfant de cet âge.

• Son **langage**

Entre un an et demi et deux ans, le niveau de langage d'un enfant à l'autre est très variable. Mais c'est, pour tous, une période importante d'acquisition de vocabulaire et de structures syntaxiques (construction de phrases). Peu à peu, l'enfant passe des « mots-phrases », mots uniques porteurs de significations diverses et complexes, à des phrases structurées où apparaissent l'ordre, la négation, l'interrogation, etc. Si le « parler bébé », qui consiste à simplifier l'articulation et à alléger la phrase, va persister quelque temps, il va laisser progressivement la place à des phrases plus construites.

Comment aider l'enfant à parler ?

Un enfant apprend à parler pour se faire comprendre et pour communiquer. Il faut donc qu'il en ressente le besoin. Il n'apprendra pas à parler en écoutant la télévision ou la radio, mais en échangeant avec ceux qu'il aime sur des sujets qui le touchent. Vous pouvez l'aider de différentes manières :

• L'entraîner dans des conversations, lui parler, le faire parler, lui laisser le temps de s'exprimer, lui montrer que parler ensemble est un plaisir mais aussi que la parole est un pouvoir.

• S'asseoir sur les genoux de son père ou de sa mère pour feuilleter un livre d'images ou lire une petite histoire avec
de belles images est une grande joie pour l'enfant et une bonne façon de développer son vocabulaire.

• On peut aussi inventer des histoires, avec des poupées, des peluches ou des marionnettes. Il est alors plus facile d'entraîner l'enfant dans le jeu et de le faire parler à son tour. Si l'ours le questionne, il répondra volontiers.

On peut difficilement demander à un enfant de parler mieux que ses parents. Si ces derniers disent « i » pour « ils », oublient le « ne » des négations, ne construisent pas leurs questions sur le mode interrogatif (« Tu en veux encore ? » au lieu de « En veux-tu encore ? », par exemple), utilisent des mots de bébé (bobo, zizi, mimi…) et manient couramment les gros mots, leur enfant parlera comme eux. L'apprentissage de la langue se fait par imprégnation et non dans les livres de grammaire. L'essentiel est de parler avec des phrases courtes, des mots simples, afin d'être bien compris de l'enfant.

De toute façon, il est inutile de reprendre un enfant de cet âge pour la prononciation ou pour le langage lui-même. S'il parle, c'est du mieux qu'il peut, en fonction de son développement physique et intellectuel. Il a juste besoin d'encouragements, d'écoute, de dialogue et de temps pour faire des progrès formidables au cours de l'année qui vient, jusqu'à devenir un intarissable bavard…

Des écarts importants

Les différences de langage d'un enfant à l'autre sont grandes. Certains ne parlent presque pas, d'autres ont une douzaine de mots à leur disposition, d'autres enfin construisent déjà des phrases de deux mots (« Papa parti », « Veux gâteau », « Pas dodo »). Ces différences sont de peu d'importance pour l'avenir.

Mais presque tous les enfants savent reconnaître beaucoup de dessins lorsqu'ils feuillettent un imagier. Presque tous également aiment répéter des mots ou des phrases qu'ils ont entendus, comme en écho. Cela a pour eux une valeur d'entraînement à la prononciation. Car celle-ci, si elle n'est pas parfaite, est au mieux de ce que l'enfant peut faire pour l'instant. Inutile donc de le reprendre : il suffit de lui renvoyer la forme correcte dans la réponse afin qu'il s'en imprègne progressivement.

Le rôle de la famille

On connaît l'importance du langage dans notre société. Comment se débrouiller à l'école, comment se faire comprendre des autres, comment, plus tard, aborder l'écrit, si on ne maîtrise pas correctement l'oral ? Or, c'est entre un an et trois ans que l'essentiel se joue. L'enfant est alors très intéressé par le langage que son cerveau acquiert avec une grande facilité. De nombreuses études ont montré que le rôle de la famille dans l'acquisition d'un bon langage était considérable. Il ne faut pas, bien sûr, que la pression soit trop forte, car elle découragerait l'enfant plutôt que de l'entraîner. Mais une absence de stimulation peut provoquer un retard dans les acquisitions, qu'il ne sera pas forcément facile de rattraper ensuite.

Parler « bébé » ?

D'autre part, si l'enfant se sert de mots d'enfant plutôt que de vrais mots pour désigner des objets et des actions, c'est de son âge. Ce n'est pas de celui des adultes qui l'entourent de les reprendre et de les intégrer à leur vocabulaire. Un enfant qui n'entendrait parler qu'ainsi : « Bébé s'est fait bobo à la mimine » n'apprendrait jamais à parler correctement.

Parler à son enfant normalement et simplement est la meilleure attitude à adopter. Les parents qui accompagnent toutes les expériences nouvelles de leur enfant avec des mots nouveaux et appropriés mettent à sa disposition un vocabulaire riche dont il fera usage dans quelques mois.

Le pouvoir des mots

Si les colères diminuent de fréquence et d'intensité quand l'enfant approche de ses deux ans, c'est surtout parce qu'il s'exprime mieux. Il a à sa disposition des mots et des phrases qui se révèlent beaucoup plus efficaces pour parvenir à son but que les colères et les cris. Les injures remplacent les coups, les mots expriment les attentes, les désirs et les déceptions.

Son **rapport** aux autres

Entre dix-huit mois et deux ans, les rapports de l'enfant avec ses pairs ne sont pas de tout repos. S'il est bon, dans le cas où ce n'est pas encore fait, de l'intégrer à un groupe d'enfants de son âge, il ne faut pas s'attendre à ce qu'il ait pour eux respect et attention. D'une manière générale, il ne joue pas encore avec un autre enfant, sauf s'il en a besoin.

Il préfère recevoir ou prendre plutôt que de donner. Il trouverait normal d'avoir tout pour lui et ne tient aucun compte des désirs des autres. Tantôt il recherche les copains, tantôt il les bouscule, les ignore ou les agresse.

Apprendre à prêter

Le petit enfant qui, jusque-là, ne voyait pas de problème à prêter ses seaux ou ses petites voitures devient un « égoïste » qui ne prête rien mais prendrait bien tout pour lui. Faut-il s'en inquiéter ? Certainement pas, car cette attitude témoigne d'un progrès dans sa compréhension.

Un bébé n'a pas un grand sens de la propriété. Longtemps, un objet qui disparaît de sa vue cesse pour lui d'exister : pourquoi le défendrait-il ? Maintenant qu'il sait dire : « À moi ! », il est entré dans un autre stade. Il sait que certaines choses sont à lui, et il tient à les protéger des autres, comme vous-même protégez ce à quoi vous tenez lorsqu'il approche ses petites mains maladroites.

Il est important de reconnaître à son enfant le droit de posséder des objets et la liberté d'en faire ce que bon lui semble. C'est une étape qui le conforte dans son sentiment d'identité.

L'enfant et les adultes

À la compagnie des enfants, il préfère la présence des adultes et aime tout particulièrement imiter leurs comportements dans ses jeux. Mais c'est surtout le père qui, à cette époque, prend une place de plus en plus importante. L'enfant recherche sa compagnie et refuse souvent de s'endormir sans l'avoir vu un moment le soir. Les garçons comme les filles aiment chahuter avec leur père et apprécient sa force et sa brusquerie. En revanche, ils se sauvent généralement si on les prend dans les bras ou qu'on les embrasse sans qu'ils soient volontaires. Les câlins durent peu quand on est aussi actif !

Ses **jeux** favoris

Vers un an et demi, l'enfant adore les gros puzzles très simples, les grosses perles colorées en bois qu'il commence à savoir enfiler et les jeux d'emboîtement et d'encastrement. Mais la palme, pour plusieurs mois, revient au téléphone en plastique qu'il peut soit tirer sur le sol, soit utiliser pour s'entraîner à la conversation.

Il aime se servir d'outils semblables à ceux des adultes et se livrer à des jeux d'imitation : il cloue, il balaie, etc. Il commence à être capable de souffler et d'aspirer et s'y adonne avec plaisir dans une paille, un ballon ou un sifflet. Les tours qu'il construit avec des cubes sont de plus en plus hautes et sa joie est autant de les construire que de les faire s'effondrer. L'autonomie de jeu s'accroît et il peut dorénavant jouer un long moment seul, à condition qu'un adulte se trouve à proximité.

Savoir faire semblant ouvre la porte à tous les comportements d'imitation, qui se développent surtout à partir de la troisième année.

Il aime se déguiser avec toutes sortes d'habits et d'accessoires empruntés aux adultes. Alors, il joue à les imiter, à mettre en scène des situations dans lesquelles il prend plaisir à les faire participer réellement en donnant un rôle à chacun.

Il aime toujours jouer avec l'eau, la boue, le sable, mais il peut dorénavant se rendre sur un terrain de jeux aménagé pour les jeunes enfants. Les structures complexes où il peut escalader, monter, descendre, glisser, se balancer lui conviennent parfaitement, mais il faut encore l'encourager ou le surveiller de près pour prévenir les chutes éventuelles.

Ses jouets favoris sont ceux qui ont un manche : râteau, balai, marteau, pelle, pinceau… Il peut commencer à jouer avec un jeu de loto très simple qui consiste à poser une carte-image sur le dessin correspondant. Il feuillette seul ses imagiers ou ses livres d'histoires favoris qu'il fait semblant de lire seul tant il les connaît bien. Mais il aime également l'observation des insectes ou le ramassage des coquillages, le jeu de cache-cache ou l'invention à partir de matériaux mis à sa disposition.

La naissance du jeu symbolique

Au cours de sa deuxième année, l'enfant attribue une existence propre aux objets, ce qui lui donne sur eux une puissance nouvelle. D'une casserole, il peut faire tour à tour un tambour, un chapeau ou un récipient. De ce jour, l'enfant est roi d'un nouveau monde dont son imagination seule définit les limites. D'un bâton, il fait une épée ; d'un biscuit grignoté, un pistolet ; d'un vieux chemisier, elle fait une robe de princesse ; et d'un vieil ours,

un copain imaginaire qu'il faut nourrir et corriger.
Savoir faire semblant ouvre la porte à tous les comportements d'imitation, qui se développent surtout à partir de la troisième année. C'est l'âge où l'on commence à faire des gâteaux en sable que maman doit « manger » et où l'on « conduit » très sérieusement sa voiture en tenant un couvercle à bout de bras.

Les comptines gestuelles

Elles sont d'une utilité formidable pour aider l'enfant à se repérer dans son schéma corporel (l'image qu'il a de son propre corps), à développer son sens du rythme et sa coordination motrice. À cet âge, vous pouvez chanter et mimer avec lui. Très vite, il connaîtra les petits airs par cœur et sera heureux de les interpréter. Certaines de ces comptines insistent davantage sur la connaissance du corps, d'autres sur la détente ou la décharge des tensions. Certaines sont des berceuses qui mènent au sommeil, d'autres développent l'acuité visuelle ou auditive.

Le gribouillage

L'enfant tire beaucoup de plaisir à gribouiller avec ses feutres ou ses crayons. Maintenant qu'il a compris le lien entre le geste et l'effet, il dessinerait bien partout : sur les murs, sur la table, etc. Cela demande une certaine surveillance, mais on peut également mettre à sa disposition un grand pan de mur, par exemple dans sa chambre ou dans la cuisine, qu'on aura spécialement recouvert d'une grande feuille (genre nappe en papier) à remplacer régulièrement.

La préoccupation de la propreté a tendance à tourner à l'obsession chez certains parents. Pourtant, l'enfant devient propre naturellement vers trois ans. En fait, la propreté n'est possible que lorsque son système nerveux a acquis une certaine maturité. Il ne faut donc pas pas confondre dressage et apprentissage…

Devenir propre

J'insiste beaucoup sur l'aspect naturel des choses pour que vous compreniez qu'une intervention trop stricte des adultes peut être dommageable. À un âge déterminé par nous, on demande à l'enfant de faire dans un pot à une heure décidée par nous. Il ne s'agit plus de satisfaire un besoin physiologique, mais de répondre au plaisir de l'adulte – ce qui est très différent et lourd de conséquences dans son rapport à son propre corps. On ne peut rendre propre un enfant qui n'y consent pas, et en insistant on va droit aux conflits sans fin.

C'est encore un pas supplémentaire qu'il faut faire pour le respecter vraiment dans son développement. Nous verrons que ce qui peut ressembler à un véritable dressage n'est pas sans conséquences sur la personnalité de l'enfant. Respecter l'enfant, c'est lui laisser le temps d'exprimer sa capacité à être propre (couche sèche, capacité à se retenir, accord pour faire dans le pot, etc.), mais c'est aussi accepter qu'il ait son rythme à lui, différent de celui du fils de la voisine.

• Un **processus** naturel

On peut donner l'apparence de la propreté à un enfant plus jeune : il fait dans son pot au moment où on l'y pose. Mais il s'agit soit d'une coïncidence (on a observé à quel moment le besoin survenait), soit d'un conditionnement, pas d'un apprentissage. On n'enseigne pas la propreté comme on dresse un animal. Aussi est-il nécessaire :

- que l'enfant soit en âge de comprendre ce que l'on attend de lui ;
- que l'on demande à l'enfant un effort qu'il soit en mesure de fournir sans trop de difficultés.

Être propre, c'est-à-dire se retenir jusqu'à ce qu'on se trouve dans un endroit approprié, est une étape du développement que l'on ne peut forcer, car elle demande un niveau de maturité suffisant.

- Maturité neuromusculaire d'abord : les muscles sphinctériens doivent être assez forts et sous contrôle volontaire, le système nerveux suffisamment développé et coordonné.
- Maturité intellectuelle ensuite : c'est la condition pour que l'enfant comprenne l'attente des parents et que son niveau de langage lui permette de « demander » lorsque l'envie s'en fait sentir.
- Maturité affective enfin : l'enfant doit être sorti de sa phase d'opposition maximale, se sentir en bon équilibre et avoir envie de faire plaisir à ceux qu'il aime.

La motivation de l'enfant

Qu'est-ce qui va décider un enfant à faire l'effort de quitter ses couches pour faire où on lui demande ?

- Il a envie de grandir, donc il va être tenté de faire comme les grands : c'est un argument très fort et l'observation des aînés est souvent déterminante.
- Il a envie d'être propre parce que – il va vite l'expérimenter – c'est plus confortable de crapahuter en petite culotte ou en slip qu'en couches.
- Enfin, il a besoin de l'amour et de l'admiration de ses parents. Ils ont l'air si contents lorsqu'il offre ses excréments dans le pot bleu qu'il faudrait être vraiment très contrariant ou très fort pour les lui refuser !

Un enfant qui se développe bien trouve rapidement en lui cette motivation pour peu que l'on ait attendu le moment où il y est prêt. Alors la propreté vient en quelques jours.

Le bon moment

C'est lorsque l'enfant a atteint un niveau de maturité neuromusculaire, intellectuel et affectif suffisant. Voici quelques éléments pour vous aider à savoir si c'est le cas de votre enfant. Il est prêt si :

- Il est conscient de ce qui se passe dans son corps, au moment même et pas seulement après coup.
- Il manifeste son envie d'enlever ses couches et d'aller sur le pot (ou aux toilettes).
- Il court aisément, sait monter à une échelle, grimper les escaliers debout.
- Il se livre fréquemment à des jeux d'imitation et aime faire tout comme les grands.
- Il comprend ce qu'on lui demande et y accède plutôt volontiers (il est sorti de sa phase d'opposition systématique).
- Il a intériorisé les notions d'ordre et de désordre, il aime faire de petits cadeaux et il est dans une période affective stable.
- Il va sur ses deux ans.
- Il connaît des mots (pipi, pot, etc.) et sait bien à quoi sert le pot. Vous avez

Il y a des risques à forcer

Forcer un enfant à la propreté alors qu'il n'y est pas prêt, c'est prendre un risque important pour son devenir. C'est une violence faite à son corps, et elle laissera des traces. Chez certains, la conséquence de cette violence se manifestera seulement par une constipation rebelle. Chez d'autres, elle prendra la forme d'une inhibition dans l'habileté manuelle, corporelle, puis verbale. Le caractère de l'enfant peut devenir durablement entêté, coléreux, opposant. Enfin, certains enfants conditionnés trop tôt par un dressage sévère souffriront d'une « énurésie secondaire » (retour du pipi au lit après avoir été propres) dont ils auront beaucoup de mal à se débarrasser. Aucun parent ne souhaite cela pour son enfant. Alors détendons-nous, et voyons la propreté comme un acquis naturel, qui viendra en son temps, sans difficultés.

déjà préparé cet apprentissage en lui en parlant et en lui expliquant ce que vous attendrez de lui bientôt.

Mais la bonne période, c'est aussi celle où l'apprentissage durera le moins possible. L'enfant a beaucoup de choses à apprendre ces mois-ci, qui sont aussi importantes, voire plus, que la propreté. Les problèmes de « pipi-caca » ne doivent donc pas empiéter trop ni trop longtemps sur son temps. À titre d'exemple, une « séance de pot » ne doit jamais durer plus de cinq minutes et l'enfant doit toujours être libre de se relever quand bon lui semble. Rappelez-vous qu'il est seul maître de son corps et de ses envies.

Il est important aussi que l'enfant puisse répondre assez facilement à l'attente de l'adulte. S'il y a trop d'« accidents » ou pendant trop longtemps, l'enfant est mis en situation d'échec. Ces échecs répétitifs sont pour lui désespérants et néfastes sur le plan psychologique.

● **Comment** faire ?

Vous avez déjà préparé votre enfant : il connaît les mots dont vous allez avoir besoin, il est conscient des sensations de son corps, il a déjà joué avec le pot et sait bien à quoi il sert, il a remarqué comment faisaient « les grands » qui n'avaient pas de couches. Vous savez, à divers indices, qu'il est prêt. Le reste est tout simple…

Dire clairement ce que vous attendez

Vous devez expliquer calmement à votre enfant qu'il est assez grand maintenant pour ne plus faire dans ses couches mais dans le pot. Vous devez lui dire que cela serait très pratique pour vous et que vous seriez très fière de lui. Lorsqu'il y parviendra, ne ménagez pas vos compliments. Ignorez ses échecs.

Le contrôle du rectum est le plus facile à obtenir. L'envie d'aller à la selle est un mécanisme simple : il s'agit de la pression du contenu du côlon. L'enfant est vite conscient de cette envie. Aussi est-il inutile de lui imposer votre horaire : le moment de la défécation est celui de son horloge interne et non celui qui vous convient. Il apprendra vite à demander. Sinon, dites-lui simplement : « Ce n'est pas grave, tu ne t'es pas rendu compte à temps que tu avais envie de faire caca. La prochaine fois, tu iras sur le pot. »

Le contrôle de la vessie nécessite que l'on incite l'enfant à aller sur le pot assez régulièrement, surtout dans un premier temps. Lui demander s'il a envie paraît le plus souvent suffisant. Il n'y a guère qu'avant le coucher qu'une mise au pot systématique peut être faite.

Rassurer votre enfant

Enlevez les couches, achetez de jolies petites culottes à fleurs ou des slips de garçon, habillez l'enfant de manière qu'il puisse se déshabiller rapidement et simplement. C'est tout.

Ensuite, laissez un peu de temps à l'enfant pour que l'apprentissage s'installe et essayez de ne pas trop vous angoisser pour votre moquette. Quand il y a un pipi par terre, emmenez vite l'enfant sur le pot et expliquez-lui que cela arrive, que ce n'est pas grave, que la prochaine fois il fera dans le pot.

L'apprentissage doit se faire en quelques jours. Si les « oublis » restent fréquents au-delà (plusieurs fois par jour), il faut se demander si l'enfant est vraiment prêt et s'il ne serait pas judicieux de lui proposer de remettre des couches pendant quelque temps. Dans ce cas, dites-lui bien qu'il ne s'agit pas d'un échec de sa part mais d'une erreur de la vôtre.

Les comportements à éviter

- L'apprentissage de la propreté ne doit donner lieu ni à des cris ni à des fessées. Si vous avez l'impression que votre enfant « fait exprès » de faire par terre à peine relevé du pot, refusez d'entrer dans ce genre de conflits. S'il sent que vous êtes trop impatiente et que la propreté est pour vous une étape importante, il risque de vous refuser ce plaisir et de se retenir. Faites descendre la pression, remettez les couches et feignez l'indifférence : les choses rentreront dans l'ordre. Dites-vous bien que vous n'aurez pas le dernier mot dans ce domaine.

◗ Inutile, par contre, de valoriser sa production comme s'il vous offrait le Saint-Graal ou de lui promettre des cadeaux en échange. Montrer votre plaisir me paraît suffisant. Ne faites ni menaces ni promesses : ces fonctions sont naturelles et c'est ainsi qu'elles doivent être considérées. Devenir propre signifie simplement que l'on grandit ; rien de plus, rien de moins.

◗ Pas de séances de pot interminables à heures fixes. Être propre, c'est faire quand on a besoin et non quand l'adulte en a envie. On va dans le lieu « prévu pour » parce que c'est plus agréable et que c'est ainsi que font les humains dans notre société. Le pot n'a d'ailleurs pas à trôner au milieu du salon. Que, dans la brève période qui suit le jour où vous enlevez les couches, vous vous arrangiez pour que votre enfant ait toujours un pot à portée de main et les fesses presque à l'air, oui. Mais très vite, le pot doit réintégrer les toilettes qui sont le lieu prévu à cet usage.

◗ Ne videz pas le pot immédiatement dans les toilettes en tirant la chasse juste après. Votre enfant ne comprendrait plus. Vous lui demandez l'offrande de ce qu'il considère comme une partie de son corps, vous le félicitez chaleureusement, et vous vous empressez d'aller vous débarrasser de son cadeau ! Il y a de quoi être perdu.

◗ Si vous installez vos enfants sur le rebord des toilettes, veillez à mettre un marchepied et un réducteur de diamètre : ils se sentiront plus en confiance et seront autonomes. Mais ne les forcez pas : le passage du pot aux toilettes se fera tout seul quand l'enfant aura compris et admis que c'est là que vous finissez par en vider le contenu.

L'apprentissage de la propreté doit se faire en quelques jours. Si les « oublis » restent fréquents, il faut se demander si l'enfant est vraiment prêt.

◗ Apprenez-lui à s'essuyer les fesses et ne vous en occupez plus.

◗ Si votre fils veut faire pipi debout, comme son papa, pourquoi pas ? Mais de grâce, ne lui tenez pas le pénis comme s'il risquait de tomber. Que son père lui montre, puis qu'il se débrouille seul.

◗ Une fois qu'il est propre, ne le harcelez pas toute la journée en lui demandant s'il n'aurait pas envie de faire pipi. Passez à autre chose.

◗ D'une manière générale, on ne peut exiger d'un enfant que ce qu'il peut fournir, afin de l'intégrer dans un processus de réussite et de lui donner confiance en lui. Alors, si vous avez essayé de rendre votre enfant propre et que « ça ne marche pas », remettez les couches sans en faire une histoire et réessayez dans deux ou trois mois. Rien n'est pire que de confronter pendant des semaines l'enfant à « l'échec » de la culotte mouillée et à la gêne ressentie. Il ne parvient pas à être à la hauteur de ce que vous attendez de lui et ce sentiment est très destructeur.

Vers l'autonomie

Une fois que la propreté est bien en route, avec l'accord de l'enfant, elle va s'installer en quelques jours. Bien sûr, il va y avoir des « accidents » de temps en temps. Inutile d'en faire une histoire. Un apprentissage comme celui-ci est fragile et sensible, pendant quelque temps, aux modifications affectives.

Les parents doivent aussi comprendre et admettre que le corps de leur enfant est sa propriété et non la leur. Ce n'est pas si facile car, lorsque son enfant devient propre, on perd la relation corporelle si douce que l'on avait avec lui lorsqu'on le changeait quatre ou cinq fois par jour.

Il serait tentant de remplacer ce tendre corps à corps par un contrôle corporel à un autre niveau. C'est le contraire qui doit se produire : pour se nourrir, pour se laver, pour tout ce qui touche à son corps, l'enfant va bientôt être autonome, et c'est bien ainsi.

La **propreté** de nuit

La propreté pendant le sommeil – pendant la sieste, puis la nuit – survient quelque temps après la propreté de jour.

Le droit de se salir

Quand on entame le processus d'apprentissage de la propreté, on demande à l'enfant un effort. Si on veut que cet effort pour être propre soit gérable, il faut autoriser l'enfant, en parallèle, à se salir. À un an et demi, un petit enfant se salit beaucoup : il se roule ou grimpe partout, il touche à tout. Pour rester impeccable, il faudrait qu'il reste immobile ou sage, ce qui n'est pas « normal » à cet âge. Il est bon de permettre à l'enfant de « patouiller » dans le sable ou de jouer avec l'eau. Il suffit de n'acheter que des vêtements et des chaussures lavables en machine. Puis de laisser faire. La seule limite est le respect de l'hygiène de base : se laver les mains après une activité salissante et avant de manger, prendre un bon bain (ou une douche) chaque jour.

Parfois elles sont presque simultanées, parfois plusieurs mois, voire plusieurs années, les séparent. Vous ne pouvez rien faire pour l'apprendre à votre enfant. Faites-lui confiance et montrez-vous détendu par rapport à cet apprentissage. Quand votre enfant sera prêt, vous constaterez que les couches sont sèches le matin. Avec son accord, vous pourrez alors les supprimer. Se réveiller la nuit et se lever pour aller uriner demande déjà un bon niveau de maturité. Quant à passer une nuit sans avoir besoin de se relever, cela nécessite que la vessie ait une taille suffisante. Rien sur quoi vous puissiez agir.

Quelques conseils

Inutile de priver votre enfant de boisson le soir. Cette technique est cruelle et sans effet (ce qui ne veut pas dire non plus qu'il doive boire trois grands verres d'eau avant de se coucher). Certains parents trouvent pratique de réveiller à moitié leur enfant vers vingt-trois heures et de le conduire à ce moment-là aux toilettes. Mais la propreté de nuit ne sera acquise que lorsqu'il sera capable de se réveiller seul. Vous pouvez néanmoins faciliter les choses pour votre enfant :

- Mettez-lui un pyjama facile à baisser.
- Laissez une veilleuse dans sa chambre.
- Mettez un pot à côté de son lit. Bien des enfants ont tout simplement peur de traverser le couloir dans le noir.
- Ne retirez pas les couches trop tôt. Se réveiller dans un lit mouillé et froid est dur pour le moral et plutôt décourageant. Inutile de vivre cela trop longtemps.
- Il va sans doute y avoir des accidents. Avec une bonne alèse et un lave-linge, cela ne mérite pas un drame. Apprenez simplement à votre enfant à enlever ses draps et à les déposer, avec son pyjama, dans le panier à linge sale. Il ne s'agit pas de lui imposer une punition, mais de lui donner la responsabilité de son corps.

Ne vous fâchez pas !

Quelle attitude adopter si votre enfant continue de faire pipi au lit ? Quelle que soit votre impatience qu'il devienne plus grand, vous ne pouvez pas hâter les choses, ni les forcer, sauf à prendre le risque de les voir empirer. Il n'y a aucun record à battre, juste un stade à atteindre. Il est donc tout à fait inutile de vous fâcher, de vous moquer ou de faire honte : dites-vous bien que votre enfant dormait quand il a fait pipi. Donc il ne l'a pas fait exprès.

Lui aussi aimerait mieux se réveiller. Il a besoin de vos encouragements et de votre patience. Vous pouvez lui dire quelque chose comme « Ce n'est pas grave. Quand tu seras prêt, quand ton corps et ta tête le décideront, tu seras propre la nuit. Tu verras, cela viendra tout seul. Cela n'a aucune importance, en comparaison de tout ce que tu es déjà capable de faire. »

Profiter de l'été pour lui apprendre à être propre

Votre enfant entre à l'école en septembre et il n'est pas encore propre? Pas de panique! Les vacances d'été sont la période idéale pour enlever les couches et tenter un passage au pot : il fait chaud, vous n'avez pas besoin d'habiller votre bébé mais vous pouvez lui laisser les fesses à l'air, vous êtes ensemble toute la journée, vous n'êtes pas pressés, bref, c'est le moment.

Si vous pensez que votre bébé est prêt pour ce changement, ôtez tout simplement les couches dans la journée, en posant le pot à proximité. Expliquez à votre enfant ce que vous attendez de lui. Si vous le voyez commencer à faire pipi par terre, portez-le rapidement sur le pot. Félicitez-le, sans plus, mais ne grondez jamais. La propreté viendra à son heure et les «accidents» sont sans importance.

Servez-vous de l'exemple : le vôtre ou celui d'enfants plus âgés. Tout enfant veut faire «comme les grands» et c'est un moteur puissant pour apprendre à se contrôler.

Il était propre, il ne l'est plus

Le cas est fréquent. L'enfant qui était propre refuse le pot et les «accidents» sont de plus en plus fréquents. Comment comprendre et remettre les choses «dans le droit chemin»?

- Allez chez le médecin. Avant de chercher une cause psychologique, il faut être sûr de ne pas passer à côté d'une infection urinaire.
- Si l'enfant est encore en phase d'opposition, la propreté peut être redevenue un enjeu de pouvoir. Refuser de faire dans le pot, c'est une manière de montrer «qui est le chef».
- Il est fréquent que cela succède à un événement pénible pour l'enfant ou à une période de stress (déménagement, débuts à l'école...). Soyez patient et adaptez-vous.

Il **explore** son corps

Au cours de cette période, tous les enfants explorent leur corps et ses possibilités. Au passage, et parce qu'ils passent davantage de temps sans couches, ils découvrent leurs organes génitaux : lieu intéressant, sensible aux attouchements, lieu de découverte. Ces caresses sont normales. Plus fréquentes au moment du coucher ou bien lorsque l'enfant est triste, fatigué, ou qu'il s'ennuie, elles ne méritent pas d'attention de la part des adultes et encore moins de réprimandes.

Ces attouchements n'ont pas le même sens pour l'enfant le même sens et ne déclenchent pas les mêmes sensations que des activités identiques dans une sexualité adulte. Ils ne sont pour lui qu'une conséquence agréable de l'exploration systématique de son corps.

Réservée à l'intimité

Dans le cas où l'enfant se livre à la masturbation en public, et dans la mesure où cela gêne les parents, on peut fort bien expliquer gentiment que ces caresses se font dans l'intimité, lorsqu'on est seul dans sa chambre ou dans son lit. C'est son corps, ce qu'il en fait lui appartient. Simplement, certaines choses, comme celle-ci, ou les fonctions d'excrétion, ne se font pas devant les autres.

Sinon, le mieux est d'ignorer. L'enfant cessera de lui-même lorsqu'il passera à une étape suivante de son développement. En revanche, le gronder, se moquer de lui, ironiser ou le menacer fixe son comportement, lui donnant une importance qu'il n'a pas. L'enfant se culpabilise, se sent fautif, et cela peut avoir des répercussions sur son développement et sa joie de vivre. Dire au petit garçon que son zizi va tomber ou qu'on le lui coupera est aussi ridicule que dangereux sur le plan psychologique.

Si la masturbation devient une activité qui envahit la vie de l'enfant, c'est qu'il se heurte à des problèmes de vie qui n'ont pas été entendus ou compris. Il convient de l'aider, au besoin avec un professionnel de la psychologie de l'enfant.

Même si vos inquiétudes de parents se font moins vives, le sommeil et l'alimentation de votre enfant restent des sujets qui vous préoccupent. Surtout s'ils sont la source d'effroyables scènes… Comment éviter de vous énerver ou de vous inquiéter? Il vous faudra trouver le juste équilibre entre fermeté et tolérance.

Sommeil et repas : des besoins différents

Il est difficile de dire combien d'heures «doit» dormir un enfant. On ne peut fournir que des indications moyennes. Au cours de leur deuxième année, les enfants dorment environ entre douze et seize heures par jour (quatorze en moyenne), y compris le temps de sieste.

• Le **sommeil** de nuit

Certains petits dormeurs se contentent de nuits de dix heures et émergent à six heures du matin, pleins d'énergie. D'autres sont infernaux s'ils n'ont pas leurs treize heures de sommeil nocturne. Certains sont plutôt du soir et ne peuvent s'endormir avant vingt et une heures, d'autres du matin et exigent leur biberon dès l'aube.

À cela, vous ne pourrez rien, car il est impossible d'obliger un enfant à dormir pendant une durée convenue. Tout au plus peut-on le mettre dans une situation de calme qui favorise la venue du sommeil. En effet, certains enfants s'énervent lorsqu'ils sont fatigués et ne paraissent jamais plus actifs qu'à ce moment-là.

Comment savoir si votre enfant dort assez?

En l'observant au cours de la journée. La durée de sommeil qui lui convient est celle qui lui permet de n'être pas fatigué et de tenir au cours de la journée un bon niveau d'activité. Un enfant qui se réveille spontanément est un enfant qui a assez dormi. Si vous devez le réveiller chaque matin, profitez d'un moment de vacances pour le laisser dormir à son rythme et autant qu'il le désire : vous verrez alors combien d'heures lui sont nécessaires.

L'heure du coucher

Aucune règle ne fixe strictement l'heure à laquelle un enfant doit se mettre au lit. Cela dépend beaucoup du mode de vie du reste de la famille. Il ne semble pas très raisonnable de vouloir mettre un enfant au lit sans qu'il ait eu le temps d'avoir de vrais contacts avec ses parents.

Une certaine régularité dans l'heure de la mise au lit donne de bons résultats, si elle est assortie d'une certaine souplesse. L'enfant a besoin de voir ses parents le soir, mais eux aussi ont besoin de se retrouver ensemble, sans leur enfant. Aussi faut-il trouver un compromis qui tienne compte des désirs de chacun.

Le rituel **du soir**

Pour tous les enfants, l'heure d'aller se coucher est une heure difficile. Elle met fin aux activités et aux jeux partagés. Elle signifie le plus souvent solitude et séparation d'avec ceux que l'on aime. L'enfant se retrouve dans sa chambre, en proie à l'obscurité, au silence et à l'anxiété qu'ils

La sieste

Vers un an et demi, la plupart des enfants ne font plus de sieste le matin, ce qui est parfois dommage pour ceux que l'on éveille très tôt afin de les déposer à la crèche ou chez l'assistante maternelle. Mais il reste la sieste de l'après-midi qui restera normalement indispensable pendant encore un bon moment : certains l'abandonnent dès deux ans, d'autres à cinq ans. Les enfants (comme les adultes) ressentent en tout début d'après-midi une chute dans leur niveau d'activité et un besoin physiologique de repos.

La durée de cette sieste va s'allonger au cours des mois qui viennent, sans qu'il soit possible pourtant de donner une durée « normale ». Cela dépend des besoins de l'enfant, mais également du temps de sommeil de nuit. L'essentiel est de ne pas réveiller l'enfant : il se réveillera de lui-même lorsqu'il aura assez dormi.

engendrent. Mais la mise en place des rites du coucher devrait lui permettre de se rassurer.
Le rituel suivi de façon scrupuleuse va amorcer une transition et mener progressivement l'enfant à passer de la veille au sommeil. Il faut le temps du câlin, de l'histoire, de la petite chanson, du coucher des peluches, de la veilleuse, des paroles conjuratrices, de toutes ces petites habitudes qui permettent de ramener le calme. Elles préparent doucement à dormir, car le sommeil en est l'aboutissement.
Il est tout à fait normal de consacrer entre quinze et trente minutes au coucher de son enfant. Ainsi, il n'aura pas l'impression que vous voulez vous débarrasser de lui en vitesse avant le début du film à la télévision et risquera moins de se relever.
Bien souvent, les mises au lit qui n'en finissent pas sont seulement le fruit de mauvaises habitudes, heureusement rattrapables. Les bonnes habitudes tiennent en quatre points.

Établir le rituel

Les petits aiment les habitudes. Une fois un ordre établi pour la mise au lit, le déroulement et l'heure fixés, il n'est plus nécessaire d'y revenir. C'est l'enfant lui-même qui enchaînera les étapes. Lavage des dents, lecture de l'histoire, gros câlin, extinction des feux... à vous de trouver ce qui convient, en fonction du rythme de la maison. Puis n'en déviez plus, sauf raison exceptionnelle (visite de mamie, soirée spéciale, etc.). Rappelez-vous que ce qui est énoncé comme une loi (« Les enfants se couchent à huit heures ») prête moins à opposition que ce qui semble « le fait du roi » (« Il est tard, tu vas au lit »).

Ramener doucement le calme

Inutile d'essayer d'endormir un enfant excité comme une puce. Le temps qui précède la mise au lit doit être réservé à une activité de détente : petit dessin animé, échange en famille, lecture d'histoire, par exemple.

Sortir de la chambre

Le rituel se termine : la petite histoire est lue, les poupées sont couchées, le câlin est fait. Il est temps d'éteindre la lumière, de se souhaiter une bonne nuit et de sortir de la chambre de l'enfant. Faire traîner au-delà du nécessaire traduirait une hésitation dont l'enfant s'emparerait aussitôt pour demander une rallonge.

Gérer les rappels avec fermeté

Très souvent, vous aurez droit aux rappels : « Encore un bisou ! », « J'ai soif ! », « J'ai peur ! », « Je veux faire pipi », etc. Si votre enfant sait que vous allez céder, cela n'en finira pas. Avant de quitter la chambre, faites le point : le verre d'eau, le pipi, le bisou, tout est bon. Alors, sortez pour ne plus revenir, ou bien une seule fois si tel est le « jeu » mis en place. Au-delà, votre enfant sait qu'il peut vous manipuler et il ne s'arrêtera pas. Si vous revenez, vous montrez votre propre angoisse de séparation. C'est la gentillesse ferme et tranquille qui rassure l'enfant et lui permet de s'endormir calmement.

Les aménagements

Certains parents, devant la difficulté de la tâche, trouvent quelques aménagements : tantôt ils acceptent que leur enfant dorme dans leur lit ou dans la même pièce, tantôt ils restent à ses côtés dans sa chambre jusqu'à ce qu'il s'endorme (quitte à s'endormir avant lui !).

Bien sûr, tout dépend de la capacité de tolérance de chacun et de ses choix éducatifs. Une telle attitude facilite en apparence le problème de séparation que vit l'enfant mais ne le résout pas. Le risque de ces aménagements est de le rendre encore plus dépendant de la présence parentale et de rendre encore plus difficile le moment où vous déciderez qu'il dormira seul dans son lit. Sans compter que, si l'enfant se réveille la nuit, il va demander les mêmes conditions pour se rendormir…

Il est normal de consacrer entre quinze et trente minutes au coucher de son enfant pour qu'il ne croit pas que l'on veut en finir vite avant le début du film.

Il refuse d'aller se coucher

Il s'agit d'une situation très banale vers l'âge de deux ans et qui concerne environ 70 % des enfants. L'opposition au coucher est universelle et revient périodiquement au cours de la vie de l'enfant.

La crise peut commencer dès que l'on parle d'aller au lit mais, le plus souvent, elle débute vraiment à la fin du rituel, lorsque le parent sort de la chambre après un dernier baiser et que la séparation devient effective. Consacrer un certain temps à ce rituel est normal. Un « rappel » peut même en faire partie.

Il y a problème lorsque l'enfant pleure, se relève plusieurs fois, ou que tous les prétextes sont bons pour faire revenir l'adulte : la soif, l'ultime baiser, l'ours qui est tombé, la peur du noir, etc. Il faut ajouter que la traversée de la crise d'opposition ne rend pas les choses faciles à cet âge.

L'enfant teste ses parents

Soyons clairs : vouloir passer une soirée tranquille, sans enfant, est parfaitement légitime. L'enfant teste la résistance des parents, leur indécision et leur mauvaise

conscience : s'ils craignent de ne pas « en avoir fait assez », ils auront plus de mal à mettre un terme à la situation.
Pourtant, c'est cela qui rassure l'enfant : s'il est juste de lui accorder un temps d'écoute raisonnable, il faut ensuite pouvoir le convaincre qu'il ne craint rien à rester seul et à dormir. Comprendre et sécuriser vaut toujours mieux que subir passivement, puis finir par s'énerver et faire alors preuve de trop d'autorité.

Une attitude ferme

Votre enfant n'a pas l'air décidé à dormir ? Il peut peut-être demeurer tranquillement dans sa chambre ou même dans son lit, avec une lampe douce et ses jouets favoris, mais au calme et sans vous. Il dormira quand il sentira le sommeil venir.
Il est vrai qu'un enfant actif a parfois du mal à se calmer le soir et que sa résistance au sommeil peut être stupéfiante. Aussi a-t-il besoin qu'on l'aide à trouver ses limites. Il n'a pas l'âge de décider de l'heure où il doit gagner sa chambre et son lit pour la nuit. Cela ne ferait qu'aggraver une tension difficilement contrôlable.
C'est donc aux parents de fixer sans hésiter l'heure d'aller au lit et de faire respecter cette décision. On ne peut exiger d'un enfant qu'il dorme, mais on peut lui apprendre qu'à certaines heures chacun regagne ses quartiers et y jouit de la tranquillité.

Trouver la bonne heure

Pour avoir une bonne chance que l'enfant s'endorme facilement le soir, il est important de le mettre au lit au moment où il est fatigué, prêt au sommeil. Cette heure-là n'est pas toujours facile à trouver. Mais, une fois déterminée, il est bon de la maintenir, soir après soir.

- L'enfant couche-tôt et lève-tard est un rêve pour la plupart des parents, mais seulement un rêve. Peut-être votre enfant a-t-il moins besoin de sommeil que vous n'imaginez ?
- Une sieste tardive handicape évidemment les chances d'endormissement de bonne heure.
- La bonne heure, c'est lorsque l'enfant a eu suffisamment de temps pour se détendre, jouer avec ses petites affaires et passer du temps avec ses parents.

Enfin, la bonne heure physiologique, c'est lorsque l'enfant bâille et se frotte les yeux. Il ne faut pas rater « le marchand de sable » !

Une autorité efficace

Si ses besoins affectifs sont satisfaits et qu'il n'a pas l'impression que vous voulez vous débarrasser de lui, votre enfant admettra la situation. Encore faut-il la lui expliquer clairement.
L'expérience montre que le père se révèle souvent plus efficace que la mère (c'est d'ailleurs le plus souvent elle qu'il appelle) lorsqu'il va dire la loi de la maison. Un

Le goût des habitudes

La joie de vivre d'un petit enfant de cet âge est en partie dépendante du caractère prédictible de son existence. Les repères de temps et de lieu, une régularité dans les ryhtmes et les rituels comptent beaucoup pour lui. C'est une manière pour lui de se rassurer, alors qu'il se sent si petit dans un monde si vaste et tellement mystérieux... Pour qu'il se sente en sécurité dans sa vie, il faut qu'il « s'y retrouve », et pour cela il a besoin d'habitudes. D'où son attirance pour les rituels et son malaise lors de périodes de changements. Il aime avoir sa timbale, toujours la même, jouer au même square, entendre les mêmes comptines, retrouver l'odeur de son doudou et se coucher selon le même rite. Le fait que les jours se déroulent selon le même schéma l'aide à se repérer et à se bâtir une image du monde où l'on peut compter sur les autres et sur les événements.

discours affectueux mais décidé comme : « Maintenant, c'est l'heure où les petits enfants se couchent et où les parents se retrouvent tranquillement ensemble. Tu as tout avec toi et on t'a fait beaucoup de baisers, alors tu vas rester dans ton lit en silence et ne plus te relever. Ni ta maman ni moi ne reviendrons te voir ce soir. Je te souhaite une bonne nuit. » Si l'enfant se relève, on le raccompagne à son lit sans un mot et les deux parents montrent bien qu'ils sont d'accord sur cette façon de faire.

Si vous persévérez dans une attitude ferme qui rassure l'enfant et fixe clairement des limites à ses exigences, les crises de l'heure du coucher s'atténueront d'elles-mêmes.

Le manque **d'appétit**

Voici un autre sujet de préoccupation pour beaucoup de parents. Pourtant, la plupart des enfants dont les parents craignent qu'ils ne mangent trop peu ont en réalité un régime tout à fait adéquat par rapport à leurs besoins. Il est normal que l'appétit diminue ou fluctue. Un enfant qui grandit et est en bonne santé, c'est-à-dire plein d'énergie avec un zeste d'espièglerie, est assurément un enfant qui mange correctement, en quantité comme en qualité. Mais savoir cela ne suffit pas toujours à rassurer les mamans...

L'enfant qui ne mange rien appartient à une catégorie d'enfants bien connue des médecins, des pédiatres et, en dernier ressort, des psychologues. Il se présente en général sous l'aspect d'un enfant gai, bien vivant, actif, normalement grand, sans trace de maigreur apparente, liant contact facilement. Dans la très grande majorité des cas, l'examen médical ne révèle, aucune anomalie, aucune carence. Pourtant, ce « manque d'appétit » reste un sujet de grande inquiétude pour ses parents, en particulier pour sa mère : il est certainement malade, ou il va tomber d'inanition, ou cesser de grandir, puisqu'il ne mange rien !

Renseignements pris, l'enfant en question aurait tendance à manger tout à fait normalement pour lui (le « normal », en ce domaine, est très élastique). Ce qu'il avale lui profite et suffit à ses besoins. Mais ses parents, et notamment sa mère qui est en première ligne dans ce conflit particulier, estiment qu'il se nourrit mal : il devrait manger plus, autrement, des choses meilleures pour lui, etc.

Car, dans nos sociétés d'abondance, les adultes ont pris l'habitude de trop manger par rapport à leurs besoins et à leur santé. Nous l'avons oublié. Les enfants, eux, le savent. Les quatre repas réguliers et équilibrés sont une habitude sociale et non un besoin physiologique. Les besoins de chacun sont différents. Sauter un repas de temps en temps n'a strictement aucune importance. Et ce n'est pas parce que l'on mange peu que la croissance est ralentie.

Le secret des enfants « qui ne mangent rien »

Comme aucun être humain ne survit longtemps sans rien manger, il faut bien que ces enfants-là aient un secret. En fait, ces enfants « qui ne mangent rien » mangent généralement en quantité suffisante, mais de manière invisible, ou non prise en compte par les parents parce que « hors des repas classiques ». Souvent venir à table et y manger leur pose un problème, plus que se nourrir.

Certains sont restés des adeptes du biberon. Accrochés à leur biberon de lait, ils se remplissent l'estomac de cette façon et n'ont plus faim pour autre chose.

D'autres grignotent toute la journée, un morceau de fromage par ici, une banane par là. L'heure du repas venue, ils n'ont plus faim, sauf pour picorer dans l'assiette de papa. Ce comportement alimentaire ne pose pas de problème, si leur régime ne se limite pas à des boudoirs et des biscuits apéritifs.

Un scénario classique

À la suite d'une baisse d'appétit normale, l'enfant a moins mangé. Sa mère s'est énervée. L'enfant, très fin quand il s'agit de savoir où il peut imposer sa force, refuse absolument de se prêter à ces règles théoriques d'alimentation et rejoue le même scénario au repas suivant. Les tensions s'installent, les conflits se répètent, identiques, repas après repas.

L'enfant tourne la tête quand approche la cuiller. La mère insiste, le père se fâche. Les parents essaient de faire le clown, de raconter des histoires, installent l'enfant devant la télévision et, dès qu'il bée de surprise, engouffrent une cuiller de soupe. Ou alors ils se livrent à du chantage : une cuiller pour maman, une pour tante Ursule, une pour faire plaisir... Chaque protagoniste accumule la rancune et l'inquiétude. Les repas prennent une heure pour faire avaler quelques bouchées qui ne satisfont personne. L'enfant perd de vue son corps, ses besoins, ses goûts. Il répond ou s'oppose au désir de sa mère.

Dans les cas graves, le rapport de forces est tel que l'enfant finit par ne plus rien manger avec sa mère et vomir si on le force. Il développe à la fois un dégoût de la nourriture et la certitude d'être le plus fort.

Dans ces conflits autour de l'alimentation, les parents sont forcément perdants. À court terme, tout d'abord, parce que l'enfant s'enlise dans ses refus et que chaque repas peut devenir un moment d'affrontement; mais aussi à long terme, car l'enfant qui prend l'habitude des conflits risque de les déplacer sur d'autres terrains : celui du sommeil par exemple ou en multipliant les caprices en tout genre. Tout cela n'en vaut pas la peine.

Dans nos sociétés d'abondance, les adultes ont pris l'habitude de trop manger par rapport à leurs besoins. Nous l'avons oublié. Les enfants, eux, le savent.

Quelques conseils de bon sens

Vous pensez que votre enfant ne mange rien, en tout cas pas assez ? Voici quelques remarques et conseils de bon sens qui permettront aux repas de rester (ou de redevenir) un plaisir partagé et à votre enfant, responsable de ses besoins, de grandir en bonne santé.

- Manger quand on a faim ne mérite aucune louange. S'abstenir lorsque l'on n'a pas faim ne mérite aucun reproche. Au contraire, cela prouve que l'on est en contact avec ses besoins propres. On mange pour satisfaire ce besoin, non pour faire plaisir à sa mère.
- Quand un enfant a un petit appétit, il faut lui servir de petites (voire de toutes petites) quantités. Dans le cas contraire, vous le découragez même de commencer. Proposez ensuite de le servir à nouveau. S'il a encore faim, il acceptera.
- Ne vous préoccupez pas du contenu de l'assiette de votre enfant ni de ce qu'il y laisse. Enlevez son assiette en même temps que les autres s'il mange

en famille, après un délai raisonnable s'il mange seul, et passez au plat suivant, sans commentaires.

- Même si vous pensez que votre enfant a peu mangé lors d'un repas, ne cuisinez pas un plat supplémentaire spécialement pour lui. Ne compensez pas non plus entre les repas en lui offrant des gâteaux secs (« C'est au moins ça qu'il aura dans le ventre ! »).
- Le dessert n'est pas une récompense : ne l'en privez pas parce qu'il n'a pas fini son poisson.
- Ne forcez jamais votre enfant à manger, même de façon sournoise, en faisant le clown pour détourner son attention ou en lui racontant des histoires de petites voitures qui rentrent au garage. Si c'est nécessaire, servez-le et sortez de la pièce. Faites comme si la question de son alimentation ne vous intéressait plus.
- Si vous, la mère, ne vous sentez pas capable d'agir ainsi, peut-être le père (la cousine ou la grand-mère...) peut-il s'occuper des repas. Quelqu'un de moins anxieux est souvent plus à même de dénouer le conflit.

En un mot, pour conclure, quand vous avez la certitude que votre enfant est en bonne santé et « pousse » normalement, cessez de vous obséder sur la quantité de nourriture qu'il ingère et souciez-vous plutôt de son plaisir à manger. Vous verrez que vos problèmes, si vous en avez, se régleront rapidement.

C'est une période mouvementée que l'approche des deux ans et votre enfant devient plus difficile à comprendre et plus exigeant. Il pique des colères phénoménales, se montre parfois d'une agressivité déroutante mais il sait aussi faire preuve d'humour. Mais ces crises sont inhérentes à la construction de sa personnalité.

Des colères et des rires

À force d'entendre dire non, l'enfant a fini par apprendre le mot qui est devenu le plus fréquent de son vocabulaire. Et l'escalade atteint vite des sommets d'où il est difficile de redescendre. Les conflits sont nombreux. Ses parents lui demandent de s'habiller ? C'est non. De manger sa soupe ? C'est encore non. D'aller se coucher ou de se laver ? C'est toujours non. La patience de l'adulte est mise à rude épreuve. Aussi est-il utile d'expliquer le sens de cette crise.

• La **crise** d'opposition

Une phrase résume bien la situation : « L'enfant se pose en s'opposant. » Maintenant qu'il se sait et se sent bien un être humain autonome, il tient à se poser comme tel. Pour que personne n'ignore qu'il a des désirs propres, il va les affirmer, de manière souvent systématique, en opposition directe aux désirs de l'adulte en face de lui. Ces non n'ont pas toujours valeur de refus (et beaucoup peuvent être détournés) mais ils sont toujours affirmés avec beaucoup de conviction. Cette naissance de sa personnalité est totalement respectable, même si elle est éprouvante.

Trouver le juste équilibre

L'excès d'autorité et d'exigences tout comme le laisser-faire total ne donnent pas, à long terme, de bons résultats : enfant écrasé, enfant gâté, enfant malheureux ou mal dans sa peau. Il va donc falloir naviguer entre ces deux écueils.

Cela signifie d'abord faire preuve de patience et de souplesse.

L'enfant ne contrôle pas encore ses actes, ses impulsions et ses émotions. Il est encore incapable de prévoir les conséquences de ses actions. N'attendez pas de votre enfant plus qu'il ne peut donner, ni qu'il ait des comportements raisonnables. Cela reviendrait à le mettre en échec face aux exigences de l'adulte et minerait sa confiance en lui. Il est inutile également de crier fréquemment sur lui. Il aurait peur, serait malheureux et ne comprendrait pas. S'il est « dur », c'est parce qu'il est un enfant de deux ans normal. S'il provoque, c'est parce qu'il cherche à comprendre comment les adultes fonctionnent et ce qui les fait réagir d'une façon ou d'une autre. C'est toute son intelligence de l'autre qui se construit.

Il vaut mieux faire d'abord preuve de patience puis mettre fermement un terme à la situation, plutôt que de commencer par dire non puis se faire avoir à l'usure.

Une nécessaire fermeté

Mais naviguer entre les écueils de l'autoritarisme et du laxisme signifie aussi être capable de se faire obéir. Certains parents passent un temps important à s'expliquer avec leur enfant, à négocier, comme s'ils se justifiaient auprès de lui d'avoir à imposer quelque chose. Comme s'ils espéraient aussi que l'enfant obéisse à la suite d'une démarche intellectuelle. À cet âge, cela ne se justifie pas.

Il faut bien sûr expliquer brièvement à l'enfant le pourquoi des interdits ou des demandes afin qu'il ne se sente pas victime de décisions arbitraires. Mais il n'est pas en âge de tout comprendre et l'adulte doit pouvoir, au bout d'un moment, mettre fin à la discussion en imposant sa volonté.

Voici un scénario classique… La mère va récupérer son enfant à la crèche ou chez l'assistante maternelle. L'enfant, qui a pourtant attendu sa mère depuis des heures, fait mine, une fois rassuré sur sa venue, de ne pas vouloir la suivre. Il file à l'autre bout de la pièce où il se cache. La mère discute, justifie : il est tard, il faut passer chercher le pain, papa attend. Mais l'enfant s'obstine et la scène dure, gênant beaucoup les autres enfants ou adultes présents. La mère se laisse manipuler, promet un bonbon, et la scène se reproduit soir après soir. Que faire ? Après un délai raisonnable de palabres et de patience, refuser de discuter davantage, prendre son enfant sous le bras et partir. Expliquer, oui ; se lancer dans des discussions sans fin, non.

Il y a deux autres façons de se faire respecter de son enfant.

- D'abord ne pas crier, mais autant que possible, garder une voix calme et décidée, même si lui crie très fort. Sinon, vous faire monter sur vos grands chevaux deviendra son jeu favori.
- Ensuite ne pas prononcer trop de paroles en l'air. Votre autorité sera difficilement prise au sérieux si vous promettez sans tenir et menacez de fessées ou punitions qui ne viennent jamais. « Maintenant cela suffit ! » doit vraiment être votre dernier mot et non le premier d'une longue discussion.

Il vaut cent fois mieux commencer par faire preuve de patience puis mettre fermement un terme à la situation, plutôt que de commencer par dire non puis se faire avoir à l'usure.

Laisser parfois votre enfant avoir raison

C'est à vous de décider et d'avoir le dernier mot – même si l'opposition de l'enfant est vigoureuse – lorsqu'il s'agit de choses importantes ou qui ne peuvent être discutées : attacher sa ceinture de sécurité, prendre son médicament, s'habiller avant de sortir, passer à table, refuser l'achat d'une petite voiture, etc. Ces occasions sont les plus nombreuses. Mais il arrive aussi que vous puissiez changer d'avis afin de prendre en compte l'avis de votre enfant. Si un soir il refuse le bain, ce n'est pas si grave du moment que cela reste occasionnel. S'il veut monter encore une fois au toboggan plutôt que rentrer tout de suite, s'il ne veut pas mettre le pantalon vert mais qu'il accepte le bleu, rien de grave là encore. Il est bon pour l'estime qu'il se fait de lui-même que vous lâchiez prise parfois. Mais faites-le avant que le non ne se soit transformé en colère !

• **Faire face** à la colère

Les colères de l'enfant de cet âge sont fréquentes et impressionnantes. Certains enfants peuvent crier pendant des heures. D'autres se frappent la tête contre le sol ou les murs. Tous semblent en proie à une grande souffrance. Difficile, pour les parents, de rester sereins !

Pourquoi tant de colères ? Votre enfant veut s'affirmer. Il revendique d'être un grand et ne comprend pas qu'il ne puisse être traité comme tel. La patience n'est pas son fort : il veut tout et tout de suite. « Demain », « Plus tard » n'ont pas encore de sens pour lui.

Toute frustration est mal vécue par l'enfant, car il voudrait que ses désirs soient des ordres : le beau camion rouge de la vitrine ou le ballon que le copain a dans les mains, il les lui faut tout de suite. S'il est plongé dans une activité, il ne supporte pas qu'on l'interrompe pour

Sortir de la colère

Avant que la colère de votre enfant ne s'envenime, essayez vite de détourner son attention vers quelque chose qui l'intéresse : un oiseau devant la fenètre, l'heure de son feuilleton...
Montrez que vous comprenez son désir avant de refuser de le satisfaire : « Tu as raison, ces bonbons ont l'air délicieux. La prochaine fois, c'est ceux-là que nous achèterons. » Un non passe toujours mieux lorsqu'il suit un message de compréhension. Sachez aussi qu'un oui limité, qui est l'aboutissement d'une négociation, peut désamorcer un conflit. C'est la méthode gagnant-gagnant. « D'accord pour le bonbon, mais un seul. » S'y entraîner est très utile pour la suite, lorsque l'enfant, habile dans le langage, s'en servira pour tenter de tout négocier...
Lorsque vous sentez que l'enfant a vidé une grande partie de sa rage, vous pouvez, s'il accepte, l'aider à terminer. Tenez-le un moment contre vous, de manière ferme et tendre. Cela l'aide à se reconstruire.
Ne restez pas sur un conflit. C'est à vous de faire le premier pas vers la réconciliation. L'enfant a besoin de savoir que sa colère n'a pas endommagé l'amour que vous lui portez. S'il a eu des gestes violents qui ont fait mal ou cassé quelque chose, aidez-le à réparer. Il peut demander pardon à son frère, ou ramasser les morceaux du puzzle qu'il a lancés en l'air. Expliquez-lui qu'il a, comme tout le monde, le droit de d'exprimer de la colère, mais pas celui de détruire ou de faire mal.

des choses aussi triviales que manger ou se coucher.

Ajoutez à cela un contrôle de soi encore très immature, et vous comprendrez pourquoi l'enfant de cet âge se laisse si fréquemment submerger par des émotions violentes. Enfin, les colères sont nombreuses et ont tendance à se reproduire si elles « marchent », c'est-à-dire si l'enfant en tire un bénéfice.

Comment réagir ?

- Évitez de vous mettre en colère en retour et de crier encore plus fort.
- Inutile d'essayer de communiquer. L'enfant, submergé par l'émotion, en est provisoirement incapable. Il sera temps de s'expliquer une fois la crise passée.
- Attendez calmement que cela passe. Si vous êtes chez vous, sortez de la pièce ou emmenez l'enfant dans sa chambre.

- Ne récompensez pas les colères, si vous ne voulez pas qu'elles se reproduisent. Le plus efficace, pour faire disparaître un comportement indésirable comme celui-ci, est de feindre de ne pas le voir. Car discuter, raisonner, essayer de calmer, se fâcher, c'est encore donner de l'attention et c'est encore une façon de récompenser. Mais la pire attitude consiste à céder, c'est-à-dire à donner raison à l'enfant de s'être mis en colère. « Bon, ne pleure pas comme cela, je te le donne ton gâteau », ou « Calme-toi, tu peux rester dans notre lit, mais pour cette nuit seulement ». Si les colères « paient », elles continueront.
Si la colère est publique, il est plus difficile de réagir en attendant calmement. Si possible, ne vous laissez pas atteindre par les remarques des passants.
Si vous êtes obligée de céder, par exemple d'acheter les bonbons parce que c'est le seul moyen de finir les courses au supermarché, il est indispensable que vous ayez ensuite une explication ferme avec votre enfant : « Tout à l'heure, au magasin, tu m'as obligée à t'acheter des bonbons, alors que je n'étais pas d'accord, parce que tu faisais une grosse colère et que je n'avais pas les moyens de t'enfermer dans ta chambre. Je suis fâchée. Aussi vas-tu maintenant rester dans ta chambre pendant un moment : tu as été très désagréable et je n'ai pas envie de t'avoir près de moi. Et la prochaine fois que j'irai faire les courses, tu ne viendras pas. »
Mais le mieux est encore d'éviter pendant quelques mois les situations où vous savez que vous prenez le risque d'une colère et que vous serez incapable de réagir correctement.

Le point de vue de l'enfant

Si l'on se place du point de vue de l'enfant, sa colère est légitime. Il a toujours une bonne raison de se fâcher ainsi. Comme toutes les autres émotions, elle a le droit de s'exprimer, même si cela ne convient pas aux adultes. Mais elle peut tout aussi bien s'exprimer dans la solitude : « Je comprends que tu sois en colère. À ton âge et à ta place, je le serais sûrement aussi. Mais je n'ai pas l'intention de changer d'avis. Alors comme les cris me gênent, je préfère que tu ailles pleurer dans ta chambre. Tu reviendras ensuite. » Ce temps « hors jeu », présenté non comme une punition mais comme un moment nécessaire d'isolement, peut tout à fait être compris par l'enfant.

Fessées et punitions

La fessée ne peut pas être un élément à part entière de la discipline car elle reste toujours l'attaque d'un grand sur un petit et, à ce titre, ne saurait être posée comme un principe éducatif. Tout au plus peut-elle être une solution d'urgence qui vient soulager la tension de celui qui la donne et alléger la culpabilité de celui qui la reçoit. Donnée de façon convaincue mais contrôlée, elle n'est pas destinée à faire mal mais à souligner la détermination parentale. Mieux qu'un long discours, elle assainit l'atmosphère.

Certains enfants sont élevés sans recours à la fessée quand d'autres semblent la rechercher. Chez certains parents, un froncement de sourcils ou une grosse voix sont plus lourds de menace, ou peuvent faire plus mal qu'une tape sur les fesses. Il n'y a pas de règle générale.

Justifiée, la punition peut aider les parents à asseoir leur autorité. Mal contrôlée, elle peut être ressentie par l'enfant comme une humiliation.

Tout comme la fessée, la punition est aussi une solution à double tranchant. Si elle est justifiée, assortie à la faute, reçue après un avertissement et donnée rapidement, elle peut aider les parents à asseoir leur autorité. Mal contrôlée, elle pourra être ressentie par l'enfant comme une humiliation et une injustice. Être mis « hors jeu » (sorti de la pièce, mis au coin, enfermé dans sa chambre) pendant quelques minutes est généralement suffisant.

Quoi qu'il en soit, ni la punition ni la fessée ne doivent « échapper » aux parents et laisser penser à l'enfant qu'il est moins aimé. Pour cela, elles doivent rester exceptionnelles.

Le spasme du sanglot

Il s'agit d'une brève perte de connaissance (quelques secondes) survenant à la suite d'un facteur déclenchant particulier : émotion, contrariété, colère, frustration. Ce spasme est un phénomène fréquent puisqu'on pense qu'environ 4 à 5 % des enfants en feront au moins entre cinq mois et cinq ans (le plus souvent entre dix-huit mois et deux ans).

On observe une forme « bleue » où l'enfant perd son souffle au cours d'un accès de larmes ou de colère. L'apnée survient, l'enfant se cyanose et perd connaissance. La forme pâle, moins fréquente, survient à la suite d'une frustration : l'enfant ne crie pas mais devient pâle et perd connaissance. Dans tous les cas, le réveil survient rapidement et l'enfant reprend ses esprits en quelques minutes. Phénomène sans gravité mais très impressionnant, il se règle de lui-même quand les parents et l'abordent sans angoisse.

Quelle est sa signification ?

Médicalement, le spasme du sanglot ne présente aucun caractère de gravité. Il n'en est pas de même sur le plan psychologique et éducatif. Si le premier spasme survient généralement de façon accidentelle, la réaction de l'entourage sera déterminante pour la suite des événements. La peur et l'attention immédiate des parents vont renforcer un comportement qui aura, dès lors, tendance à se reproduire. Les parents, craignant un nouveau spasme, en viennent à surprotéger leur enfant et n'osent plus rien lui refuser. Il devient tyrannique et joue avec l'anxiété de ses proches pour aboutir à ses fins.

L'essentiel est de garder son calme sans montrer à quel point la crise déclenche en soi de frayeurs. Allongé sur le sol, l'enfant reprend vite des couleurs. Mais le mieux est encore, lorsqu'on sent la crise s'annoncer, de sortir de la pièce. Sans témoin, le spasme tourne court le plus souvent. Si vous êtes convaincu qu'il ne vise qu'à permettre à l'enfant d'obtenir ce qu'il veut, vous ne vous laissez nullement impressionner, les spasmes du sanglot disparaîtront.

Après la crise

Inutile, une fois la crise passée, de faire la leçon à l'enfant en lui disant qu'on ne se fera plus avoir ou de se moquer de lui. L'enfant ne fait pas « exprès » de perdre connaissance. Il est inconscient des mécanismes de « manipulation affective » auxquels il recourt. A plus long terme, il est permis cependant de s'interroger sur la nécessité qu'a l'enfant de recourir à de telles manifestations. N'est-il pas entouré d'un climat trop anxieux ? Ses parents ont-ils su mettre en place une relation de confiance où l'enfant ne doute pas de l'amour qu'on lui porte ? Une discipline ouverte mais ferme est-elle appliquée, ou bien les parents se sentent-ils facilement débordés par leur enfant ? Ce sont ces questions qu'il est bon de se poser si les spasmes se reproduisent.

L'agressivité

C'est un comportement universel de l'enfant entre un et trois ans. En fait, c'est plutôt son absence totale, celle qui ferait de l'enfant une victime de ses camarades, ou bien un enfant qui n'exprimerait rien de ce qu'il ressent, qui serait inquiétante.

L'agressivité de l'enfant de cet âge peut être directe : il tire la queue du chat, bouscule ou mord les copains, jette ses jouets, tire les cheveux et lève la main sur sa mère. Elle peut aussi prendre la forme d'exigences permanentes qui finissent par étouffer l'adulte, comme la souris blanche est étouffée par les petites mains qui la caressent. Ces deux formes sont normales. Ne vous inquiétez que si l'enfant exerce une réelle cruauté ou brutalité envers autrui, enfant moins costaud ou petit animal, et cela sans trace de pitié ou de culpabilité.

Les effets conjugués de l'éducation et de la socialisation visent au contrôle par l'enfant de ses actes et à la dérivation de la pulsion agressive sur d'autres objets (on peut être violent en frappant dans un ballon de foot mais pas dans les jambes des petites filles).

Interdire de faire mal

L'attitude éducative efficace consiste à ne pas s'en prendre directement à la pulsion agressive, car cela est sans effet. Il s'agit, d'une part, d'interdire strictement le « passage à l'acte » en faisant respecter la loi morale : « Je ne te demande pas de l'aimer ou de jouer avec lui, mais je t'interdis de lui faire mal », ou « Si tu es fâché avec moi, tu peux aller un moment seul dans ta chambre, mais je ne tolère pas que tu lèves la main sur moi ». L'enfant à qui l'on parle ainsi sent bien que ses sentiments (colère, haine…) sont respectés et qu'ils ne font pas peur.

En grandissant, si les parents encouragent l'enfant à se contrôler, il va exprimer son agressivité de façon plus acceptable, par le jeu ou par les mots.

Autoriser l'expression de l'agressivité

Parallèlement, il faut offrir à l'enfant des occasions d'exprimer ses pulsions agressives d'une façon que la morale approuve, sans danger pour autrui. S'en prendre à ses peluches, jouer avec l'eau et l'argile, taper avec un marteau ou dans un ballon, courir, sauter sont des activités qui aident à faire face aux impulsions violentes. On peut inventer ainsi des « jeux agressifs » où l'agressivité peut être libérée sans être destructrice pour soi ou pour l'autre.
En grandissant, si les parents encouragent leur enfant à se contrôler et ne considèrent pas que « la vie est un vaste combat, alors autant s'y préparer tout de suite », l'enfant aura tendance à exprimer son agressivité de façon plus acceptable : il la sortira avec des mots ou bien « jouera » à la violence (au cow-boy, à la bagarre…) au lieu de passer directement à l'acte sur le corps de l'autre.

Apprendre à se contrôler

Un facteur est déterminant : l'attitude des parents. Le contrôle de soi s'apprend par l'exemple. Comment des parents qui se mettent facilement en colère, crient et se livrent à des actes de violence physique sur leur enfant pourraient-ils reprocher à celui-ci d'en faire autant ?
Il faut éviter de mordre l'enfant qui mord ou de taper celui qui tape, car alors on justifie son acte plus qu'on ne l'interdit

(« Si maman peut le faire, pourquoi pas moi ? »). Crier encore plus fort que son enfant, lui démontrer sa propre agressivité, le menacer de ne plus l'aimer, lui coller une étiquette de « méchant garçon » ou contredire devant lui l'autorité de l'autre parent sont des attitudes qui ne peuvent qu'avoir des effets négatifs à court ou à long terme.

Les **morsures**

Une morsure, cela fait mal à tout le monde. Au mordu, bien sûr, qui a besoin de réconfort et de soins, à ses parents, mais aussi aux parents du mordeur et, paradoxalement, au mordeur lui-même.
Pourquoi l'enfant mord-il ? Pour de multiples raisons, différentes selon les enfants : une recherche de connaissance de l'autre par la bouche, un moyen de défendre ses possessions, le débordement d'un mal-être, un acte que nous qualifions de « gratuit » parce que nous ne le comprenons pas…
Les morsures sont normales et banales jusque vers deux ans. L'attitude à adopter est la même que celle décrite ci-dessus et exclut à tout prix que l'on morde en retour. Lui montrer que cela fait mal ? Il le sait fort bien.
Au-delà de cet âge (deux ans, deux ans et demi), l'enfant qui mord de temps en temps lors des disputes, mais semble par ailleurs heureux et sociable, ne pose pas de problèmes. Seul celui qui semble nerveux, malheureux et mord sans raison apparente demande que l'on recherche ce qui le perturbe actuellement.

Les enfants qui mordent

À la crèche, à la halte-garderie, chez la nourrice, le personnel est souvent confronté au problème des enfants qui mordent. Parfois, il suffit qu'un enfant commence pour que toute la section s'y mette ! Malgré toute la vigilance du personnel, c'est inévitable : il n'existe aucun moyen qui fasse cesser immédiatement ce comportement.
Pour les parents du mordu, retrouver son enfant le soir avec la trace des dents sur le bras ou sur la joue est une épreuve. La morsure est vécue comme une atteinte insupportable à l'intégrité physique de leur enfant. Quant aux parents du mordu, ils se sentent coupables et craignent qu'on ne leur reproche leur attitude éducative. Heureusement, le personnel est là pour apaiser le désarroi de chacun. L'avidité orale de l'enfant n'a qu'un temps ; elle laissera beintôt la place à la parole.

Le **rire** et l'**humour**

Le rire est-il signe de santé psychologique et témoin d'un bon développement mental ? Sans aucun doute. L'enfant

qui rit prouve qu'il vit dans une bonne ambiance avec ceux qui l'entourent. Avec ses parents comme avec ses frères et sœurs, il est capable de nouer des relations simples et saines. Il sait, sans se laisser envahir par l'anxiété, prendre du recul. Il est sensible à l'humour des situations et montre ainsi qu'il les connaît bien.
Mais le rire est aussi signe de bonne santé physique. En même temps que le jeu, le rire disparaît chez l'enfant atteint d'une grave maladie. Puis revient lorsque l'enfant va mieux. Savez-vous que, de façon parallèle, le rire peut aider à être en bonne santé ? Il est prouvé que le rire libère dans le sang des substances chimiques qui aident à lutter contre les maladies… Et je ne parle même pas de la bonne santé mentale qui est bien sûr tout aussi importante.
Chaque fois qu'un enfant rit, il accumule des trésors de bien-être. Il le sait bien, puisqu'il passe une bonne partie de son temps à jouer à cache-cache derrière les rideaux, à blaguer, à rechercher les taquineries et les chatouilles. Il est sûr que l'enfant perçoit également très vite le pouvoir de son sourire et de son rire.

Un charme efficace

Telle petite fille charme son entourage avec des sourires enjôleurs et de petits rires de gorge. Tel petit garçon coupe court à toute tentative de sévérité de la part de ses parents en les accueillant, après chaque nouvelle bêtise, par un rire tout à fait désarmant qui semble dire : « Drôle, hein, mon initiative ! » Ses parents rient avec lui de bon cœur, fiers, au fond, de ce petit bonhomme si malin !
On a d'ailleurs constaté que la gaieté d'un enfant était directement liée à la bonne qualité des relations qu'il entretient avec son entourage. Si ses proches sont le plus souvent souriants et l'atmosphère détendue, l'enfant sera naturellement rieur. Si les parents sont son meilleur public, il prendra l'habitude de s'amuser et de faire rire.

Des parents « bon public »

Sans doute du fait de la fatigue ou parce qu'il ne sontpas toujours disponible, les parents sont nombreux à arrêter leur enfant dans son élan. Ils font des réflexions comme : « Arrête de faire le clown, tu n'es pas drôle ! » ; « Cesse de chahuter, tu nous casses les oreilles ! », etc.
Au lieu de se laisser entraîner à rire avec lui, ils transmettent l'idée que le rire est du temps perdu et que la vie est une chose grave à prendre avec sérieux.
Si vous voulez que votre enfant trouve la vie belle, faites le contraire :

- Taquinez-le gentiment (il perdra peu à peu sa susceptibilité) et laissez-vous taquiner en retour.
- Sachez vous moquer de vous-même lorsque vous avez fait une bêtise : il

apprendra à en faire autant. Rire de soi est la base de l'humour.

- Repérez et amusez-vous ensemble de tous les côtés absurdes ou risibles de la vie quotidienne.
- Lors d'une chute sans gravité mais pas sans peur, quand votre enfant vous regarde, hésitant entre le rire et les larmes, souriez, sans gronder ni vous inquiéter : il prendra alors le parti de rire et apprendra à exorciser ses peurs.
- Laissez-vous aller à « bêtifier » ensemble, à dire des bêtises, à jouer au monstre, à être un peu fous tous les deux.
- Mettez en évidence le côté positif ou comique des situations (il y en a forcément un, même si ce n'est pas celui qui vient le premier à l'esprit).
- Ne vous lamentez pas sur le malheur du monde et sur vos difficultés. Le sérieux et la gravité ne sont pas des valeurs en elles-mêmes et vivre n'est pas en soi un problème.
- Efforcez-vous de ne jamais finir une journée avec vos enfants sans avoir partagé avec eux quelques éclats de rire. Si vous ne savez pas de quoi rire ni comment, suivez-les dans leurs inventions . Ils savent très bien comment faire et sont merveilleusement doués pour la joie de vivre…

Riez avec votre enfant

Il n'est rien de plus triste que de grands enfants sans humour, ne comprenant pas les jeux de mots, susceptibles et ployant déjà sous le poids de leur vie.

Pour éviter cela, videz ensemble vos tensions par de grands éclats de rire complices nés du chahut, des chatouilles et du corps à corps familier.

Bien souvent, le même événement, qui nous ferait rire si on le voyait au cinéma ou chez les autres, nous énerve simplement parce que nous sommes déjà tendus et fatigués. Le rire, en détendant, dénoue les crises. Comme personne ne boude ni ne s'enferme, il ne coupe pas la communication entre les partenaires et vous verrez que tout le monde se sent beaucoup mieux.

L'habitude de rire ensemble crée une complicité entre les parents et les enfants qui se révèle très précieuse à tout âge et plus encore lorsqu'on aborde les rivages de l'adolescence…

L'enfant **superactif**

À cet âge, tous les enfants sont superactifs… Pourtant, il est clair que certains semblent plus difficiles que d'autres. On dirait qu'ils traversent une phase diabolique : ils ont une force et une énergie colossales qu'ils mettent au service du refus et des bêtises. Sans cesse en action et passant de l'une à l'autre, ils semblent ne jamais s'arrêter. On a parfois l'impression que rien ni personne ne peut en venir à bout. Ils épuisent tous ceux qui s'en occupent et, en premier lieu, leur mère. Les tensions familiales engendrées aboutissent à de véritables cercles vicieux dont on ne sait parfois plus comment sortir. Voici trois traits marquants du caractère de ces enfants :

- Toujours en mouvement, apparemment jamais fatigués, ils finissent par s'exciter et perdre tout contrôle sur eux-mêmes. Ils passent d'une activité à l'autre, semblent incapables de se concentrer, d'écouter ou de rester tranquilles quelques minutes. Ils ne peuvent soutenir leur attention sur une tâche, le temps de lire un petit livre par exemple.
- En revanche, ils détestent que vous les interrompiez dans leur activité ou que vous leur preniez ce qu'ils ont en main : c'est à eux de décider de leur activité et non à vous. Toute contrainte que l'on exerce sur eux est mal vécue. Aussi est-il difficile de leur imposer un horaire régulier : la mise au lit, ainsi que les repas, sont une véritable épreuve de force. Les difficultés de sommeil et d'alimentation ne sont pas rares.
- Ils sont de plus dotés d'un tempérament très sensible qui les fait réagir brutalement et excessivement à tout changement d'ambiance : ils se braquent, se surexcitent ou partent dans de longues colères pour des riens. Certains, bébés, avaient déjà du mal à dormir et pleuraient beaucoup.

Une vie de famille difficile

Avec un enfant superactif, la vie de la famille peut être singulièrement perturbée. Perturbation pour les autres enfants, auxquels on prête moins d'attention et qui vivent dans un climat de tension permanente. Perturbation pour les parents qui aimerait bénéficier d'un peu de repos aux repas, le soir, la nuit, et ne comprennent pas pourquoi leur autorité est sans effet. Mais perturbation surtout pour la mère qui se trouve toujours, dans ces cas-là, au centre des tempêtes. La mère est vite épuisée nerveusement au contact de son enfant. Elle a l'impression, alors qu'elle avait rêvé de câlins et de complicité avec lui, de passer son temps à interdire et à réprimander. Elle se sent incapable d'imposer une discipline suivie et la force de volonté de son enfant la fatigue (tout en la séduisant parfois).

De là naît souvent une forme de culpabilité (« Je ne sais pas m'y prendre »)et de rancune (« Il le fait exprès pour me faire enrager »). Enfin, il n'est pas rare que des problèmes familiaux ou conjugaux viennent s'ajouter à ces incessants conflits où la patience et la bonne volonté de chacun sont poussées à bout.

Il est donc important de pouvoir analyser sereinement la situation. Pour y parvenir, la réponse que vous apporterez aux questions qui suivent vous aidera à rétablir une situation moins conflictuelle et meilleure pour toute le monde.

L'hyperactivité : un diagnostic à poser

Le « syndrome d'hyperactivité » est un trouble de l'enfant maintenant bien défini. Il se définit par certains symptômes bien répertoriés, notamment des troubles de l'attention. Tous les enfants de deux ans très actifs et opposants n'en sont pas atteints, loin de là. Si vous avez un doute et si vous avez besoin d'une aide, consultez un pédopsychiatre qui saura poser un diagnostic et vous conseiller sur l'attitude à adopter.
Soyons clairs : les enfants hyperactifs ont parfois des difficultés d'apprentissage, mais celles-ci ne sont pas en relation avec un déficit intellectuel. Ces difficultés ne sont que la conséquence de problèmes d'attention et de concentration, qui peuvent être travaillés et améliorés. Certains traitements médicamenteux existent, mais, contrairement à d'autres pays, ils sont peu prescrits en France. Ils sont réservés à certains cas précis de Trouble de l'Hyperactivité avec Déficit de l'Attention avérés, aux conséquences problématiques et que les autres prises en charge n'ont pas pu améliorer. Seul un spécialiste est à même de prescrire un tel traitement et de suivre régulièrement l'enfant et sa famille.

- Qui est responsable de l'ambiance à la maison ? Qui dirige ? Qui est actuellement le maître à bord ? Est-ce bien qu'il en soit ainsi ?
- Quels sont les comportements de votre enfant vraiment inacceptables et ceux sur lesquels vous pourriez, au moins momentanément, « lâcher un peu de lest » ? Êtes-vous tous les deux, père et mère, d'accord sur ce point ?
- Quels sont les comportements qui vous font « démarrer au quart de tour » ? Pourriez-vous essayer de respirer à fond trois fois avant de commencer à crier et peut-être en profiter pour trouver une réaction plus adaptée ou plus efficace ?
- Quelles sont les situations qui tournent systématiquement au drame et que vous auriez intérêt à supprimer provisoirement (les courses au supermarché, les repas de famille, etc.) ?
- Votre enfant est-il plus facile lorsqu'il est avec d'autres adultes qu'avec vous ? Si oui, comment s'y prennent-ils avec lui ?

Pour ceux qui ont de l'énergie à revendre...

Certains enfants sont des boules d'énergie. On ne sait plus quoi leur proposer pour les défouler et les fatiguer, surtout à la maison les jours de pluie. Voici quelques idées :

- Danser sur une musique rythmée.
- Crier à tour de rôle, le plus fort possible (prévenez les voisins !).
- Taper sur des tam-tams.
- Taper dans un punching-ball, ou se jeter sur un matelas.
- Sauter sur place aussi longtemps que possible.
- Faire des batailles de polochons.
- Jouer dans la baignoire, avec le droit d'éclabousser « raisonnablement ».
- Jouer à « Jacques a dit », sur un mode « aérobic ».

- Quels moyens de pression avez-vous sur votre enfant, autres que ceux que vous utilisez et qui semblent inopérants ?
- Quel plan d'action, différent de ce que vous faites actuellement et mûrement réfléchi entre vous, pouvez-vous mettre en place afin que les choses changent vraiment ?

L'attitude éducative

Ssachez que ces enfants particulièrement actifs et difficiles ont, plus que d'autres, besoin de compréhension et de confiance. Leur vie doit être organisée avec le plus de stabilité possible. C'est la mise en place d'habitudes et de routine qui permettra d'éviter une grande part des conflits. à l'intérieur de limites bien définies, il est recommandé de confier à l'enfant certaines tâches qu'il mènera seul à bien afin de lui donner confiance en lui, qu'il se sente utile et responsable. Car le problème serait aggravé s'il se sentait souvent mis en situation d'échec par rapport à ses tentatives ou par rapport aux enfants de son âge.

La deuxième année de votre enfant se termine en beauté ! Il est maintenant debout sur ses jambes et n'a de cesse de courir, sauter, escalader, grimper, vous échapper… C'est une boule d'énergie, plein de désirs mais si peu responsable et si petit encore ! Une chose sûre : il fait beaucoup de bruit et de désordre.

Les progrès de l'enfant sont énormes dans tous les domaines. Il teste son entourage et lance des défis, il bricole et explore, curieux de tout et de chacun. Beaucoup de ses progrès sont dus à la marche et au développement de l'habileté manuelle : les progrès énormes dans le domaine de la motricité permettent à l'enfant d'aborder une période beaucoup plus active.

Parce qu'il enrichit ses relations et sa compréhension d'autrui, l'enfant découvre aussi la frustration face à son impuissance et les conflits intérieurs. D'où des manifestations parfois fréquentes de rage, de colère, de trépignement, d'agressivité, de jalousie… Avant de fondre dans un câlin ou de vous séduire en faisant le clown.

Cela peut être épuisant pour les parents. Mais qu'il est passionnant de voir la « personne » émerger derrière votre enfant ! Bébé, qui se différenciait mal de sa maman, est maintenant un individu autonome, à part entière. Il construit sa personnalité et exprime ses désirs, parfois même il dit non avec une grande conviction, pour montrer qu'il existe. Mais jamais il n'est « vilain », tant il est vrai que toutes ses bêtises sont guidées par son intelligence !

La troisième année de votre enfant

De 2 ans à 30 mois

Un petit compagnon plus câlin

À deux ans, l'enfant est devenu plus calme parce qu'il est plus sûr de lui. Un nouveau degré d'indépendance est acquis et il n'a plus à se battre pour le défendre. C'est un être d'habitudes : il s'appuie sur la routine pour développer sa confiance en lui et se forger une image rassurante du monde.

Ce qui **change**

Plus sûr de lui dans ses déplacements, plus autonome aussi, le petit enfant de deux ans à acquis un nouvel équilibre qui lui permet des démonstrations d'affection. Sa marche est plus assurée, il parle de mieux en mieux et ne pense plus systématiquement à dire non. Des mois plus sereins se profilent.

• Son **développement** physique

La marche de l'enfant est maintenant bien assurée et il tombe moins. Son développement physique tourne désormais autour de l'acquisition de l'équilibre et des « exploits » auxquels il se livre sur le toboggan ou la balançoire. Ses capacités augmentent et son champ d'exploration se fait plus vaste. La marche et la course sont plus assurées, et l'enfant est aussi plus à l'aise sur son tricycle : le jardin ou le petit square ne suffisent plus, l'univers se fait soudain plus vaste. Au milieu de sa deuxième année, l'enfant monte et descend les escaliers sans aide s'il peut se tenir à une rampe.

Évidemment, il prend des risques et se met souvent dans des situations dangereuses dont il ne sait plus comment sortir. Sa perception du danger n'est pas encore à la hauteur de ses capacités physiques. C'est pourquoi il a encore besoin d'être surveillé de près.

Les mains aussi font des progrès et permettent à l'enfant d'accroître encore son autonomie : il peut seul se déshabiller et s'habiller de vêtements simples, il sait également se laver les dents quotidiennement. Comme il peut visser et dévisser, les robinets, les poignées de porte et les bouchons ne lui résistent plus. Il sait tourner une à une, sans les abîmer, les pages d'un livre et peut monter une tour en superposant six à huit cubes. Il est souvent capable de se servir de petits ciseaux et de découper du papier (attention à vos livres!). D'une main, il tient un verre plein sans le renverser.

L'adulte n'est pas là pour empêcher, inhiber ou punir, mais pour encourager, soutenir et aider peu à peu l'enfant à acquérir la maîtrise de ses gestes et de ses escalades. Bien souvent, un encouragement de la voix (« Ah, tu ne sais plus comment redescendre. Lève un peu le pied qui est sur la barre, voilà, déplace ta main qui est sur le côté afin d'attraper la corde, penche-toi, tu vas pouvoir sauter par terre sans risques », etc.) vaut mieux qu'une intervention physique directe, car alors l'enfant n'aura rien appris sinon qu'il est un incapable. S'il s'en sort seul, il aura pris confiance en lui pour la fois prochaine.

L'adulte n'est pas là pour empêcher l'enfant d'agir mais pour l'encourager, le soutenir et l'aider peu à peu à acquérir la maîtrise de ses gestes et de ses escalades.

Son **langage**

À partir de deux ans, il fait de très gros progrès. L'enfant demande le nom des choses qu'il ignore et les répète pour bien les mémoriser. Sa mémoire enregistre mieux : alliée à une curiosité des mots très vive et à un bien meilleur niveau de compréhension, elle lui permet d'enrichir chaque jour son vocabulaire. Les mots prennent de plus en plus souvent la place des actes. Il parle au lieu de pleurer et réfléchit à un problème plutôt que de se lancer immédiatement dans des expérimentations. Son langage l'aide à développer son intelligence, qui en retour lui en permet une meilleure utilisation.

La prononciation laisse souvent à désirer car les consonnes centrales des mots sont souvent avalées, et l'enfant s'énerve vite s'il doit répéter plusieurs fois la même chose sans parvenir à se faire comprendre. Mais elle gagnera en clarté au fil des mois. Il n'est pas temps de s'en inquiéter. D'autant que l'enfant s'entraîne beaucoup, notamment lorsqu'il monologue avec ses poupées, ses petits personnages ou ses autos.

Un vocabulaire plus riche

Selon les cas, son vocabulaire comprend entre trente et trois cents mots. Il est souvent capable de faire des phrases complexes correctes, respectant la place des mots, le genre des adjectifs et la concordance des temps. Si l'enfant a

La taille à deux ans

Il est courant d'entendre dire que l'on peut connaître la taille adulte d'un enfant en doublant sa taille à l'âge de deux ans. Cette règle est fausse. Les statistiques montrent que les garçons atteignent la moitié de leur taille adulte autour de vingt-cinq mois, les filles autour de seize mois. Mais rien n'est joué encore car, à cet âge, la courbe de croissance n'est pas encore stabilisée.
Il en sera autrement plus tard, lorsque la pente suivie sera installée dans un « couloir » dont elle bouge rarement. Mais même alors, des facteurs importants interviennent dans la future taille de l'enfant, comme son âge osseux ou encore l'âge auquel surviendra la puberté. Si la composante héréditaire est souvent déterminante, il ne faut pas oublier que, d'une génération à l'autre, les enfants sont statistiquement plus grands que les parents.

entendu deux langues dès sa naissance, il commence à s'exprimer dans les deux.
Pour l'aider à développer son vocabulaire, on peut passer à une autre étape : s'appuyer sur son expérience sensorielle. Apprendre à être attentif, à voir, entendre, toucher, goûter, est un jeu passionnant pour l'enfant et d'autant plus enrichissant qu'il s'accompagne des phrases qui expliquent. Il faut lui laisser le temps de s'exprimer, même si c'est difficile, et lui expliquer le monde qui l'entoure avec des phrases simples. Ne pas seulement lui indiquer le nom des choses mais aussi à quoi elles servent et comment elles marchent. Lui fournir les mots précis : non seulement un chien, mais un épagneul ou un cocker, non seulement une fleur, mais une rose ou une marguerite, etc.
La nature offre une infinité d'occasions d'observer (les nuages qui défilent, les bourgeons qui poussent, l'araignée qui tisse sa toile), de toucher (la mousse, les feuilles différentes, les fourrures d'animaux), d'écouter (les chants d'oiseaux ou le bruit de l'eau).
Mais la maison lui offre aussi de nombreuses possibilités d'expérimenter de nouvelles sensations et de les nommer. Être attentif, savoir écouter les petits bruits, regarder les détails sont les qualités importantes à développer chez un enfant, car elles lui rendront service lors de ses acquisitions futures.

Sa **personnalité**

Si le négativisme est en baisse et le caractère plus calme, le contrôle des émotions est encore fragile. L'enfant se donne du mal pour plaire et pour bien faire et souffre lorsqu'il n'y parvient pas. Surtout s'il est l'objet de critiques et de réprimandes. Comment comprendrait-il que papa a droit à la mousse à raser et pas lui, que maman peut se mettre du vernis à ongles et pas elle ? Est-ce sa faute si le flacon est tombé sur la moquette blanche ? En shampouinant la moquette, il voulait seulement vous rendre service...

Parce qu'on attend de lui qu'il soit « propre » (c'est-à-dire continent), il aime se défouler en faisant des saletés. On lui demande de se détacher de ses matières ? Il va en trouver de nouvelles à exploiter : peinture, mousse à raser, shampooing, produits de maquillage, produits à vaisselle vont désormais s'étaler sur le sol, la moquette, les murs, les poupées ou son propre corps. Tout nouveau matériau est intéressant, toute nouvelle expérience bonne à prendre. Comment laisser s'exprimer son esprit scientifique tout en limitant les dégâts ? Il va falloir faire preuve d'imagination.

Son intelligence conceptuelle fait un grand bond : il est désormais capable de classer les objets par couleurs et par formes, d'ordonner et de dénombrer quelques éléments. Cette intelligence logique, il va la mettre au service de ses explorations. Agissant tantôt comme un détective, tantôt comme un scientifique, il passe beaucoup de son temps à chercher, fouiller, démonter, explorer. Il est bon de mettre à sa disposition des objets qu'il peut facilement scruter si on ne veut pas qu'il s'en prenne au mécanisme interne du réveil ou au fonctionnement du mixer.

Les peurs

Le moment du coucher devient, parfois avec le repas, le moment le plus difficile à gérer de la journée. Se retrouver seul dans sa chambre lui est insupportable. Il a peur du noir, peur des fantômes et ne fait pas encore très bien la part entre le réel et l'imaginaire. Il voudrait faire durer la séparation au maximum, alors les rituels du soir n'en finissent plus. Heureusement, il est très attaché à sa peluche ou à son tissu favori qui lui tient compagnie lorsque les parents ont enfin refermé la porte pour de bon.

Le début de l'autodiscipline

S'il est moins provocateur et désobéissant, c'est qu'il commence à intégrer les règles de la vie de groupe. Il les fait siennes au point de les faire appliquer à ceux qui ne les respectent pas. Il peut facilement expliquer à un autre enfant qu'on ne déchire pas les livres et à son père qu'il doit boucler sa ceinture de

sécurité ou que c'est mal de faire tomber un verre. Il connaît les lois de base, se les répète et tente de les appliquer et de les faire appliquer. Il a compris, et cela éclaire sa vision du monde, que les règles n'ont pas été inventées pour l'embêter lui, mais qu'elles sont les mêmes pour tous. Il commence à intégrer le fait qu'il n'est pas le centre du monde mais membre d'une communauté.

Son **rapport** aux autres

L'enfant de deux ans est devenu un être social complexe et à part entière. Même si ses jeux se déroulent encore plus en parallèle avec les autres enfants qu'en réelle interaction, il tire plaisir à être avec des copains de son âge. Il développe des amitiés dont certaines se prolongeront sur des années. Il imite fréquemment ses compagnons de jeux et communique avec eux de façon beaucoup plus fine. S'il aime et recherche les contacts avec eux, il est encore maladroit dans ses relations. La morale et la patience ne sont pas de son âge; aussi gentillesse et agressions peuvent-elles alterner assez rapidement envers un même copain, rendant les rapports brefs et conflictuels. Cela aussi s'arrange doucement.

Il n'est sans doute pas prêteur, mais c'est normal à cet âge. Ce qui est « à moi » définit l'autonomie et le rassure sur sa valeur personnelle. Vous ne lui permettez pas de toucher à ce à quoi vous tenez : il fait de même. Peu à peu, vous lui expliquerez et il comprendra que, lorsque l'on prête, on retrouve, que l'on peut aussi emprunter. Mais cela viendra plus tard, lorsqu'il se sentira assez sûr de lui pour partager.

Dans ses rapports avec les adultes, il a appris l'essentiel : comment on leur fait plaisir, comment on les met en colère, comment on attire leur attention. Il sait exprimer de façon adéquate et fine ses humeurs et ses émotions, ses désirs et ses refus. Il aime toujours la compagnie des adultes et ne demande pas mieux que de s'intégrer à leurs activités : aider aux tâches ménagères ou au bricolage (profitez-en car cela ne dure pas!).

Ses **jeux** favoris

En parallèle, l'enfant est davantage capable de jouer seul. Son imagination et sa créativité lui permettent de développer des scénarios qu'il prolonge pendant de longs moments, les reprenant au besoin le lendemain. Ses jeux préférés consistent à démonter et remonter les objets. Il tire une grande satisfaction à voir qu'un objet peut être détruit et reconstruit comme il était avant. Un établi, rudimentaire mais avec des outils semblables aux vrais, lui fait grand plaisir. Les puzzles, les cubes et les gros jeux de construction participent aussi de ce mécanisme. Il aime les petits personnages qu'il peut faire évoluer à sa guise, de la maison au parc, de l'école au garage, ainsi que les marionnettes auxquelles il commence à savoir prêter vie.

Les enfants de deux ans adorent qu'on leur lise et leur relise des histoires qui reflètent leur vie de tous les jours : celle du petit ours qui ne voulait pas se coucher, celle du petit lapin qui avait peur du noir ou celle du petit canard qui ne savait pas nager. Si vous avez un peu d'imagination, n'hésitez pas à en inventer : vos histoires seront les plus passionnantes, car elles intégreront vraiment des éléments du vécu de l'enfant. En outre, elles seront adaptées à son vocabulaire et évolueront au rythme de son intérêt.

Parce que votre enfant grandit, qu'il touche à tout, démonte les objets, explore les placards et joue les équilibristes, le risque est grand de le surprotéger. S'il est important de prévenir les dangers réels, il convient aussi de ne pas fragiliser l'enfant par phrases qui n'attirent l'attention que sur les risques et les faiblesses.

Grandir sans risque

« Ne cours pas, tu vas tomber ! », « Écarte-toi, tu vas te brûler ! », « Si tu ne dors pas, tu seras fatigué et désagréable demain ! », « Ferme ton manteau, sinon demain tu seras enrhumé ! », « Si tu ne manges pas ta soupe, tu ne grandiras pas »... Autant de phrases que l'enfant entend souvent. Les parents qui les prononcent ne se rendent généralement pas compte qu'ils présentent à leur enfant une vision du monde dangereuse, négative... Et fausse. Qui dit que l'enfant tombera, se brûlera ou s'enrhumera ? Les parents seulement. Mais une fois que la phrase est prononcée, elle a plus de chances de se vérifier. L'enfant considéré comme fragile par ses parents pourrait finir par se montre plus timoré, donc plus vulnérable.

Pourquoi utiliser le futur, comme un mauvais oracle : « Tu vas tomber », et non le conditionnel : « Tu pourrais tomber », ou « Tu risques de tomber » ?

Il est vrai qu'il faudra longtemps à l'enfant avant d'acquérir le sens du danger. Il ne ressent pas une peur instinctive lorsqu'il se met dans une situation à risques. C'est donc bien aux adultes de faire son éducation. Mais il ne faut pas se tromper de moyen et finir par fragiliser l'enfant ou miner sa confiance en lui, à seule fin de le protéger.

Apprendre à **ne pas dramatiser**

L'inquiétude des parents doit décroître à mesure que les capacités de l'enfant croissent. Surveiller et prévenir, oui, mais ne pas préserver à tout prix de tous les dangers. Une phrase comme « C'est risqué de grimper là, mais si je suis à côté de toi, tu peux essayer, vas-y » encourage l'enfant à maîtriser un nouveau geste.

Elle est beaucoup plus formatrice qu'une simple interdiction.

Le rapport de l'enfant à sa santé

Trop de parents considèrent leurs enfants non comme des individus résistants dont l'état naturel est la pleine forme, mais comme d'éternels malades en puissance. Ils lui interdisent le moindre manquement aux habitudes, lui prédisant mille désagréments s'il sort sans bonnet, mange du chocolat, reste en plein soleil ou passe trop de temps dans la piscine. Dans le même temps, être malade est presque une chance pour l'enfant : on s'occupe de lui, on lui fait un petit cadeau, on l'emmène chez le médecin, on le soigne, il reste au lit, on ne le force plus à manger autre chose que de la purée ou des coquillettes, maman ne va pas travailler, etc. Une vraie joie. Mais qui le félicite, le remercie ou lui fait un présent lorsqu'il n'a pas été malade depuis trois mois ? Personne. Si bien que tomber souvent malade peut devenir, dans l'esprit de l'enfant, une situation plus appréciable qu'être en bonne santé…

L'enfant met du temps pour acquérir le sens du danger. C'est donc aux adultes de faire son éducation, mais sans le fragiliser ni miner sa confiance en lui en voulant trop le protéger.

Comment faire ?

- Valoriser la bonne santé et ne pas « récompenser » la maladie, dont on doit s'occuper juste ce qui est nécessaire, en prenant garde à ne pas en faire une situation « agréable ». La remarque vaut aussi pour les petits accidents, coupures, brûlures, bleus ou bobos en tous genres : une attitude sereine et confiante vaut toujours mieux que de se précipiter, plein d'angoisse, sur la pharmacie du coin ou le numéro du SOS-Médecins. Bien souvent, l'enfant a tout en lui pour guérir simplement.
- Adopter envers sa propre santé l'attitude que l'on aimerait développer chez son enfant, car l'exemple vaut plus que tous les discours. Cela signifie ne pas se plaindre tous les soirs de la fatigue ou de la migraine, ne pas parler de ses maladies, ne pas avoir systématiquement recours à l'armoire à pharmacie, ne pas prendre de médicaments quotidiens devant les enfants, etc.
- Expliquer à l'enfant, à l'aide d'images et de comparaisons simples, ce qui se passe dans son corps lorsqu'il est malade et le persuader qu'il peut agir sur sa santé. Certains livres pour enfants peuvent vous

aider à trouver les mots pour expliquer la fièvre, les microbes ou les vaccins. Mais on peut dire tout simplement à un enfant qui vient de se faire une coupure : « Tu vois, comme tu as coupé une petite veine, le sang qui passait dans la veine s'écoule au-dehors. Comme cela, il nettoie la plaie. Mais dans le sang, il y a des petits éléments qui s'appellent les plaquettes, et qui agissent sur la coupure comme les pompiers qui viennent éteindre le feu : ils vont boucher le trou et fabriquer une croûte. Sous la croûte, la peau se reformera et, lorsqu'elle sera prête, la croûte tombera. Pour l'instant, on va mettre un petit pansement ; moins tu toucheras à ta coupure, moins tu y penseras et plus elle guérira vite. » Chaque soir, on peut, en changeant le pansement, montrer à l'enfant la progression de la cicatrisation, donc de la guérison.

- Leur renvoyer d'eux-mêmes l'image d'enfants en bonne santé, résistants aux microbes comme aux petites douleurs, capables d'avoir une influence sur leur état physique.

Les **dangers** de la maison

Traditionnellement, la maison est un lieu où l'on se sent en sécurité. Malheureusement, elle peut aussi être pour l'enfant un lieu de grands dangers. De nombreuses études ont été menées dans le but de

Les peurs des enfants de deux ans

À cet âge, l'enfant commence à s'aventurer hors des limites habituelles. Les rencontres qu'on y fait ne sont pas toujours des plus rassurantes. Aussi va-t-on voir apparaître chez certains enfants, lorsqu'ils ont eu une expérience désagréable, la peur du médecin et la peur des animaux par exemple. La rencontre avec le gros chien qui a fait peur parce qu'il a sauté ou aboyé peut suffire. Selon leur vécu, certains enfants peuvent aussi développer une peur de l'eau. Après deux ans, l'enfant gagne vite en indépendance. Il est très énergique, ses peurs aussi. Imaginatif, il n'a pas seulement peur des réalités de la vie, mais aussi de son monde intérieur, plus dangereux encore. C'est dans ce cadre qu'apparaissent la peur de l'obscurité, mais aussi la peur de l'orage ou celle de s'endormir.

mieux comprendre le nombre important d'accidents domestiques et d'en analyser les raisons. Il apparaît clairement qu'un accident n'arrive pas à n'importe qui ni n'importe quand. Certains facteurs sont liés à l'enfant, d'autres à son environnement.

Les enfants « aventuriers »

Le comportement de l'enfant est déterminant : entre un et cinq ans, mais plus particulièrement encore vers deux, trois ans, il traverse une phase de développement moteur intense. Il va partout, il grimpe, il escalade. Il aime l'aventure et la découverte. Sa curiosité le pousse à vouloir tout essayer, tout explorer. La fascination qu'exercent sur lui les objets et les lieux interdits est liée au désir de faire « comme les grands ». Son caractère plutôt opposant favorise la provocation : il ne respecte les interdits que très approximativement.

En face de tout cela, il manque encore trop de maturité pour prendre conscience des risques qu'il prend. Les chiffres nous indiquent que les accidents touchent plus fréquemment les garçons que les filles, et de préférence les enfants anxieux et hyperactifs.

Le rôle des parents

Les facteurs de l'environnement sont eux aussi très importants. Environnement familial d'abord : le climat affectif est déterminant, ainsi que les réactions parentales face aux dangers et le niveau de surveillance de l'enfant. On sait maintenant que beaucoup d'accidents surviennent dans une situation de « présence-absence » des parents : ils sont là, mais inattentifs car occupés ailleurs (au téléphone, avec un autre enfant, etc.). L'accident peut alors être entendu comme un mode d'appel, qui n'enlève rien au défaut de surveillance.

Mais l'environnement matériel compte également : la maison est-elle équipée pour qu'y vive sans danger un jeune enfant ? les parents ont-ils fait pris toutes les mesures possibles pour minimiser les risques ? ont-ils bloqué l'accès à la terrasse, mis hors d'accès les produits dangereux, rendu inaccessibles les prises de courant ?

Pour résumer, les parents ont deux façons complémentaires d'agir pour protéger leur enfant : aménager l'espace et l'éduquer au danger.

Aménager l'espace

Quand on vit avec un jeune enfant, le souci de la sécurité doit être une préoccupation permanente. Il est impossible de fournir ici une liste exhaustive de tout ce qui peut être dangereux dans une maison : à chacun de parcourir les pièces de son logis en se posant toutes les questions nécessaires. Il peut être utile, néanmoins, de préciser certains facteurs.

- Sept accidents sur dix ont lieu dans la cuisine (un tiers sont des intoxications) et deux sur dix dans la salle de bains (intoxications, brûlures, chutes).
- Les parties basses de ces pièces sont évidemment celles auxquelles l'enfant a le plus facilement accès. Aussi faut-il mettre en hauteur les produits d'entretien, les ustensiles tranchants, les objets cassables.
- Il faut être vigilant en ce qui concerne les fils et les prises électriques. Les brûlures peuvent venir de la porte du four ou des plaques électriques, mais également de la chute d'une poêle dont l'enfant aura tiré le manche.
- Dans la salle de bains, le risque principal vient des médicaments, qui doivent impérativement être rangés sous clé. Mais les chutes ou les glissades dans la baignoire, ainsi que les brûlures et les hydrocutions sont aussi fréquentes.
- D'autres lieux de la maison sont également dangereux. Pensez aux produits du jardin, au lit qui se trouve sous la fenêtre, aux appareils de chauffage en mauvais état, aux plantes vertes qui sont de vrais poisons, sans oublier les sacs en plastique (qui peuvent étouffer s'ils sont mis sur la tête) et les cacahuètes (qui peuvent obstruer la trachée-artère).
- Toute la maison ne peut être parfaitement sûre, mais concentrez vos efforts sur la chambre de l'enfant : pas de prise sans cache-prise, pas d'angle vif, pas d'escalade dangereuse, etc. Ainsi, quand vous êtes occupé ailleurs, il y a toujours un endroit où votre enfant peut jouer sans risque en vous attendant. Pour le reste, vos précautions seront toujours insuffisantes. Aussi faut-il, en parallèle, éduquer l'enfant au danger et aux risques.

L'éducation au danger

On a vu que tous les enfants ne prennent pas les mêmes risques, que tous ne font pas les mêmes bêtises, et que l'attitude éducative des parents est déterminante. Voici quelques pistes qui peuvent vous permettre de réfléchir.

- Il faut être très net quand on signifie un interdit de danger à un enfant. Il doit bien comprendre qu'il ne s'agit pas de vous faire plaisir, comme tous les interdits de confort, mais d'un risque réel pour lui. Dire « non » ne suffit pas : il faut expliquer pourquoi cette chose est interdite, le dire avec des mots simples et ne pas craindre de le répéter.

Pour certains enfants, cela ne suffit pas : « Le feu brûle » est une assertion qui demande à être vérifiée. Si vous êtes présente et si vous avez averti clairement votre enfant du risque encouru (et mesuré), laissez-le vérifier. Pour une peine minime, il aura appris que vous dites vrai et votre prochain avertissement portera davantage.

- Vous ne pourrez pas toujours tenir votre enfant éloigné des couteaux, des

LES ACCIDENTS DOMESTIQUES

Entre un et quatre ans, intoxications, chutes, brûlures et noyades sont si fréquentes qu'elles sont devenues un problème majeur de santé publique.

- La France détient en effet le triste record du taux d'accidents domestiques : le taux de décès accidentels pour mille enfants de un à quatre ans y est de 17,9 alors qu'il est de 12,5 aux Pays-Bas et de 11,5 en Grande-Bretagne.
- Chaque jour en France, trois enfants entre un et neuf ans meurent dans un accident. Dans la tranche d'âge de un à quatre ans, il s'agit de la première cause de mortalité. La moitié de ces accidents sont dits « domestiques », c'est-à-dire qu'ils surviennent au foyer.
- Les accidents n'entraînant pas la mort (mais laissant parfois des séquelles graves) sont mille fois plus nombreux. Environ un enfant de moins de cinq ans sur vingt consulte pour accident domestique. Dans 80 % des cas, il s'agit de traumatismes (chocs, chutes), dans 11 % d'intoxications et dans 8 % de brûlures.
- Près de 30 enfants se noient chaque année dans des piscines privées.

Ces chiffres effrayants doivent absolument diminuer grâce à la vigilance de chacun. Un travail d'information important doit être fait et tous les parents doit être alertés des risques que courent les jeunes enfants. En effet, beaucoup de ces accidents ont lieu lorsque les parents sont présents mais occupés.

ciseaux, des appareils électriques, etc. Aussi une attitude éducative préventive consiste-t-elle à apprendre à l'enfant à se servir des choses plutôt que de toujours les tenir cachées. Cela doit se faire en fonction de son âge et de sa maturité, et bien entendu en présence de l'adulte tant que la maîtrise n'est pas acquise.

Quand un petit accident survient, que votre enfant se coupe ou se brûle légèrement, qu'il tombe après avoir pris un risque mal calculé, il est préférable, plutôt que de se fâcher, d'expliquer à l'enfant ce qui s'est passé et en quoi le risque encouru était trop grand. Concluez en lui montrant comment il aurait pu aboutir au même résultat de façon plus sûre, ce qui est une autre manière de responsabiliser l'enfant et de lui témoigner sa confiance.

- Enfin, l'enfant doit vite comprendre que les règles de sécurité sont les mêmes pour tous et que ce n'est pas pour le brimer que vous lui interdisez de jouer avec le fer à repasser ou le couteau de cuisine. Un adulte qui manie maladroitement un couteau se coupe et saigne aussi. S'il tombe, il a mal.

Le **voyage** en voiture

Votre enfant doit obligatoirement voyager dans un siège-auto homologué, puis dans un siège rehaussé, et être retenu par sa ceinture de sécurité. Vous devez être absolument intransigeant là-dessus. Il l'acceptera d'autant mieux que vous donnerez vous-même l'exemple.

On voit encore trop, aujourd'hui, malgré les informations et les interdictions, d'enfants qui voyagent assis sur le siège avant, ou à l'arrière mais sur les genoux d'un adulte, ou simplement sans ceinture. Quand on connaît les risques encourus, le nombre d'enfants blessés ou tués chaque année sur la route, la violence de l'impact, en cas de choc, d'un petit crâne d'enfant sur le pare-brise, on comprend que ces comportements sont inadmissibles. Ils sont de plus, depuis peu, contraires à la loi.

Pour la sécurité des enfants, il est recommandé :

- de bloquer le système de sécurité des portières arrière du véhicule de façon que l'enfant ne puisse les ouvrir de l'intérieur ;
- de ne pas déposer d'objets lourds ou tranchants sur la plage arrière ;
- de ne pas trop baisser les vitres arrière afin que les petits bras n'aient pas la possibilité de s'y glisser ;
- d'enfermer les animaux dans un panier spécial ou de les isoler du conducteur avec un filet ;
- de faire des pauses régulières où chacun se détend et se dégourdit les jambes.

Tel enfant se réveille toutes les nuits, en proie à des frayeurs, et vient les apaiser dans le lit parental. Tel autre appelle plusieurs fois par nuit et ne se calme qu'avec un gros câlin. Ajoutez à cela la fatigue des parents dix à vingt pour cent des consultations pédiatriques concernent les troubles du sommeil...

Des nuits mouvementées

On estime aujourd'hui que près de la moitié des enfants de deux ans se réveillent au moins une fois par nuit. Les raisons de ces réveils sont sans doute, dans le détail, aussi nombreuses qu'il y a d'enfants, mais on peut malgré tout trouver des points communs ou fréquents.

Les **réveils** nocturnes

Lenfant n'aime pas être séparé de ses parents la nuit. Il est à la fois jaloux de leur intimité et désireux de ne pas passer tant d'heures sans les voir. Il ne comprend pas, spontanément, pourquoi l'on pourrait être ensemble la journée mais que l'on devrait être séparés la nuit. Les habitudes anciennes où toute la famille partageait la même pièce lui conviendraient tout à fait.

Il arrive également que l'origine des troubles remonte à une maladie banale. L'enfant souffrant se réveille la nuit et ses parents le prennent dans leurs bras pour le rendormir doucement en le berçant. Une fois la maladie finie, l'habitude est prise et l'enfant ne voit pas pourquoi il se passerait du plaisir de voir ses parents la nuit. Ce besoin dure de plus en plus longtemps, puis se reproduit deux heures plus tard et il faut tout recommencer.

L'enfant dans le lit de ses parents

De nombreux enfants qui se réveillent la nuit, plutôt que d'appeler, préfèrent venir se glisser dans la rassurante chaleur du lit parental. De nombreux parents, plutôt que de se réveiller et de reconduire l'enfant dans son lit, préfèrent lui faire une petite place. Cela est encore plus fréquent et plus tentant lorsque le parent est seul dans son lit. Chacun son choix. Ces choses-là se produisaient fréquemment autrefois et se pratiquent encore dans d'autres pays. Aujourd'hui, elles ne sont plus culturellement admises dans les pays occidentaux.

Il faut savoir que, si la démarche de l'enfant réussit et qu'il est accueilli pour la nuit dans le lit parental, elle se reproduira les nuits suivantes. C'est fou comme l'enfant considère vite comme des habitudes les exceptions qui lui conviennent ! En revanche, si la démarche échoue nettement et fermement, elle cessera. Aux parents de savoir s'ils sont plus gênés d'avoir leur enfant dans leur lit ou de le renvoyer, en le rassurant, dans la solitude du sien. Un cas particulier peut être fait des suites de cauchemars, où l'enfant vient se glisser contre l'un de ses parents pour lutter contre les fantômes de la nuit, mais nous y reviendrons.

C'est fou comme l'enfant considère vite comme des habitudes les exceptions qui lui conviennent !

Dans le cas habituel, il est vivement recommandé, dès le plus jeune âge de l'enfant, d'installer son lit dans une autre chambre que celle de ses parents. Mais comment réagir si, plus grand, il se glisse dans le lit parental au milieu de la nuit ? Dire non, fermement non, si cela se reproduit régulièrement et entraîne le départ de l'un des parents qui, pour faire la place à l'enfant, s'en va dormir ailleurs, sur le divan du salon ou dans le lit, désormais libre, de son enfant.

Les attitudes à éviter

Tous les parents expriment clairement leur souhait : que leur enfant « fasse » des nuits entières et qu'ils puissent, eux aussi, dormir enfin toute la nuit d'une traite. Mais les choses que l'on fait inconsciemment ne sont pas si simples et ne mènent pas forcément là où l'on souhaite aller. C'est ainsi que certains comportements parentaux ouvrent la porte à des troubles du sommeil ou simplement permettent qu'ils durent. En voici quelques-uns qu'il vaut mieux éviter :

- Menacer régulièrement l'enfant du lit comme d'une punition et le coucher en vitesse, le soir, comme pour s'en débarrasser.
- Devenir l'esclave de ses insomnies et se mettre à sa disposition à toute heure de la nuit. Tant que l'enfant trouvera des avantages à se réveiller et à appeler, il le

fera. Et le plus clair de ces avantages est évidemment de passer du temps avec sa mère, même si elle râle. C'est donc le premier avantage qu'il faudra supprimer.

- Changer d'attitude chaque nuit face à ses réveils nocturnes. Une nuit, les parents se fâchent, une autre ils se lèvent, une troisième, par lassitude, ils laissent l'enfant se glisser dans leur lit. L'enfant ne sait pas à quoi s'attendre, alors, à tout hasard, il tente sa chance.
- Aggraver le problème avec des désaccords parentaux. L'un est partisan de la tolérance, l'autre de la fermeté. L'enfant aura tôt fait de s'engouffrer dans la brèche et de transformer un moment pénible en un conflit généralisé ! Mieux vaut discuter calmement de la conduite à tenir dans la journée plutôt qu'à deux heures du matin, quand tout le monde est fatigué et au bord de craquer.
- Quand un enfant se réveille exceptionnellement, aller le voir et le prendre dans ses bras ou le lever. Mieux vaut tout simplement poser doucement sa main sur lui et le rassurer de la voix.
- Inclure dans le rite du sommeil un élément qui rend le parent indispensable, comme de tenir la main de l'enfant pour l'aider à s'endormir.
- Donner des sirops pour avoir la paix. C'est une solution de facilité qui ne s'attaque aucunement aux racines du problème (voir le chapitre suivant). En revanche, il peut être parfois utile, et même efficace, que la mère, elle, prenne un somnifère et mette dans ses oreilles des boules qui l'isoleront des bruits extérieurs !
- Vouloir à tout prix que son enfant dorme : c'est impossible. Mais on peut lui enseigner le calme, l'autonomie et la tranquillité – ce qui est bien suffisant pour que les parents, eux, dorment correctement.

Ce que vous pouvez faire

Voici maintenant quelques conseils de bon sens qui vous permettront peut-être de mieux comprendre votre problème. Dans le cas contraire, n'hésitez pas à vous faire aider par quelqu'un d'extérieur.

- Interrogez-vous sur le plaisir que vous trouvez vous-même, au-delà de la fatigue, à voir votre enfant la nuit, le bercer, jouer avec lui. Beaucoup de parents privés du leur pendant la journée trouvent que ces heures de nuit ont finalement quelque chose de très doux.
- Quel enfant étiez-vous ? Si vous étiez vous-même un enfant au sommeil difficile, il est bien possible que vous transmettiez à votre insu un message du style : « C'est normal que mon fils (ma fille) ne dorme pas la nuit, puisque j'étais pareil étant petit… » L'enfant ressent cela et sait qu'au-delà des apparences, il vous fait plaisir en vous ressemblant.
- Profitez de la journée pour donner à votre enfant tout l'amour et l'attention dont il peut avoir besoin. Ainsi, il a

moins besoin d'appeler la nuit. Et les parents ont la conscience tranquille pour ne pas lui répondre.

- Profitez également de la journée pour discuter et mettre au point une stratégie à appliquer la nuit, en essayant de vous y tenir.
- Ne négligez pas le rituel de mise au lit et confiez à votre enfant ses peluches, ses tétines et ses doudous. Puis faites-lui clairement comprendre qu'on ne se reverra que le lendemain.

Le jour où « ça suffit »

Le jour où vous aurez vraiment décidé de faire cesser ces réveils nocturnes et que vous vous sentirez la force de ne plus répondre aux appels, voilà comment vous y prendre :

- Expliquez à votre enfant que maintenant c'est fini et que la nuit, c'est fait pour dormir. Comme vous le lui avez déjà dit cent fois, il ne vous croira pas sur le moment.
- Lorsqu'il se réveille, laissez-le pleurer un moment, puis levez-vous et expliquez-lui de nouveau les nouvelles règles : « Fais ce que tu veux au calme dans ton lit, c'est ton problème, mais laisse-nous dormir. Prends ton doudou, enfouis ton visage dedans : il te tiendra compagnie à notre place. C'est fini, nous ne serons plus disponibles la nuit. » Retournez vous coucher. S'il pleure encore, recommencez, si possible sans vous lever, de la voix simplement.
- Envoyez le père expliquer fermement mais gentiment : « Ta mère se repose, elle dort, alors elle ne viendra pas te voir maintenant. Je comprends tout à fait que tu aies du mal à l'accepter. Mais elle passe ses nuits avec moi, pas avec toi. Moi-même, c'est la dernière fois que je me relève. Nous te retrouverons demain matin avec beaucoup de plaisir. Maintenant, bonne nuit. »

Veillez ensuite à ne pas revenir sur ce que vous avez dit, même si le temps des pleurs vous semble long. Ce temps sera plus court demain, et encore plus court après-demain.

Le secret de la réussite tient en trois points :

- Vous êtes sûr de vous et de votre choix.
- Vous êtes d'accord entre vous.
- Vous maintenez nuit après nuit la même attitude affectueuse, rassurante mais catégorique.

Peut-on donner des sédatifs ?

Outre les habitués du réveil nocturne, il y a aussi les enfants qui mettent très longtemps à s'endormir. Pour les parents, la tentation est grande, certains soirs, de recourir à des sédatifs. Pourtant, sauf cas graves et exceptionnels, la plupart des experts refusent l'utilisation de sédatifs pour faire dormir les petits enfants. Les raisons sont les suivantes :

LES CAUSES D'INSOMNIE

Lorsque l'on parle de réveils nocturnes, l'attitude sensée consiste d'abord à s'assurer qu'ils n'ont pas de raison médicale ou externe.

- Des maladies aiguës (comme une otite séreuse ou une infection urinaire) ou chroniques peuvent passer inaperçues mais justifier, par la douleur, le réveil de l'enfant. Il en est de même pour une difficulté respiratoire passagère (nez encombré) ou une période d'éruption dentaire.
- Des éléments de l'environnement peuvent aussi jouer un rôle déterminant : si l'air de la chambre est trop sec et trop chaud, l'enfant peut se réveiller parce qu'il a soif ou qu'il transpire. Le bruit (télévision, voisins, voitures dans la rue) peut également troubler le sommeil d'un enfant.
- La grande majorité des problèmes durables de sommeil sont d'origine psychologique. Aucun traitement ni sirop n'en viendra à bout, mais une réflexion aboutissant à un changement dans les habitudes éducatives. Le sommeil de certains enfants est fréquemment troublé par une autre cause.
- Les cauchemars ou les réveils nocturnes sont aussi un facteur important, même si le cas est un peu différent des autres car l'enfant pleure mais il ne se réveille pas forcément. Il est envahi par la peur et a besoin d'être rassuré. Là encore, la cause est psychologique.

- Les sédatifs ne soignent pas le problème psychologique, éducatif ou relationnel. Ils provoquent seulement l'endormissement. Or, ils ne peuvent être utilisés que peu de temps consécutivement. Quand vous les supprimez, la situation reprend de la même façon.
- Les sédatifs sont inefficaces sur un grand nombre d'enfants. Il est fréquent que l'enfant, sentant leur effet, s'énerve encore plus pour lutter contre. C'est un effet paradoxal pour le moins ennuyeux...

Les sirops calmants

La demande des parents pour obtenir du médecin qu'il prescrive un médicament miracle qui va résoudre une bonne fois les problèmes chroniques du sommeil de leur enfant est souvent pressante. Malheureusement, un tel médicament n'existe pas.

Les sirops existants masquent les troubles, mais ne les résolvent aucunement car ils ne soignent pas la cause. Par leur action, ils perturbent le déroulement naturel du sommeil. De plus, ils entraînent parfois des effets paradoxaux où l'enfant s'excite encore davantage pour lutter contre le sommeil qui lui est imposé.
Parce que les sirops sont faciles d'emploi et les troubles du sommeil particulièrement éprouvants, les parents sont tentés d'augmenter les doses quotidiennes : une habitude néfaste s'installe, dont il sera difficile de se défaire et dont on connaît mal les effets à long terme.

Des alternatives aux sirops calmants

Pourquoi ne pas plutôt utiliser le pouvoir calmant de certaines plantes ? En tisane ou en infusion, vous pouvez donner à boire à votre enfant du tilleul, de l'oranger ou de l'aubépine. À essayer également : valériane, teinture de passiflore et eau de fleur d'oranger, à raison d'une vingtaine de gouttes dans un demi-verre d'eau chaude sucrée.
Le bain est aussi une bonne préparation au sommeil. Mais la seule solution réellement efficace consiste à comprendre ce que signifie le trouble du sommeil et à modifier ce qui doit l'être dans la vie de l'enfant. Enfin, sachez que les troubles du sommeil, s'ils sont très fréquents à cet âge, s'améliorent avec le temps.

La **peur** du noir

Rares sont les enfants qui y échappent totalement. La peur du noir apparaît, le plus communément, entre deux et cinq ans, à une étape charnière du développement de l'enfant, lors d'un nouvel apprentissage par exemple, ou lors de la mise en place d'un changement de vie. L'enfant, qui jusqu'ici ne se plaignait pas lorsque ses parents éteignaient la lumière en sortant de la chambre le soir, commence à réclamer que la lampe reste allumée dans la chambre ou dans le couloir et qu'on ne ferme pas la porte. Parfois même il se réveille au milieu de la nuit et on le trouve assis dans son lit, tremblant de peur. Selon son imaginaire, il parle alors de loups, de monstres, de vilains messieurs, de voleurs, d'un mauvais rêve ou seulement d'une peur sans objet.
Sur le moment, les parents d'aujourd'hui sont plutôt surpris. Eux qui ont pris soin de ne jamais menacer du croque-mitaine, qui n'ont jamais lu *La Chèvre de monsieur Seguin* et qui n'ont jamais raconté *Le Petit Chaperon rouge* qu'avec un grand luxe de précautions oratoires se trouvent désarçonnés par ce qu'ils qualifieraient volontiers de sornettes.

Une crainte partagée

Mais si les loups se font rares, les peurs, elles, sont restées. Et si les sorcières n'existent pas, la peur, elle, existe « pour

de vrai ». Preuve qu'elle vient d'ailleurs et que les histoires effrayantes que l'on a de tout temps racontées aux enfants le soir à la veillée, si elles n'arrangent rien, ne sont pas à l'origine des peurs. Elles en sont l'expression. Sans images sorties des contes, la peur se nourrira des ombres ou du bruit de la pluie sur le toit. L'habitude de faire dormir les enfants dans l'obscurité totale est d'ailleurs relativement récente. Bizarrement, elle date de l'avènement de l'électricité et de l'interrupteur. Elle est apparue en même temps que la nouvelle habitude qui consiste à les faire dormir seuls dans leur chambre.

Si les loups se font rares, les peurs sont restées. Car sans images sorties des contes, elles se nourrissent des ombres ou du bruit de la pluie sur le toit.

Supprimer l'obscurité

Il semble que l'on ait, depuis le début du siècle dernier, sous-estimé les besoins qu'ont les petits enfants et négligé les conditions qui peuvent leur assurer un sommeil paisible. Parmi celles-là, le fait de pouvoir se repérer dans l'espace lorsque l'on se réveille au milieu de la nuit compte pour beaucoup. Or, on sait que les petits enfants passent en sommeil léger, voire se réveillent tout à fait, plusieurs fois par nuit.

S'il fait nuit noire, l'enfant est perdu, désorienté. Souvent, il va appeler et réveiller ses parents afin qu'ils viennent le rassurer. Mais s'il voit suffisamment, grâce à une petite lumière intime et rassurante qui vient de la veilleuse ou du couloir, il va vite pouvoir saisir où il se trouve, se remettre dans le sens du lit et récupérer seul son doudou ou son ours.

Dès qu'il n'aura plus de couches la nuit, il pourra se lever seul pour se rendre aux toilettes ou jusqu'à son pot, ce qu'il n'oserait jamais faire dans le noir complet avant plusieurs années.

On voit que laisser une veilleuse à l'enfant non seulement ne nuit pas au développement de son autonomie, mais au contraire la renforce. Un jour, plus tard, il vous dira tout aussi nettement que cette lumière l'empêche de dormir et qu'il préfère s'endormir dans le noir. Mais ce jour-là, son sommeil aura changé de nature, il saura allumer une lampe de chevet et il aura bien grandi.

Rassurer l'enfant

Installer une veilleuse n'est pas suffisant. Il est bon également de rassurer l'enfant. On le prend dans ses bras, on le console sans se moquer de lui, on fait, si nécessaire, le tour de la chambre, lumière allumée, pour vérifier que personne n'y est caché.

Mais les parents ne doivent pas oublier de rassurer l'enfant plus profondément, en parlant de la peur elle-même et non de son objet. Ils peuvent par exemple dire que ce sentiment est fréquent à son âge. Cela signifie qu'il grandit, qu'il doit renoncer à des choses de sa petite enfance et que cela fait parfois peur. Lui expliquer que ses parents sont à ses côtés et que ses peurs disparaîtront quand il se sentira plus fort. Les parents doivent montrer à leur enfant qu'ils n'ont pas peur de sa peur.

C'est en le rassurant à ce niveau-là que l'on aide vraiment un enfant à dépasser sa peur. Peu à peu, il saura se rassurer lui-même sans avoir besoin d'une intervention extérieure. Parce qu'il sentira ses parents compréhensifs et chaleureux, il pourra se rendormir seul, serrant son ours contre lui, répétant pour lui-même cette formule magique : « Maman est là, papa est là, tout va bien, rien ne peut m'arriver. »

Cauchemars et **terreurs** nocturnes

Entre deux et sept ans, les enfants ont de temps à autre le sommeil troublé par de mauvais rêves. Il arrive qu'ils se réveillent et appellent, mais ils peuvent aussi bien pleurer et crier en dormant, puis se calmer et repartir dans un autre cycle de sommeil.

Ces mauvais rêves peuvent prendre deux formes, de gravité différente : si les cauchemars déclenchent une anxiété qui se résout vite face à la réalité, les terreurs nocturnes témoignent quant à elles d'une véritable angoisse.

L'angoisse de séparation

Celle-ci reste très vive jusque vers quatre ans. Le soir, on se retrouve face à soi-même ; l'obscurité de la nuit, c'est l'heure où chacun se sent le plus seul, le plus vulnérable. En grandissant, l'enfant va développer des défenses lui permettant de faire face à cette anxiété. Vers six ans, il est davantage capable de différencier le réel (ce qui est possible) de l'imaginaire. Capable de tenir ses pensées effrayantes à distance, il craint moins l'obscurité.

Les cauchemars

Ils sont fréquents à certaines périodes et, tant qu'ils ne reviennent pas plusieurs fois par nuit, ne doivent pas susciter d'inquiétude particulière. L'enfant qui a fait un cauchemar se réveille généralement brusquement, en proie à la peur. Il appelle ou vient chercher ses parents, mais il se peut également qu'il pleure sans se réveiller. Certains enfants peuvent parler de leurs cauchemars, d'autres non : ils les ont oubliés. Rassuré par ses parents, l'enfant se calme assez facilement et continue normalement sa nuit.

La cause des cauchemars est à rechercher dans les conflits internes, essentiellement inconscients, que peut vivre l'enfant. Certaines idées reviennent sous forme d'un danger qui le menacerait. Tout cela est normal : l'enfant grandit, son psychisme se constitue, il devient plus complexe. Aucune vie d'homme ne peut être exempte de tout conflit intérieur et de toute angoisse.

D'autres événements, plus conjoncturels, peuvent favoriser les cauchemars à certaines périodes : une exigence parentale trop grande, une expérience de la journée qui a été mal vécue, un inconfort (chaleur, difficulté à respirer), etc.

- Si les cauchemars sont fréquents ou graves, c'est dans la journée qu'il faut parler avec votre enfant et essayer de comprendre ce qui le perturbe actuellement. Le rassurer sur votre amour et votre confiance peut l'aider à vivre des nuits plus tranquilles.
- Sur le moment même du cauchemar, il faut bien entendu se lever et aller voir l'enfant. Allumer dans le couloir afin de dissiper les visions de la nuit, lui prendre la main, lui parler doucement pour le ramener à la réalité, lui donner à boire un peu d'eau fraîche, puis lui chanter une petite berceuse sont généralement des comportements apaisants qui suffisent à faire replonger l'enfant dans un sommeil calme.
- Le lendemain, on peut, si l'enfant s'en souvient, lui demander de raconter son cauchemar. S'en libérer avec des mots, alors qu'il fait bien jour, peut aussi avoir un effet bénéfique.
- Dans le cas des terreurs nocturnes, il faut aller plus loin et prendre l'avis d'un spécialiste des enfants. Mais en aucun cas il ne faut tenter de résoudre le problème en prenant dorénavant l'enfant dans son lit, en lui donnant du sirop calmant ou en se moquant de ses peurs sans fondement. La nuit, ces peurs semblent bien réelles et font partie des expériences fortes de l'enfance dont on garde le souvenir toute sa vie.

Les terreurs nocturnes

Elles sont une forme plus rare, mais aussi plus grave, des cauchemars. L'enfant se dresse sur son lit, complètement affolé. Il crie, pleure et semble totalement terrorisé par des choses de lui seul visibles. Même s'il a les yeux ouverts, il dort encore, mais se débat et ne semble pas reconnaître ses parents. Au bout de quelques minutes, qui paraissent bien longues aux parents impuissants face à ce paroxysme d'angoisse, l'enfant finit par se rendormir tranquillement. Il ne garde, le lendemain, aucun souvenir de ces crises.

Ces types de cauchemars, s'ils surviennent fréquemment et si d'autres signes diurnes trahissent également l'anxiété, traduisent un problème véritable dans lequel l'enfant se débat. Il est important d'essayer de retrouver le facteur traumatisant qui a pu être la cause de ces terreurs et de ne pas laisser l'enfant y faire face seul. Un pédiatre ou un psychologue pourront vous aider à faire le point. C'est ensemble que vous finirez par comprendre les troubles qui agitent votre enfant et vous pourrez alors l'aider à s'en débarrasser.

Aujourd'hui, les parents veulent souvent des enfants autonomes très tôt, négligeant parfois au profit de cette autonomie leurs besoins de sécurité, de chaleur humaine et de réassurance.

Seul dans sa chambre ?

Jusqu'à une période assez récente, il aurait été inconcevable, et souvent impossible, de séparer un jeune enfant du reste de la famille. Les chambres étaient communes et les lits également. La solitude était jugée néfaste pour le jeune enfant : on savait les craintes nocturnes que sorcières et loups-garous pouvaient engendrer et on les respectait.

Aujourd'hui, au contraire, il est une idée reçue qui dicte l'attitude de bien des parents dans l'aménagement de leur maison : il faut que chaque enfant ait sa chambre. Quitte à ce que les parents dorment dans le salon. Dès ses premiers mois, souvent, l'enfant dispose d'une chambre personnelle où il dort seul. On le veut autonome très tôt, négligeant parfois au profit de cette autonomie ses besoins de sécurité, de chaleur humaine et de réassurance. Pourtant, si l'on interroge des frères et sœurs un peu plus âgés, on s'aperçoit qu'ils préfèrent souvent rester ensemble. C'est vrai d'autant plus vrai qu'ils sont de même sexe et proches en âge. S'endormir en chahutant sous les draps et se réveiller à côté de celui ou celle qui a partagé son sommeil est une bonne façon de commencer et de finir sa nuit. Les adultes qui vivent en couple le savent bien !

Partager la même chambre présente de nombreux avantages :

- Cela aide à lutter contre les démons de la nuit.
- Cela apprend à négocier, à faire de la place à l'autre.
- Cela double la quantité de jouets disponibles.
- Cela augmente la solidarité et la complicité entre les enfants.
- Cela impose à chacun l'apprentissage du respect de l'autre, de ses affaires personnelles et de ses secrets.

Les jeunes enfants choisissent presque toujours de dormir en laissant ouverte la porte de la chambre : cela montre assez à quel point ils ont besoin de se sentir reliés au reste de la famille, à tout ce qui continue de vivre et de respirer.

Alors pourquoi séparer des enfants qui préfèrent rester ensemble dans la chaleur, même conflictuelle, de la fraternité ? À cet âge, ils ne sont pas demandeurs de solitude mais de vitalité. Vous avez autant de chambres que d'enfants ? Transformez-en une en salle de jeux…

Les enfants uniques

La présence d'un animal de compagnie pourrait être une bonne solution mais certains parents, au nom de principes d'hygiène ou d'éducation, refusent de laisser l'animal familier dormir avec leur enfant unique, alors que celui-ci dispose

Il est temps de changer de lit

Votre enfant est sans doute prêt à troquer son lit d'enfant à barreaux pour un vrai lit. Vous saurez qu'il est temps quand il sera devenu capable d'escalader les barreaux (ou de s'y essayer), ce qui présente un certain danger. Le plus simple est d'enlever simplement ces derniers. Si vous optez pour un grand lit, voici quelques conseils :

- En choisissant le lit avec l'enfant, assurez-vous qu'il peut y monter et en descendre seul facilement.
- Il s'agit d'une transition importante : ne la projetez pas en même temps qu'une autre (déménagement, naissance).
- Offrez à l'enfant d'essayer le grand lit avant d'ôter le petit.

Ne donnez pas ce dernier aussitôt au petit frère ou à la petite sœur.

- Montrez votre fierté de voir votre enfant grandir, donc changer de lit.

d'un lit ou d'une chambre de taille suffisante. Pourtant, l'enfant se sentirait certainement plus en sécurité, donc moins la proie des angoisses de la nuit, avec un animal familier, son copain de jeux, au pied du lit.

Un apprentissage au respect

D'autres parents craignent, si deux ou trois de leurs enfants partagent la même chambre, que cela n'engendre un nombre important de conflits, liés au non-respect de l'espace de l'autre.

Une bonne idée consiste à ce que chaque enfant partageant la chambre ait un coin à lui (bureau, étagère ou tiroir), inaccessible aux autres (par respect ou par clé). On peut aussi séparer la chambre par une cloison symbolique : étagère ou store coulissant, ou encore construire une mezzanine.

L'enfant de deux ans est ouvert à toutes les découvertes, mais celles qui sont sans doute les plus précieuses sont celles qu'il peut faire auprès de vous, par vos dialogues, vos observations, les promenades, les jeux ou les histoires. Tout peut devenir prétexte à apprendre en s'amusant.

L'éveil par **le plaisir**

Apprendre le langage demande à l'enfant de la concentration et beaucoup d'attention. Mais on n'apprend pas seulement avec sa tête et il est important de solliciter tous les sens. Car pourquoi ne privilégier qu'un type d'apprentissage, intellectuel, au détriment des autres ? Apprendre à se servir de ses cinq sens n'est pas seulement utile, c'est un grand plaisir.

Le **plaisir** des sens

Avant tout, cela consiste à attirer l'attention de l'enfant sur ce qu'il ne voit ou n'entend pas, en partie parce que, centré sur lui-même, il ne s'intéresse pas spontanément à ce qui n'est pas son environnement immédiat et habituel. Pourtant, avec une dose d'enthousiasme suffisante pour l'entraîner avec soi, on peut amener un enfant à s'émerveiller sur la glissade des gouttes de pluie sur les vitres ou sur le défilement des nuages dans le ciel. L'aider à voir, c'est l'emmener dans la nature pour cueillir des champignons, ramasser des pommes de pin ou écouter les chants d'oiseaux. Mais c'est aussi lui montrer ce qu'il ne voit jamais : la ville la nuit ou vue de haut, le coucher du soleil ou un feu d'artifice.

Chaque sens peut être développé. Pourquoi laisser de côté le toucher et l'odorat ? Ces sens nous sont moins familiers, à nous adultes, mais chez l'enfant ils comptent énormément. Un bébé reconnaît sa mère à son odeur avant même de la voir clairement. Plus tard, il sera un « touche-à-tout » que l'on aura bien du mal à tenir à distance des rayonnages et des présentoirs. Les parents doivent donc garder en tête, tout au long de ces premières années, que le développement sensoriel est tout aussi important que le développement physique ou intellectuel. Voici quelques idées, qui en généreront d'autres, sur la façon de s'y prendre.

La vue

Il s'agit essentiellement de développer l'attention visuelle que l'on porte à son environnement, notamment en prêtant intérêt aux détails. Avec son enfant, on peut observer comment l'eau s'écoule dans le siphon de la baignoire, comment sont disposées les feuilles autour d'une tige, comment la fourmi transporte une miette de pain, comment les ombres s'allongent ou se rétrécissent…

Pour les enfants craintifs qui ont développé par exemple une peur des insectes, il peut être tout à fait utile de passer le temps nécessaire à observer avec intérêt, à courte distance mais en sécurité, l'araignée qui tisse sa toile, l'abeille qui butine ou le ver trouvé dans la pomme.

L'ouïe

Ce sens est déterminant, bien sûr, dans l'apprentissage du langage. S'il faut ici, comme précédemment, attirer l'attention sur des sons, il est essentiel de toujours commenter pour l'enfant. « Tiens, tu entends la sirène de l'ambulance ? Allons voir si elle passe dans notre rue ! », ou « Écoute les cloches, il doit être midi ! », ou encore : « Attention, je vais mettre le mixeur en route, cela fait beaucoup de bruit ! »

Qui dit sons dit aussi musique. L'enfant affinera son sens de l'audition s'il écoute parfois la radio : modifier l'intensité, changer de fréquence, tomber sur des langues ou des musiques étrangères est un jeu bien intéressant.

Les musiques que l'on fait écouter aux enfants doivent être variées. Les chansons pour enfants sont, mélodiquement, trop limitées. L'enfant aime aussi les chansons folkloriques, les musiques du monde, la musique classique. Ainsi, son oreille s'ouvre à autre chose et apprend à aimer ce qui n'est pas familier. Comme il adore aussi jouer avec les voix, on peut se servir d'un magnétophone pour s'enregistrer les uns et les autres et tenter de se reconnaître.

Enfin, l'ouïe, c'est aussi produire soi-même des sons et des rythmes : taper dans les mains, taper du pied, agiter de petites bouteilles en plastique pleines de riz ou de lentilles sont autant de façons d'explorer les rythmes et de les traduire dans son corps.

Le toucher

La mémoire, chez l'adulte, s'appuie essentiellement sur la vue et l'audition. Chez l'enfant, en revanche, le toucher est à la fois moyen de connaissance et moyen de mémorisation. Aussi, plutôt que de l'embêter en lui répétant à longueur de journée « Ne touche pas à ça » ou « Enlève tes mains, c'est sale », il faudrait mieux, au contraire, l'inciter à toucher et explorer avec ses mains chaque fois que c'est possible.

Si l'on demande à son maître avant, afin de s'assurer de la gentillesse de l'animal, on peut très bien caresser un chien dans la rue. On peut aussi manger certaines choses avec ses doigts, enfoncer ses mains dans la terre, caresser l'écorce des arbres. Au fil des expériences, l'enfant expérimente le chaud et le froid, le doux et le rugueux, le tendre, le piquant, le moelleux, le sec, le gluant.

Certains jeux aident aussi à développer le sens du toucher : colin-maillard, par exemple, où il s'agit d'identifier des gens les yeux bandés, mais surtout le jeu de l'aveugle où, les yeux bandés toujours, on promène l'enfant dans la maison en le tenant par la main et où on lui donne des objets familiers à identifier.

On peut collecter des morceaux de surfaces diverses (velours, fourrure, plastique ondulé, bois, nylon, liège, etc.) puis les coller sur une planche de contreplaqué. Cela peut ensuite aussi donner lieu à de nombreux jeux de reconnaissance, avec la main ou avec le pied, ou au simple plaisir, pour l'enfant, de toucher et de caresser.

Les parents doivent garder à l'esprit que le développement sensoriel de leur enfant est tout aussi important que son développement physique ou intellectuel.

Le toucher, c'est aussi toute la peau. Développer ce sens, c'est ne pas ménager les caresses, les enlacements, les fausses bagarres, les jeux de corps à corps, les chatouilles. C'est aussi prendre un lait pour le corps ou une huile d'amande douce et le masser doucement sur tout le corps.

Le sens du toucher ne se limite pas aux mains. Les pieds ont aussi bien besoin que l'on développe leur sensibilité. Plutôt que de les enfermer tout le jour dans des chaussures, laissons-les nus. Le sol de la maison est frais ? Cousez des semelles sous une bonne paire de chaussettes (la mousse, côté sol, sera antidérapante).

Pieds nus, l'enfant peut expérimenter la sensation de marcher sur le tapis, le carrelage, le parquet, le sable, le gravier, la terre, l'herbe. Il peut aussi, avec le pied, essayer d'identifier des objets ou tenter de les attraper (une balle, un crayon, un foulard…).

L'odorat

Permettre à l'enfant de développer – ou plutôt de ne pas perdre – sa sensibilité olfactive n'est pas très compliqué.

La cuisine contient mille odeurs : plantes aromatiques, fruits ou légumes fraîchement ouverts, pain grillé, épices diverses. Peut-il, sans regarder, deviner ce qui cuit ?

- La salle de bains est un autre lieu plein d'odeurs à explorer : eau de Cologne, mousse à raser, savons parfumés, sels de bain, lait pour le corps.
- Dans la rue, on peut apprendre à distinguer les odeurs des magasins : la pharmacie ne sent pas comme la boulangerie, la parfumerie ou la teinturerie.
- Dans la nature, on sent les fleurs, la sève, la menthe, l'herbe ou le foin coupé, l'étable ou le lait frais tiré.

Le rapport au temps

L'apprentissage du temps est certainement l'un des plus complexes, parce que l'un des plus abstraits, que l'enfant ait à aborder. Pour rendre compréhensible le cycle du temps et sa régularité, les saisons sont d'une grande aide. Pourquoi ne pas profiter de l'arrivée d'une nouvelle saison pour tenter de rendre concrets ces concepts si difficiles à cerner autrement ?

Le jeune enfant a vécu peu de saisons. Manquant de recul, toute nouveauté dans son environnement peut faire l'objet d'une découverte et d'un nouvel apprentissage. Pour cela, veillez à utiliser les cinq sens de votre enfant, et pas seulement la vue et l'ouïe : laissez-le manipuler, goûter, sentir, expérimenter…

Voici quelques idées :

- Accrochez un grand calendrier au mur, à la hauteur de l'enfant. Entourez chaque saison d'une couleur différente et barrez un jour chaque matin.
- Attirez l'attention de l'enfant sur les signes concrets des saisons : la température qui baisse (montrez-lui le thermomètre), les feuilles qui rougissent et tombent, les bourgeons, les jours qui raccourcissent ou au contraire rallongent…
- Permettez-lui d'expérimenter : cueillir des feuilles mortes, les faire sécher dans un gros catalogue, puis les coller pour en faire des tableaux, ou bien griller et manger des châtaignes sont autant de passionnants repères temporels.
- On peut aussi choisir d'observer attentivement un arbre ou un arbuste, si possible porteur de fruits, du début du printemps (bourgeons, feuilles, fleurs) jusqu'à la maturité des fruits.

L'heure de **l'histoire**

Lire ou raconter une histoire fait partie classiquement du rituel du coucher. Si l'enfant est énervé, l'histoire le calme et le fait entrer doucement dans le monde du rêve. Si, au contraire, il est fatigué, c'est aussi une bonne activité, car elle n'exige pas de lui une participation active. Mais il existe beaucoup d'autres moments où l'on peut, avec profit, raconter une histoire ou regarder un livre avec son enfant. Le mettre tôt en contact avec la chose écrite est le meilleur (et peut-être le seul) moyen de lui transmettre le goût des livres et le plaisir de la lecture.

L'intérêt des histoires

Les histoires développent le vocabulaire de l'enfant et nourrissent son imaginaire. Elles l'entraînent à suivre un déroulement logique où certaines actions aboutissent à des conséquences attendues ou surprenantes. Mais les histoires apportent encore plus que cela à l'enfant. Tout en éveillant son intelligence et son imagination, elles l'aident à voir plus clair en lui-même.

Parce qu'il arrive aux personnages des aventures dans lesquelles l'enfant peut se reconnaître, les histoires lui permettent d'imaginer des solutions possibles à ses peurs inconscientes et à ses conflits intérieurs. Il se sent déculpabilisé, puisqu'il n'est pas seul dans son cas, et cela lui donne une plus grande confiance en lui. Dans ces contes où les bons personnages sont vraiment bons et les méchants vraiment méchants, l'enfant se repère facilement. Il est heureux parce que les bons triomphent : sa vision d'un monde juste s'en trouve renforcée.

Que raconter ?

Il existe de très nombreuses collections de livres de contes ou d'histoires pour les jeunes enfants. Les librairies et les bibliothécaires sont à même de vous renseigner sur ce qui convient à l'âge de votre enfant.

- Les contes traditionnels (Perrault, Grimm, etc., mais aussi les contes d'autres parties du monde peut-être moins connus) ont toujours autant de succès. Ils mettent en situation des conflits et des difficultés qui résonnent dans l'inconscient des enfants de tous les pays et de toutes les époques.

Presque toujours, il va s'agir d'un pauvre, d'un gentil, d'un petit qui finira par être le vainqueur, souvent par ruse, vivacité ou intelligence, d'un plus grand et plus méchant.

- Mais les histoires plus récentes sont également appréciées. Le jeune enfant aime particulièrement les récits mettant en scène des animaux avec leurs petits, auxquels il s'identifie. C'est la même chose avec l'histoire d'un petit enfant qui lui ressemble. Il se sent moins seul : les autres enfants aussi ont des difficultés, font des bêtises, se sentent incompris.
- Il existe aujourd'hui de nombreux petits journaux auxquels vous pouvez abonner votre enfant et qui offrent des histoires souvent d'excellente qualité et bien adaptées à son âge.
- Si vous faites partie de ces parents qui ont assez d'imagination pour inventer leurs propres histoires, sachez que vos enfants ont bien de la chance. Ce n'est plus du « prêt-à-lire » mais du « sur-mesure ».

Même si vos histoires suivent plus ou moins le schéma des histoires classiques, vous les enrichissez de mille détails qui ne concernent que vos enfants, si bien qu'ils se sentent directement concernés.
Dans vos récits, vous glissez des phrases qui témoignent directement de votre histoire personnelle et de votre inconscient, ce qui sera reçu parfaitement par l'enfant. La communication passe bien, ce qui sera précieux dans d'autres situations.

Comment lire ?

Les enfants aiment que celui qui leur lit l'histoire la leur fasse vivre réellement. Il faut absolument mettre le ton, comme au théâtre, pour que l'enfant vibre, attende, ait peur, se sente ému, inquiet ou amusé, se fasse surprendre par les événements et ressente enfin le soulagement du dénouement.
Il ne faut pas hésiter, en lisant, à remplacer un mot ou une structure trop difficiles par d'autres plus accessibles. Adapter le texte à cet enfant-là fait partie de la liberté et de la créativité du narrateur qui fait sien le texte.
Les premiers petits livres seront souvent gribouillés ou arrachés. Ne soyez pas trop sévère : cela fait partie de sa façon d'aimer. Progressivement, vous apprendrez à votre enfant à respecter les livres et à les garder beaux.
Les jeunes enfants aiment beaucoup qu'on leur lise ou raconte souvent les mêmes histoires, au point qu'ils finissent par en connaître des passages entiers par cœur. Pourtant, si vous y mettez toujours le même plaisir, ils vivront toujours le même enchantement, comme la première fois. C'est rassurant pour un enfant que les mêmes causes, les mêmes prémices produisent les mêmes effets. L'histoire qu'ils aiment entendre répéter résonne souvent profondément en eux et ils y trouvent des réponses correspondant à leur niveau de développement. Aussi est-il naturel d'accéder à leur demande. Mais attention : ils exigeront le même ton, les mêmes mots, le même mystère…

Les **jouets**

Depuis la plus haute Antiquité, il n'existe pas d'enfant sans jouet. Qu'il s'agisse d'un simple bâton, d'une poupée de chiffon, d'une boîte de conserve ou d'un vieux carton, ou bien, plus près de nous, d'une voiture téléguidée ou d'une poupée qui parle, l'existence du jouet ne dépend pas de l'époque, du lieu de la naissance ou du niveau de vie. Car tout enfant a besoin de jouer. Jouer est fondamental et participe de façon essentielle à son développement physique, intellectuel, affectif, sensoriel et social.
Dans notre société contemporaine, où règnent l'abondance et la diversité, la tentation est grande, pour les parents,

Des normes de sécurité impératives

Il ne faut jamais négliger les éléments de sécurité. Certains jouets portent l'indication « NF » : ils respectent les normes de sécurité et sont donc adaptés aux enfants de l'âge prévu sur l'emballage. Il convient, lorsqu'on achète un jouet, de porter une attention particulière à des points précis. Est-il cassable ? Comporte-t-il des bords tranchants, des pointes, des pièces détachables que l'enfant pourrait avaler ? Est-il assez gros pour ne pas pouvoir être mis en entier dans la bouche ? Les cordons ou ficelles ont-ils moins de 30 centimètres de long (au-delà il existe un risque d'étranglement) ? Y a-t-il une possibilité de s'y pincer les doigts ? Le jouet est-il solide, résistera-t-il à un traitement pas forcément délicat ? Lancé dans la pièce ou à la tête d'un copain, utilisé comme projectile ou comme arme, peut-il être dangereux ?

d'acquérir des jouets sophistiqués, qui ne sont pourtant pas toujours bien adaptés. Pour s'y retrouver dans les jouets d'aujourd'hui, voici quelques conseils tout simples.

Des jouets simples et adaptés

Il est inutile d'offrir et de laisser à la disposition de votre enfant un jouet qui n'est pas de son âge ou de son niveau de développement, ou qui ne l'intéresse pas. Cela met l'enfant en situation d'échec ou risque de le dégoûter pour ce type d'activité. Mieux vaut ranger ce jouet pour le ressortir dans quelques mois.

Les jouets compliqués et chers ne sont pas les meilleurs pour les enfants. Au contraire : plus le jouet est simple, moins il en fait par lui-même, et plus l'enfant sera libre d'en faire, plus il pourra être créatif. Ce n'est pas au jouet d'inventer, ce n'est pas à la poupée de dire toujours la même phrase, mais à l'enfant d'imaginer, à lui de la faire parler selon les circonstances. Ce n'est pas au mini-ordinateur d'apprendre à l'enfant à parler en lui affirmant, d'une voix synthétique à peine compréhensible : « Tu t'es trompé, ceci n'est pas une girafe », mais aux parents.

Pas trop de jouets à la fois

Trop de jouets laissés en permanence à portée de l'enfant le submergent et noient son attention. En revanche, sortir les jouets alternativement, puis les ranger ensuite renouvelle son intérêt pour eux.

Ceci n'est pas valable pour ses jouets favoris avec lesquels il joue sans arrêt pendant une période donnée, ni pour les jouets « affectifs » dont il doit seul déterminer l'utilisation.

Un rangement accessible

Ranger les jouets sur des étagères basses et larges ou dans de grands bacs en plastique empilables ou sur roulettes permet à l'enfant d'être plus autonome avec ses jouets. Il les voit bien mieux que dans un coffre traditionnel. Mais il peut aussi apprendre facilement à les ranger : les cubes dans le bac bleu, les peluches dans le rouge, les puzzles dans le vert, etc.

Des jouets pour développer la créativité

L'amour que l'on porte à un enfant ne se mesure pas au nombre et au prix des jouets qui envahissent sa chambre. Mais davantage au temps que l'on passe avec lui à jouer. Alors mieux vaut mettre à sa disposition, plutôt que des jouets spécialisés et compliqués, des matériaux non structurés dont l'enfant pourra multiplier les utilisations. Citons pour l'exemple : papiers, cartons, feutres ou crayons de cire, ardoise, craies de couleur, emballages divers, boîtes, cubes et matériaux de construction, balles et ballons, contenants divers pour jouer avec l'eau, accessoires et tissus pour se déguiser, « garage » ou « petite maison » faits dans de grands cartons ou des planches de contreplaqué où trouveront place équipements rudimentaires, poupées, dînette, petites voitures…

Le bonheur de faire ensemble

Enfin, il convient de ne jamais oublier qu'à cet âge encore, l'adulte est le compagnon de jeux favori de l'enfant. Point n'est besoin de jouet ni d'argent pour rire ensemble, se courir après, jouer à cache-cache, se raconter des histoires, chanter des comptines, faire un gâteau ou se promener dans le bois pour commencer une collection de feuilles mortes que l'on fera sécher au milieu des annuaires. Il y a mille façons de jouer sans jouets et de s'amuser à partager des activités en famille.

À partir de deux ans, l'enfant a de plus en plus envie de tout faire comme les grands. C'est le moment de l'installer à table avec tout le monde ou de lui apprendre à se laver. Au cours de cette troisième année, une nouvelle étape va aussi être franchie par certains enfants, qui entreront à l'école. Un pas de plus vers l'autonomie…

En **marche** vers l'**autonomie**

À partir de deux ans, l'enfant peut partager les repas de ses parents et s'asseoir à table avec eux. Son régime ne mérite plus qu'on lui fasse un menu spécial et il peut goûter à tout sans problème. Il se peut même qu'à cette occasion un enfant qui semblait avoir peu d'appétit se mette à manger de façon plus régulière et satisfaisante pour ses parents.

Des **repas** tous **ensemble**

Un repas classique, et plus encore un repas de fête, avec la famille élargie ou au restaurant, peut sembler bien long au jeune enfant. Il ne paraît donc pas raisonnable de lui imposer de rester sagement à table d'un bout à l'autre du repas, sauf à vouloir prendre le risque de conflits quasi inévitables. Le partage des repas familiaux n'est possible quotidiennement que si l'emploi du temps de chacun le permet. En effet, votre enfant a encore besoin d'une grande régularité dans ses horaires et ne peut attendre pour se mettre à table que la famille au complet soit rentrée du travail, si ces retours ne sont pas réguliers.

Pour des repas détendus

N'en faites pas un moment de tensions et de règlements de comptes, ni avec lui ni entre vous. Ne le réprimandez pas sans arrêt parce qu'il mange salement ou qu'il ne finit pas sa soupe. C'est le plus sûr

moyen de lui couper l'appétit et de transformer pour tout le monde le moment des repas en une épreuve. Le plaisir d'être ensemble doit passer avant tout.
Le téléviseur et la radio, s'ils sont allumés et captent l'attention des uns et des autres, ne favorisent pas la communication. Votre enfant a le désir de vous raconter sa journée. Il faut lui en laisser le temps et peut-être l'inciter gentiment à parler à vous parler un peu. Ces moments conviviaux où toute la famille se réunit sont d'une grande valeur pour l'avenir et il serait dommage de ne pas en tirer parti.

Apprenez-lui à **se laver seul**

Votre enfant revendique son autonomie à coups de « Moi tout seul » virulents. Profitez-en pour lui apprendre à s'occuper seul de son corps : à se laver tout seul, par exemple. Beaucoup de parents pensent que c'est trop tôt, qu'il ne saura pas, qu'il sera mal lavé. D'autres encore trouvent un tel plaisir dans ces moments-là qu'ils ne souhaitent pas y renoncer.

L'enfant responsable de son corps

En fait, il ne s'agit nullement de laisser l'enfant seul dans la salle de bains et de partir faire autre chose : tant qu'il y a un risque de noyade, quelqu'un doit rester dans la salle de bains tout le temps où l'enfant est dans la baignoire.
Il s'agit de le laisser se débrouiller avec les soins de son corps. Dès que possible, un enfant doit avoir la responsabilité de ce qui le concerne intimement et qui touche à son corps propre : c'est seul qu'il doit manger, se déshabiller, puis s'habiller, etc. Pourquoi ne pas profiter de l'âge où l'enfant revendique de « faire tout seul » pour l'encourager et lui apprendre à se débrouiller ?

L'apprentissage de l'autonomie

Dans ce domaine comme dans d'autres, « après l'heure, c'est plus l'heure » ! Tout ne sera pas aussi bien fait ni aussi vite que si sa mère continue à s'en charger. Mais un peu de temps perdu à cet âge permet d'en gagner beaucoup par la suite. Cette façon de faire, si elle demande plus d'efforts et de temps aux parents dans un premier temps, leur évite également bien des conflits à venir et rend les enfants plus autonomes, ce qui est un des buts fondamentaux de toute éducation.
Si vous laissez passer cette période, il risque de s'instaurer une proximité corporelle prolongée entre l'enfant et sa mère et une absence d'autonomie dans les comportements qui peuvent être préjudiciables au futur équilibre psychologique de l'enfant.

Un repas qui plaît aux enfants

Posez sur la table familiale une quantité inhabituelle de petits plats, petits restes, crudités, viandes froides, fromages, fruits, etc. Seulement de bonnes choses, appétissantes, colorées et variées.
Chacun se sert de ce qu'il aime, en prend la quantité qu'il veut, dans l'ordre qu'il veut. Comme l'enfant se sert seul et ne prend que ce qu'il veut manger, personne ne contrôle son repas ni ne contraint ses choix. L'enfant est ravi et mange généralement davantage et de meilleure grâce que lors d'un repas servi normalement. N'oubliez pas que régularité et calme sont la base des repas pris dans de bonnes conditions. Chacun se retrouve autour d'un plat pris en commun après une longue journée de séparation.

Lui apprendre à se laver seul

- Attirez son attention sur la façon dont vous vous y prenez : selon vos préférences, à la main, avec un gant, une éponge, du savon, du gel moussant, etc.
- Montrez-lui les petits endroits à ne pas oublier : derrière les oreilles, entre les doigts de pieds, les fesses, etc.
- Offrez-lui, pour l'amuser et le stimuler, un gant Mickey, une éponge en forme de fraise, un savon à la banane…
- Installez un tapis antidérapant au fond de la baignoire.
- Puis laissez-le faire ! Qu'importe si votre enfant ne se lave pas dans les règles et ne suit qu'approximativement vos instructions. Il ne risque pas de ressortir sale s'il a joué dans l'eau chaude au moins un quart d'heure. L'essentiel est qu'il se rince bien dans l'eau ou avec le jet de la douche.
- Si vous voulez être complètement rassuré sur le plan de l'hygiène, vous pouvez continuer à vous charger de la toilette de votre enfant une fois par semaine, par exemple les jours de shampooing. Les autres jours, grâce à vos conseils, il se débrouillera comme un grand !

Le brossage des dents

Autour de deux ans, vous pouvez offrir à votre enfant le matériel dont il aura besoin pour se laver les dents tous les soirs avant de se coucher : un dentifrice pour enfants, un verre à dents en plastique et une brosse. Celle-ci doit être petite (brosse pour enfants), souple et aux poils en nylon.

LA SÉCURITÉ DANS LA SALLE DE BAINS

La salle de bains est la pièce la plus dangereuse pour le petit enfant, juste après la cuisine. En première urgence, vous pouvez décider d'installer un loquet extérieur qui permet de fermer la pièce lorsqu'elle est inutilisée. Ainsi, votre enfant n'ira pas y faire ses « expériences » en dehors de votre présence. S'il y a un loquet accessible à l'intérieur, assurez-vous que vous pouvez le débloquer de l'extérieur.
Cela n'empêche pas d'aménager la salle de bains de manière aussi sûre que possible, surtout si vous décidez d'apprendre à votre enfant à se laver seul.

- Installez un antidérapant au fond de la baignoire ou de la douche.
- N'utilisez jamais un séchoir à cheveux à proximité de votre enfant lorsqu'il est dans le bain ou qu'il joue avec de l'eau.
- Ne laissez jamais un petit appareil électrique (petit radiateur ou rasoir, par exemple) branché dans la salle de bains lorsque vous ne l'utilisez pas.
- Rangez hors de portée de l'enfant les médicaments, les produits de beauté, les produits de toilette, les rasoirs, les petits ciseaux et la pince à ongles.
- Installez une protection sur les robinets pour prévenir les chocs et les brûlures. Le plus simple est de les recouvrir avec un gant de toilette.
- Réglez la température générale de l'eau dans la maison de façon à ce qu'elle ne puisse pas brûler une main imprudente.

Une fois que vous avez expliqué à votre enfant comment s'y prendre, vous pouvez le laisser se débrouiller seul. L'important est de bien lui en faire prendre l'habitude, par exemple en l'intégrant au rituel du coucher. Mais pensez à le lui rappeler régulièrement. Une fois la bouche rincée, vous pouvez lui donner à sucer un comprimé de fluor, qui est une bonne prévention des caries.

Progressivement, vous expliquerez à votre enfant qu'il est très important de ne plus rien manger le soir après s'être lavé les dents. Il apprendra aussi que certains aliments sont bons pour ses dents, comme les laitages, les légumes ou les fruits crus, alors que d'autres, comme le sucre, les bonbons, les sirops, les sodas ou la confiture, sont mauvais et ne doivent pas être dégustés trop souvent.

L'école à deux ans

L'école maternelle, dans la limite des places disponibles, accueille les enfants de deux à six ans. N'étant pas obligatoire, elle prend en priorité les enfants de trois ans. Mais de nombreux enfants de deux ans peuvent la section des « tout-petits ». Est-ce bon pour eux ? La question a donné lieu à beaucoup de polémiques. La réponse est d'autant plus importante que la plupart des écoles maternelles refusent maintenant les entrées d'enfants en cours d'année. Quant aux crèches, elles les « lâchent » à trois ans pile. Un enfant né en mars doit-il entrer à l'école à deux ans et demi ou à trois ans et demi ? Mais les parents n'ont souvent pas le choix…
Il est vrai qu'un enfant de deux ans est encore petit pour s'intégrer à la communauté scolaire et à ses contraintes. Les classes de trente enfants sont fréquentes et il est quasi impossible à l'institutrice, quelles que soient ses qualités, de s'occuper individuellement des petits comme il le faudrait.
Car beaucoup d'enfants de deux ans ne sont pas encore tout à fait propres le jour, encore moins à la sieste. Ils ne savent pas encore bien s'occuper d'eux-mêmes et se défendre face aux plus grands. Ou bien ils ne parlent pas suffisamment bien pour comprendre tout ce qui est dit, exprimer leurs désirs, leurs besoins. Enfin, beaucoup auront à faire de très longues journées : accueil du matin, école, déjeuner à la cantine, école, garderie du soir… Ces journées, pleines de bruits, d'activités, de monde, sont très éprouvantes à deux ans.

Un accueil adapté

Pourtant, l'accueil de l'enfant s'est beaucoup amélioré ces dernières années. Les écoles ont mis en place des structures généralement conçues pour les tout-petits, plus proches du jardin d'enfants que de l'école proprement dite. Chaque enfant a son lit où il peut dormir à sa guise et laisser ses « doudous ». Ils peuvent s'ébattre physiquement. Les institutrices sont volontaires pour ces classes et font preuve d'une patience, d'une chaleur et d'une sensibilité qui forcent l'admiration des parents et l'affection des enfants.
De toute façon, il semble que ce ne soit pas tant l'âge de l'enfant qui compte que son niveau de développement. Trop immature, il se sentira perdu et, malheureux, se construira une mauvaise image de l'école. Au contraire, s'il est prêt, il s'adaptera bien et évoluera très vite entre deux et trois ans. L'école lui offrira de riches possibilités de socialisation, de découvertes, de jeux, de fous rires, de chahuts, de développement du langage et de l'autonomie, qu'il n'aurait sans doute pas eues autrement. Avec ceux de son âge, il sera stimulé à imiter, recréer, inventer. Il se bâtira une personnalité dont il pourra comparer les effets sur autrui.

3

De 30 mois à 3 ans
Un bébé devenu grand

L'enfant de deux ans et demi, aux yeux de tous, devient un grand. Son corps change et perd et ses rondeurs de bébé, son caractère se dessine davantage. Il aimerait bien décider seul de ce qui le concerne, mais il sent combien il est encore petit et dépendant de l'adulte. Une contradiction pas toujours facile à gérer pour lui.

Ce qui **change**

L'enfant connaît désormais bien son corps. Il peut en nommer les parties essentielles et sait quelles capacités en attendre. Plein de vitalité, il court, saute à pieds joints, danse, court encore, s'arrête brusquement et repart…

• Son **développement** physique

La coordination entre l'œil et la main est désormais bien meilleure : pour faire un puzzle l'enfant ne tâtonne plus comme auparavant, il regarde les pièces disponibles, les formes à remplir, et va souvent d'emblée vers la bonne. Il n'essaie plus à toute force de la faire rentrer à l'envers.

Il tient son crayon comme un adulte, ce qui lui fait faire des progrès dans ses productions graphiques. Il prend grand plaisir à visser et dévisser. Mais surtout, il aime se servir de ses mains pour toucher. La connaissance qui passait par la bouche auparavant passe désormais directement par la main. C'est ainsi que l'enfant se développe une sensibilité tactile et il est bon, chaque fois que possible, de le laisser toucher. Il aime tout particulièrement ce qui est doux (cheveux, fourrures, peluches, etc.).

À l'approche de ses trois ans, l'enfant court souplement, tombe peu et ne se cogne pratiquement plus. Il est capable de suivre la famille dans des promenades à pied relativement longues sans avoir besoin d'être porté. Il mange et boit proprement. Il est capable de s'habiller seul, y compris lorsqu'il faut boutonner. Seuls les lacets lui posent encore quelques problèmes. Le plus souvent, une main est systématiquement utilisée de préférence à l'autre pour toutes les activités qui demandent de la précision.

Son **langage**

La prononciation de l'enfant s'est améliorée, même s'il ne maîtrise pas encore toutes les consonnes. Certains sons sont particulièrement difficiles à prononcer comme *r*, *z*, *s*, *ch* ou *f*, et il faudra encore un an ou deux à beaucoup d'enfants avant qu'ils puissent les prononcer de façon correcte. Certains mots ont encore des sens multiples. Ainsi toutes les femmes peuvent être appelées « maman » et les autres enfants, de son âge ou plus jeunes, « bébé ». Mais cet enfant qui n'a jamais appris la grammaire manie sa langue maternelle avec une précision et une correction que bien des étrangers mettront des années à acquérir (s'ils l'acquièrent un jour).
En revanche, il connaît déjà plusieurs chansons qu'il est capable d'interpréter ou de mimer, et il peut obéir à trois instructions données de façon simultanée, par exemple « Va à la cuisine, prends le torchon qui est sur la table et ramène-le-moi, s'il te plaît. »
Toujours curieux de tout, l'enfant pose beaucoup de questions, auxquelles il n'est pas toujours facile de répondre simplement, qui témoignent de son niveau de réflexion et d'intelligence. « Dis, pourquoi… ? » devient le point de départ de nombreuses conversations. Les pourquoi s'enchaînent les uns aux autres jusqu'à ce que l'adulte n'ait généralement plus de réponse. L'enfant va s'apercevoir que l'adulte ne sait pas tout – ce qui sera une autre découverte importante.

Des mots poétiques et des gros mots

Trois ans, c'est aussi l'époque des mots d'enfants. Empreints de poésie, ils témoignent de la façon dont fonctionne la réflexion de l'enfant et dont il apprend sa langue. Comme il est très sensible à la magie des mots et à leur musique, c'est le moment de lui lire des poésies, d'en fabriquer avec lui et de jouer avec les mots. Les rimes, notamment, l'amusent beaucoup et il aimera jouer à trouver tous les mots connus qui se terminent par le son *ion* ou le son *i*.
Son vocabulaire s'enrichit de « petits mots » grossiers (qui ne sont généralement pas encore des « gros mots »), d'autant plus vite qu'il est à l'école. « Pipi, caca, boudin » le font crouler de rire et il sera tout surpris que ses parents les connaissent aussi !

Sa **personnalité**

À deux ans et demi, un enfant est généralement propre le jour, mais chez certains cela prendra encore quelques mois sans pour autant témoigner d'un quelconque problème. Chacun son rythme, c'est tout. Celui qui est en avance dans un domaine l'est généralement moins dans un autre, puisque tous les enfants finissent par se rattraper. Quant à la propreté de nuit, elle est venue ou elle viendra d'elle-même, en son temps, quand le niveau de maturité de l'enfant sera suffisant.

Une personnalité qui s'affirme

À cet âge, l'enfant a acquis la conviction d'être une vraie personne et n'a plus besoin de le clamer à tout moment. Il sait bien qui il est et se nomme par son prénom. Beaucoup de phrases, dans le discours désormais bien construit et plus compréhensible de l'enfant de presque trois ans, commencent par : « Moi, je... » Cela témoigne bien de ce qu'il est à cette période : un petit garçon ou une petite fille qui se connaît bien et tient à se faire respecter.

Il sait ce dont il est capable physiquement et intellectuellement, il sait qui il est et se situe bien parmi les membres de sa famille. Il sait ce qui lui appartient en propre, dont il fait régulièrement l'inventaire, et ce à quoi il ne doit pas toucher. Il est fier de lui, mais il est tout aussi fier – et il s'en vante auprès des copains – de la voiture de son papa ou des chaussures rouges de sa maman.

S'il fait encore beaucoup de bêtises, ce n'est généralement plus par provocation mais par ignorance ou par maladresse. Comme dit la sagesse populaire, il n'y a que ceux qui ne font rien qui ne se trompent jamais, et ce n'est pas le cas de l'enfant de deux ans et demi qui, lui, est sans cesse occupé. Au point qu'il se passerait parfois volontiers de faire la sieste l'après-midi. Il ne fait pas toujours, loin de là, ce qu'on aimerait lui voir faire, mais avec une telle énergie et une telle imagination qu'on est parfois trop fier pour se fâcher !

Sa curiosité, jointe à sa vitalité et à son besoin d'indépendance, fait qu'à cette époque il n'est pas rare qu'on perde son enfant dans la foule, dans la rue ou dans un magasin. Il a si vite fait de profiter d'un moment d'inattention pour lâcher la main de l'adulte et partir à la découverte ! Aussi faut-il être particulièrement vigilant lorsque l'on emmène un enfant de cet âge dans un lieu public.

Un caractère pas toujours facile à gérer

Comme il se sait être différent des autres, il vérifie sur eux son pouvoir, ce qui peut se traduire par des caprices à répétition. Par moments, il se montre obéissant et charmant mais à d'autres, il peut tout aussi bien être autoritaire et inflexible. Non seulement il voudrait décider pour lui, mais aussi pour les autres. Comme, de plus, il a encore bien du mal à accepter de négocier ou d'attendre, il se réfugie parfois dans des crises de colère ou dans un non systématique. La bonne attitude parentale n'est pas facile à trouver. Il faut naviguer entre deux directions.

- L'une consiste à lui faire confiance, à respecter ses désirs de liberté et à le laisser faire pour tout ce qui est dans ses capacités. Il aime qu'on lui confie des responsabilités.
- L'autre consiste à lui offrir un cadre stable et rassurant. Quoi qu'il dise, l'enfant de cet âge sait combien il doit encore être entouré et guidé. Il apprécie les adultes capables de résister à ses caprices et de mettre des limites raisonnables à ses pulsions. Aussi n'est-il pas question d'abandonner une attitude éducative empreinte d'une certaine fermeté lorsque c'est nécessaire.

Vers deux ans et demi, l'enfant a besoin d'expériences plus riches et d'un environnement plus large. Il parle correctement, il est devenu autonome en ce qui concerne son corps, il sait se situer dans un environnement social complexe : il est prêt pour l'école.

Son rapport aux autres

Avec ses amis de son âge, l'enfant de deux ans et demi est capable de plus de coopération et de tolérance. Il commence à « organiser » des jeux de façon rudimentaire. De petits groupes de deux ou trois enfants se forment, dont chacun veut être le chef et décider pour les autres. Si bien que cela ne dure pas très longtemps et les disputes verbales ou les bourrades physiques sont encore fréquentes.

À deux ans et demi, l'enfant se montre plus tolérant envers ses copains et commence même à organiser des jeux.

L'enfant qui en bouscule un autre trouve en revanche inadmissible de se faire bousculer. Cela signifie simplement qu'il est encore incapable de se mettre à la place de l'autre. Il n'y a pas là de méchanceté et les choses s'arrangeront dans les années qui viennent. De toute façon, vers trois ans, le niveau de bousculades, voire de bagarres, diminue, à la fois parce que le langage s'améliore et permet de résoudre beaucoup de conflits, et parce que les rapports entre les enfants s'imprègnent de plus de cordialité. Attendre son tour, n'être pas le premier servi ne sont plus tellement une épreuve ou une si grande injustice. Partager devient possible et même recherché parfois.

Ses jeux favoris

Aux jeux des périodes précédentes, on peut ajouter les instruments de musique rythmique (bien meilleurs pour l'enfant

que les pianos ou guitares miniatures qui jouent faux). On peut aussi confier à l'enfant un lecteur de cassette ou de CD dont il saura très vite comprendre le mécanisme. Il pourra ainsi écouter tout seul ses chansons ou ses histoires préférées.

En mettant à sa disposition une grande quantité de matériel non structuré (morceaux de tissu, grands cartons d'emballage, papier et gros crayons en cire, ciseaux, tableau et craies, pâte à modeler, etc.), on lui permet de développer son imagination et de jouer longtemps, bien davantage qu'avec les jouets dont l'utilisation précise a été conçue par le fabricant.

Parce qu'il commence à intégrer les règles, l'enfant devient capable de jouer correctement à des jeux de société très simples comme le loto à images ou les gros dominos.

Enfin, il est toujours très content et tire beaucoup de bénéfices à jouer à des jeux d'extérieur, structures complexes ou portiques pour les jeunes enfants.

À l'approche des trois ans, l'enfant entre à fond dans l'âge de l'imagination. Il s'invente des histoires, des copains imaginaires, des aventures extraordinaires. Parfois il s'invente un compagnon, humain ou animal, auquel il donne un nom, un caractère, une vie privée. On a du mal à savoir dans quelle mesure il n'y croit pas vraiment lorsqu'il contraint même ses parents à jouer le jeu. À d'autres moments, il se plonge totalement dans un jeu d'imitation et se croit tour à tour pompier, danseuse, cow-boy, mère de famille, le tout avec une conviction totale.

En fait, il n'est pas dupe de ses jeux et sait bien qu'il n'est pas dans le monde réel. Mais les choses ne sont pas pour lui aussi tranchées que pour nous, si bien que réel et imaginaire semblent parfois se chevaucher. L'enfant ne « ment » pas s'il dit qu'il a vu un ours dans la rue ou que c'est le chat en peluche qui a renversé le verre : il embellit simplement la réalité pour la rendre plus conforme à ses désirs.

Un espace à soi

Si vous voulez faire une grande joie à un enfant de cet âge, mettez à sa disposition, pour servir de cadre à ses aventures imaginaires, un espace de jeux qui ne soit qu'à lui. Si vous avez la place, un coin de cave ou de grenier sera le bienvenu. Vous avez un jardin ? Aménagez-y une cabane ou une tonnelle. Sinon une simple tente d'Indiens, ou encore une petite maison en carton, plantées dans la chambre, feront très bien l'affaire. Il y sera chez lui, y cachera ses trésors et y fera, par l'imagination, des voyages merveilleux.

Vous fabriquerez facilement une cabane dans un très grand carton d'électroménager, tapissé de restes de papier peint ou peint en blanc, puis décoré comme un paysage avec des feutres ou des pin-

Attention à la télévision

Depuis quelques années sont apparues en France des chaînes de télévision spécialisées pour les enfants, voire pour les tout-petits (six mois à trois ans) et qui diffusent vingt-quatre heures sur vingt-quatre. Beaucoup de parents qu'ils peuvent laisser leurs enfants en toute confiance devant l'écarn car le sporgrammes sont spéialement adaptés à leur âge, avec une visée pédagogique. Si ce raisonnement est généralement vrai en ce qui concerne l'innocuité des programmes, hors publicité, mais il passe sous silence d'autres problèmes liés au petit écran : si les programmes ne sont pas dangereux, passer beaucoup de temps devant l'écran peut l'être ; en outre, on connaît mal les conséquences à long terme d'une habituation si précoce à l'écran. Il se peut que l'enfant ait, par la suite, bien du mal à s'en passer. Sans parler des risques d'obésité, dont les liens avec la télévision sont maintenant connus.

Le temps passé devant un écran est du temps «passif». Or, dans ses premières années, l'enfant apprend en bougeant, en manipulant. Il a besoin de l'aspect moteur et sensoriel pour appréhender le monde. C'est donc une erreur de penser que le jeune enfant sera plus précoce intellectuellement si ses parents le mettent devant des programmes «éducatifs». Ce qui rend un enfant «plus intelligent», c'est de faire un gâteau avec papa, de jouer au ballon avec maman, de jouer dans le bain avec son grand frère, de faire bouger ses petits personnages tout seul dans sa chambre, etc.

Il est difficile aujourd'hui où les écrans, et notamment la télévision, ont pris tant d'importance dans nos vies, de protéger les petits enfants d'une pratique qui peut vite devenir excessive et dangereuse, et de réguler sérieusement le temps passé devant un écran. La télévision peut avoir sa place dans l'emploi du temps de l'enfant, mais un temps réduit, si possible sans que le petit soit seul devant l'écran, jamais au dépend d'autres activités plus concrètes et le moins possible avant deux ou trois ans.

ceaux : arbre, fleurs au ras du sol, boîte aux lettres, tuiles du toit, etc. Découpez une porte et des fenêtres.

Premières **questions** sur la **sexualité**

Les enfants d'aujourd'hui ne sont pas tenus dans la même ignorance du sexe que le furent les générations précédentes. Garçons et filles sont mélangés pour toutes les activités et les parents protègent moins leur nudité. Aussi, entre deux et trois ans, savent-ils tous quelles différences anatomiques distinguent les hommes des femmes. Ils savent aussi à quel sexe ils appartiennent et de quel sexe sont les adultes qu'ils rencontrent.

Qu'un enfant soit fier de son sexe, confiant en son devenir va dépendre directement de l'attitude de ses parents. Se sentent-ils heureux d'être ce qu'ils sont ? Chacun est-il respectueux de son conjoint dans sa façon de le traiter et d'en parler à l'enfant ? Traitent-ils les garçons et les filles de manière différente ? C'est tout cela qui fera que le petit garçon sera content d'être un garçon et la petite fille fière d'être une fille.

C'est également à cette époque que les enfants commencent à se poser des questions sur leur origine et sur la naissance. D'où viennent les bébés ? Comment sortent-ils ? Ils sont curieux de cela comme ils sont curieux de tout, sans préjugés. C'est l'éventuel malaise qu'ils vont ressentir à l'énoncé des réponses qui leur fera comprendre que ces sujets ne sont pas « comme les autres ». En fait, les enfants de cet âge se contentent de réponses simples et brèves. Quand ils voudront plus de détails, ils vous en demanderont.

Faut-il parler des abus sexuels ?

Parler aux enfants de l'existence des abus sexuels n'est pas facile, mais c'est le prix à payer pour la prévention. Comment aider l'enfant à faire la part entre le câlin « normal » et celui qui ne l'est plus ? D'abord lui expliquer que personne d'autre que lui n'a le droit de toucher « à ce qui est caché par le maillot de bain » (sauf pour une raison médicale, bien sûr). Ensuite lui apprendre à se méfier de ceux qui lui demandent le secret : un baiser « normal » n'a pas à être caché. Mais il est encore bien tôt.

Toujours plus curieux qu'ils grandissent, les enfants sont très habiles à transformer en jeu chaque moment du quotidien. Ils adorent faire la fête ou préparer des surprises. Ils connaissent aussi les limites qui leur sont données et peuvent, dès deux ans et demi, commencer à s'entendre expliquer les premières règles de politesse.

Éduquer sans contraindre

Un seul anniversaire par an, un seul Noël. Entre-temps ? L'attente, le quotidien, toujours répétitif et pas très rigolo. Le temps semble bien long aux petits enfants, alors que c'est l'inverse pour nous. Les fêtes qui les concernent sont trop rares, trop attendues, trop préparées aussi. Le jour J passe toujours trop vite lorsqu'on l'a attendu des mois.

• Faire **la fête**

Les enfants aiment les fêtes, toutes les fêtes, dès lors qu'elles changent de l'ordinaire. Ils aiment aussi les surprises, en faire comme en recevoir. Mais la répétitivité des emplois du temps, la fatigue lorsque l'on rentre du travail et la force des habitudes ne favorisent pas une ambiance de fête et de gaieté.

À cet égard, ce sont les enfants, avec leurs petits cadeaux, leurs dessins et leur joie de vivre, qui nous montrent l'exemple. Pourquoi ne pas inventer la fête au quotidien ?

La vie comme une fête

Prendre la vie comme une fête, ce n'est pas un surcroît de travail, de coût ou de temps. C'est d'abord un état d'esprit. C'est changer son regard pour s'entraîner à percevoir toutes les petites occasions de surprise, de plaisir ou de complicité partagée avec ses enfants. Les occasions ne manquent pas : l'anniversaire du chat, le premier jour des vacances, l'arrivée du printemps, la visite de grand-mère, une nouvelle dent, les deux ans et demi, etc.

Tous les moments sont bons pour faire la fête. Le soir, il faut peu de temps pour sortir une tarte du congélateur, se déguiser, mettre un ruban autour d'une jolie carte, décorer la table de quelques bougies et emballer trois bonbons dans un papier d'argent. Le dimanche matin, on peut faire du brunch familial une vraie fête qui suit les retrouvailles et les câlins dans le lit parental.

Faire la fête, c'est sortir de l'ordinaire

La fête, pour les enfants, c'est avant tout une ambiance faite de légèreté et des choses qui sortent de l'ordinaire. Vous avez du mal à faire manger votre enfant ? Innovez. Proposez-lui un pique-nique dans le parc, un repas à l'envers qui commence par le dessert, une raclette, une fondue au chocolat où l'on trempe des morceaux de fruits, un repas de crêpes salées et sucrées.

Essayez les repas composés de mets jaunes (maïs, purée, œuf, banane, etc.), blancs (cœur de palmier, riz, blanc de poulet, yaourt, etc.) ou roses (radis, saumon, purée betteraves-pommes de terre, sirop de grenadine, etc.). Pour décorer la table, faites participer l'enfant : il installera une jolie vaisselle en carton, de petites fleurs cueillies dans le jardin et dessinera une carte pour chacun.

Faire la fête, pour les enfants, consiste également à avoir le droit de faire ce qui est normalement interdit. Par exemple sauter sur le lit des parents, avoir la permission de veiller ou manger avec les doigts.

Un autre élément consiste à être quelqu'un d'autre que celui que l'on est habituellement. D'où l'intérêt des enfants pour le maquillage et le déguisement. Un jour, on peut leur donner libre accès à la garde-robe parentale et les laisser se déguiser en « papa et maman » : fou rire garanti. Un dimanche, on peut décider que chacun doit s'habiller en rouge, ou avec les habits d'un autre…

Les idées ne manquent pas

Pour faire du bain une fête ? Offrez à l'enfant une variété de savons de toutes formes et couleurs et laissez-le choisir shampooing, sels de bain ou talc. Vous venez de lui acheter une paire de chaussettes ? Enveloppez-la dans un joli papier et faites-en un petit cadeau. Un copain vient jouer à la maison ? Offrez-lui de dormir là. Votre enfant ne veut pas aller se coucher ? Dressez la tente dans un coin de sa chambre et laissez-le aller y dormir, enfoncé dans son sac de couchage.

Si leurs parents sont ouverts et disponibles, les enfants ne sont jamais en peine d'imagination. Ils aiment préparer et participer, anticipant la surprise des autres et leur propre plaisir. Ces petites fêtes quotidiennes sont surtout du temps où l'on est bien ensemble, du temps sans conflits où l'on pense avant tout à faire plaisir à l'autre.

Inviter des copains

Pour l'enfant, la fête, c'est aussi les premières fois où il peut inviter des copains à venir jouer à la maison. Cela peut se faire de manière spontanée, sans attendre le prétexte d'un anniversaire. Si vous voulez que les choses se passent « facilement », deux ou trois copains suffisent.

La fête, pour les enfants, c'est avant tout une ambiance de légèreté et la possibilité de faire des choses qui sortent de l'ordinaire ou qui sont normalement interdites.

Même si votre enfant est content de les voir arriver, ne comptez pas sur lui pour être un hôte forcément gracieux et poli, qui va les laisser choisir les jeux, emprunter ses jouets et se servir les premiers au goûter. À son âge, c'est tout à fait irréaliste. Attendez-vous plutôt à un comportement « normal » : égocentrique, imprévisible, timide ou au contraire autoritaire, etc. Vous serez plus près de la réalité. Et ne comptez surtout pas pouvoir vous retirer pendant trois heures dans une pièce plus calme de la maison. Vous devez au contraire prévoir de vous rendre un peu disponible…

Jeux de mots et poésie

Jouer avec les mots est l'un des grands plaisirs de l'enfant de cet âge. Mais s'il est naturellement poète aujourd'hui et qu'il ravit toute la famille avec ses inventions verbales, son intérêt pour la voix, les rythmes et les sonorités remonte à sa plus tendre enfance. À cette époque, il était déjà sensible aux mélodies, à la voix chantante et aux bercements qui les accompagnaient. Les comptines ont, depuis, joué un rôle important. Qu'importe que leur sens soit absurde pourvu qu'elles jouent sur des mots amusants et des rimes surprenantes.

L'enfant adore les mots qui caressent l'oreille et le ravissent par leur seule sonorité. Il appelle sa poupée « Marguerite Papillon Volant » ou « Traguidelle Courte Plume », il invente des chansons pour le seul plaisir de jouer avec les mots. Il fait des jeux de mots sans s'en rendre compte et les mélange pour les apprivoiser.

Un sens inné de la poésie

Les enfants sont touchés par la poésie : c'est le moment de leur en lire et d'en composer avec eux. Ils inventent avec leur sensibilité plus qu'avec leur réflexion. Ils n'ont pas besoin de comprendre pour apprécier. Ils savent composer avec des mots à eux et exprimer la musique qui les habite.

La poésie n'est pas pour l'enfant une démarche intellectuelle, mais quelque chose qui touche directement ses sens et son corps. « Et ron et ron petit patapon » évoque facilement le chat qui ronronne. C'est pourquoi tant de comptines s'accompagnent d'une gestuelle appropriée.

Dès les premiers mois où il parle, l'enfant s'amuse à répéter les mots. Il les prononce pour le plaisir de les entendre et les enchaîne pour s'amuser.

Les jeux de mots

Votre enfant a l'âge où il se passionne pour les mots. En ce moment, il acquiert plusieurs nouveaux mots par jour. Les trajets en voiture sont le moment idéal pour jouer ensemble à jongler avec les mots, surtout si vous êtes au volant et lui seul à l'arrière !

Il y a bien sûr tous les jeux qui consistent à chercher des mots qui riment (camion, avion, talon, bâton...) ou qui s'enchaînent (sur le modèle de « marabout – bout de ficelle... »). Mais on peut aussi innover.

Un mot pour un autre »

Atteint soudain d'une maladie étrange, vous allez systématiquement mélanger les mots. Ainsi vous allez dire : « Je mets les assiettes sur le sable », « J'ai un château sur la tête » ou « J'allume la crampe ». Votre enfant doit vous corriger et trouver le bon mot. Après un certain temps, et selon son habileté, on peut inverser les rôles.

S'amuser pendant un **long voyage**

De jour, le problème essentiel pour l'enfant de cet âge est de devoir rester immobile des heures. Vous pouvez l'y aider, à condition de vous y prendre à l'avance. Bien sûr, vous lui aurez permis d'emporter ses jouets favoris et vous aurez choisi ses cassettes de comptines, de chansons et de contes préférées.

Profitez de ce temps où vous êtes « coincés » ensemble pour bavarder, jouer avec votre enfant et l'intéresser à ce qu'il voit. Nombreux sont les jeux de mots, les activités d'éveil et les découvertes qui peuvent être faits lors d'un voyage en voiture. Il serait dommage de se limiter à « Compte toutes les voitures blanches que l'on croise » !

Les notions de situation dans l'espace (au-dessus, à côté, derrière, proche...) peuvent être travaillées avec des questions comme : « Trouve une voiture qui s'éloigne et une qui se rapproche » ; « Est-ce que le camion est devant ou derrière nous ? » ;

« Pose ta poupée entre toi et la portière, puis au milieu du coussin » ; etc.
On peut de la même façon, selon le niveau et les goûts de l'enfant, poser des questions comme : « Quelles sont les couleurs des vaches de ce champ ? » ; « Comment s'appelle le petit de la vache ? » ; « Que donne la vache ? » ; « Que fait-on avec le lait ? » ; « Quel est le contraire de haut ? » ; « Cite un nom de fleur, d'oiseau, d'arbre... », etc.
Toutes ces questions occupent votre enfant. Il est content de jouer avec vous, et vous trouvez en même temps l'occasion de l'intéresser à ce qui l'entoure. Le temps passe plus vite, il apprend à regarder et il accroît son vocabulaire.

La chasse aux émotions

Avant d'embarquer, ajoutez dans la voiture un gros catalogue de vente par correspondance (ou quelques magazines féminins). C'est un peu encombrant, mais quelle source de jeux et d'activités ! Vous pouvez par exemple lui demander de se « promener » dans le catalogue comme dans un magasin imaginaire. Pour remplir son chariot, il doit choisir des vêtements, une housse de couette, etc. Bien sûr, vous discutez ensemble de ses choix.
Dans cet exemple de jeu, « La chasse aux émotions », vous allez aider votre enfant à reconnaître les émotions. Demandez-lui de trouver la photo d'une personne joyeuse, puis d'une personne fatiguée, ou en colère, ou étonnée, etc. À chaque proposition, discutez avec l'enfant pour savoir ce qui l'a fait choisir cette photo plutôt qu'une autre. Profitez-en pour évoquer des situations dans lesquelles lui-même ressent telle ou telle émotion.

Les règles de **politesse**

Pour la grande majorité des parents, la base des règles de politesse, c'est : « bonjour » et « au revoir », « s'il te plaît » et « merci ». Ces quatre petits mots magiques qui témoignent de l'enfant « bien élevé » nous viennent si naturellement, de façon quasi automatique, qu'on a du mal à admettre que les enfants les oublient si souvent. Ce n'est pourtant pas faute de leur répéter : « Dis merci à maman », « Dis au revoir à la dame »... Mais non. Alors qu'ils apprennent tant de choses de façon si facile ! N'y mettraient-ils pas un peu de mauvaise volonté ? Chaque jour, on s'épuise à répéter la même chose et cela semble être totalement en vain : on finit par se poser des questions.

Une longue patience

Rassurez-vous : tous les enfants sont ainsi. La phase d'apprentissage des règles de la politesse dure des années. Des années de répétitions et d'attente des mêmes exigences. Ce n'est que vers l'âge

de six ou sept ans que cet apprentissage commence à porter ses fruits : l'enfant comprend alors à quoi il sert. Mais pour qu'un enfant de sept ans soit poli, ou seulement se tienne correctement, il faut avoir commencé bien avant, autant dire dès la naissance…

Votre enfant n'a pas l'âge de mémoriser les codes sociaux. Il n'en comprend pas l'utilité et n'en ressent pas le besoin. Pourquoi dirait-il bonjour à des gens qu'il ne connaît pas ? Pour dire bonjour à ceux qu'il aime, il dispose d'autres moyens : il crie, il court, il va chercher un jouet pour le montrer, il intègre l'autre dans une activité partagée lors d'une autre rencontre – ce qui est une façon de le reconnaître et d'abolir l'absence. De même, pourquoi dirait-il au revoir alors qu'il n'a pas du tout l'intention de s'en aller ? Lui n'était pas prêt, n'avait pas décidé ce départ. Il n'embrassera pas spontanément s'il est fâché.

Le « s'il te plaît » et le « merci » sont plus rapidement mis en place, même si l'enfant n'en voit pas l'utilité immédiate. Exprimer son besoin lui semble bien suffisant, pourquoi rajouter des petits mots qui ne servent à rien ?

En tant que parents, vous pouvez expliquer, mais n'exigez pas trop. La perfection n'est pas de son âge, aussi est-il inutile de se fâcher si les bonnes habitudes vous semblent longues à acquérir. L'essentiel à ce stade est que l'enfant comprenne qu'il s'agit d'un parcours obligé s'il veut vous faire plaisir ou obtenir ce qu'il veut.

En outre, certaines périodes d'opposition systématique semblent tout remettre en question, même si profondément il n'en est rien. On apprend souvent par hasard que son enfant se comporte de façon plus correcte chez les autres que chez soi – ce qui est plutôt bon signe (les codes sont connus, même s'ils ne sont pas toujours appliqués).

Une attitude cohérente

L'apprentissage de la politesse, si l'on souhaite qu'il aboutisse, se commence très tôt et se poursuit sans relâche. À l'âge de votre enfant, vous pouvez le reprendre s'il ne dit pas « s'il te plaît » ou bien tout simplement l'informer que votre oreille n'entend les requêtes que si elles sont ainsi formulées. Un peu d'humour ne nuit jamais à l'éducation et évite de prendre les oublis au sérieux !

Les punitions ou les menaces sont des réactions excessives dans ce domaine. à un enfant qui ne veut pas dire bonjour et cache son visage dans les jupes de sa mère, on peut dire simplement : « C'est dommage que tu ne dises pas bonjour, ce serait tellement agréable. Mais tant pis, ce sera pour demain. »

Si vous voulez un enfant poli, commencez par être systématiquement poli avec lui. Plutôt que « Viens là », on peut dire : « Tu veux bien venir une minute, s'il te

plaît ?» Il ne faut pas négliger de lui dire bonjour le matin et de lui souhaiter bon appétit lorsqu'il se met à table.
Trop d'adultes, lorsqu'ils rencontrent un enfant accompagné de ses parents, négligent de lui dire bonjour : c'est pourtant là, dans ce respect, que tout commence. Difficile de demander à l'enfant d'être plus poli que soi lorsque l'on boude son conjoint ou qu'on médit sur les voisins !

La politesse n'est pas une idée dépassée

On entend souvent dire qu'à deux ans et demi il est trop tôt pour apprendre la politesse à un enfant. Or, l'apprentissage des règles est une histoire de longue haleine. Elle demande cohérence et suite dans les idées. L'enfant doit clairement savoir ce que vous attendez de lui. Si vous ne voulez pas que les règles de politesse lui apparaissent comme des exigences superflues, il est important de les expliquer et d'en limiter le nombre. Certains parents peuvent penser que la politesse est une chose dépassée ou un code stérile et hypocrite. Pourtant, elle est indispensable pour vivre en société.

Le **climat** éducatif

Le rejet des règles trop rigides d'autrefois a souvent débouché sur des comportements éducatifs laxistes. Alors, au nom du bonheur et de l'épanouissement de l'enfant, on l'a laissé libre de ses comportements. La mode a subi depuis un

Le baiser

Autant je suis favorable au fait d'apprendre aux enfants à dire bonjour et au revoir, autant je suis choquée chaque fois que je vois un enfant contraint à embrasser. Les baisers font plaisir aux adultes bien plus qu'aux enfants. La politesse exige que l'on dise les mots d'accueil et de séparation, mais elle n'impose pas des gestes d'affection que l'on n'éprouve pas. Quel adulte n'a pas le souvenir désagréable de baiser mouillé ou piquant, pris sans être offert ? Le baiser est un signe d'affection qui s'offre spontanément, ce qui exclut qu'il soit exigé ou imposé. Ne disons jamais à un petit enfant, l'air faussement affligé : « Tu ne m'embrasses pas ?» Il le fera pour obéir et agira en désaccord avec son sentiment réel. N'ôtons pas tout son sens à cet élan d'amour...

Chacun sa part des tâches ménagères

Si vous voulez que votre enfant trouve naturel de vous aider dans les tâches de la maison et qu'il s'habitue à en prendre sa part, il est temps de commencer à lui confier quelques responsabilités. Commencez doucement. Votre enfant adore imiter les adultes : profitez-en pour lui demander de faire avec vous plutôt que de faire tout seul.
Montrez-lui que les tâches que vous lui demandez sont un jeu et qu'elles peuvent être faites avec plaisir. Donc ne râlez pas vous-même quand vous accomplirez les vôtres. Demandez-lui enfin des choses raisonnables, qu'il se sent capable de mener à bien.
Vous pouvez lui demander de :

- Ramasser les jouets et les remettre dans leurs boîtes respectives.
- Mettre le linge sale dans le panier ; trier le blanc et les couleurs.
- Arroser les plantes. Rincer la salade. Trier et ranger les couverts propres.
- Essuyer la table avec une éponge. Ramasser les feuilles mortes.

retour de balancier et l'on parle à nouveau d'autorité. Les conseils, comme les modèles, sont confus et incohérents. Si l'on ajoute à cela que, dans les familles où les deux parents travaillent, ceux-ci préfèrent à juste titre passer le temps partagé avec l'enfant à autre chose qu'à se fâcher, on comprend qu'ils aient du mal à se déterminer.

Le climat autoritaire

Dans cette ambiance, les règles et les interdits sont nombreux et clairement signifiés, mais ils ne sont pas expliqués. Les décisions sont prises « au sommet » et ne se discutent pas. La structure est rigide. Si une règle veut que les enfants ne mangent pas de bonbons, cet interdit s'applique en tout lieu et en toutes circonstances. Les heures de repas ou de coucher ne souffrent pas d'exception. On constate que les enfants qui subissent ce type d'ambiance réagissent le plus souvent par l'apathie. Ils ne prennent pas d'initiative et accèdent très difficilement à l'autonomie. Pour certains, les réactions peuvent même prendre la forme de crises soudaines d'agressivité et de révolte.

Le climat de « laisser-faire »

Ici, la structuration est faible. Cela dépend des moments ou de la personne. Un jour on a le droit, mais pas le lendemain, car les circonstances ont changé. Les enfants sont fréquemment livrés à eux-mêmes : on leur fait confiance, attendant d'eux qu'ils trouvent spontanément les bonnes réponses. Les erreurs ne sont pas sanctionnées. Dans ce climat, les enfants sont vite perdus. Ils n'ont pas de points de repère et la plupart en profitent pour exiger beaucoup et deviennent infernaux. Ils cherchent une limite qu'on ne leur indique pas. Il en résulte une anxiété qui se manifeste par une forte agressivité.

Le climat démocratique

La structure de l'éducation est ferme, mais souple ; les règles existent et on veille à ce qu'elles soient appliquées. Mais ces règles sont définies en accord avec les besoins de chacun. Les désirs des enfants sont écoutés et il en est tenu compte, si bien que les règles supportent des exceptions. Par exemple, on peut se coucher plus tard en période de vacances. Les comportements des parents sont stables, mais les règles évoluent avec l'âge des enfants et toutes les décisions qui peuvent l'être sont prises en commun.

Ce climat d'éducation est sans doute le plus efficace. Car c'est celui qui permet le meilleur épanouissement de l'enfant et le bien-être de chacun. Le niveau d'agressivité est minimal. Deux critères viennent encore renforcer ces effets positifs : si les parents sont en accord sur les modalités de l'éducation et s'ils sont tolérants au bruit et au désordre provoqués par l'enfant.

Même la majorité des pères sont aujourd'hui très présents auprès de leur enfant, il reste que beaucoup d'éléments du quotidien sont pris en charge par les mères. Le rôle du père est pourtant fondamental. De même que celui d'autres membres de la famille, comme les grands-parents ou les frères et sœurs…

L'enfant et **sa famille**

On voudrait croire que, la vie moderne et l'évolution des mentalités aidant, les rôles sont devenus interchangeables. Que les pères, tous plus ou moins « nouveaux », nourrissent, promènent, cajolent et baignent leurs enfants au même titre que les mères. Que les mères, de leur côté, partagent avec soulagement tâches parentales et tâches ménagères avec l'homme de leur vie. Qu'en est-il dans les faits ?

La place du **père**

Les femmes comme les hommes sont au travail toute la journée. Or, qui prend des jours de congé pour les maladies de l'enfant ? Qui l'emmène chez le pédiatre ? Qui va l'inscrire à l'école ? Qui se lève la nuit ? Qui lave et repasse ? Qui a la responsabilité concrète et quotidienne de l'intendance et de l'éducation ? La mère, toujours la mère. Le 1 % de couples qui échappe à cette règle a beau faire la une des magazines féminins, il ne suscite pas quantité d'adeptes pour autant.

Quand l'enfant rejette son papa

Il arrive assez fréquemment qu'un enfant de cet âge ne veuille avoir affaire qu'à sa mère. Il se colle contre elle et l'étouffe. Si le père va s'en occuper, pour l'habiller ou le nourrir, il crie : « Non, pas papa, maman ! » Ce qui peine le père et lui laisse penser qu'il n'a pas sa place dans l'éducation du petit.

Pour l'enfant, maman fait tout mieux, les câlins, les tartines ou les nœuds des chaussures. Pourquoi ? Simplement parce qu'il la connaît si bien qu'elle ne perturbe pas sa routine. Leur « couple » est rodé.

Le papa doit absolument persévérer sans croire que ce rejet met en question

l'amour que lui porte son enfant. Les choses s'arrangeront quand il aura lui aussi pris des habitudes avec son enfant.

Un père pour le présent et pour l'avenir

À l'adolescence, il sera trop tard pour espérer nouer des liens qui ne l'ont pas été dans les premières années. L'adolescent n'aura rien à partager avec celui qui n'aura jamais été là ni disponible pour lui. Quant aux cadeaux, aux superbes vacances, ils ne compensent rien, et surtout pas une attention quotidienne et une présence régulière et attentive. Au contraire : très vite, l'enfant les interprète pour ce qu'ils sont, un moyen de se déculpabiliser en remplaçant le temps que l'on ne donne pas par de l'argent que l'on dépense.

Pourtant il serait faux de croire que les pères aiment moins leurs enfants ou s'en désintéressent ; mais voilà : « ils n'ont pas le temps ». À peine si père et enfants se croisent le matin ou le soir, à peine s'ils ont le temps de s'embrasser avant de se quitter. Le temps de transport ajouté au temps de travail rend les échanges très brefs. Le manque de volonté ou d'intérêt pour les très jeunes enfants fait le reste.

Le père ouvre l'enfant au monde en le sortant de la dyade mère-enfant et lui permet de devenir indépendant.

Le trait est grossi volontairement. En fait, la situation d'aujourd'hui est très variable d'une famille à l'autre. Certains pères maternent à temps plein ou à temps partiel. D'autres assument le bain, le jeu, les promenades, occasionnellement ou quotidiennement. Certains, enfin, ne font rien : juste réparer, le dimanche, les jouets cassés. Ils se construisent une carrière et gagnent le pain quotidien : c'est très bien, mais insuffisant pour créer une relation de confiance et d'intimité avec son enfant.

Le père a un rôle unique à jouer

Le travail ne peut tout justifier (les mères aussi travaillent) et il est toujours possible de téléphoner à son enfant et de se réserver une plage horaire pour aller se promener seul avec lui. C'est une banalité de dire que les années perdues ne se rattrapent pas, mais c'est particulièrement vrai dans le domaine de l'éducation.

Si ce livre n'est pas le lieu pour approfondir un tel débat, il est important d'y écrire qu'un père n'est pas seulement un géniteur, ni un compagnon de passage, ni une seconde mère. En reconnaissant son enfant, il s'engage fondamentalement face à lui, plus encore que face à sa compagne. Son rôle face à l'enfant est tout aussi important que celui de la mère et il serait bon que tout le monde (la société en général, mais aussi la mère de l'enfant, et lui-même) lui permette de se donner les moyens de l'assumer. Même si les conséquences de l'absence de l'un ou de l'autre des parents dépendent de beaucoup de facteurs, il en va toujours ici de l'équilibre futur de l'enfant.

Nombreux sont aujourd'hui les parents qui ne partagent pas la vie quotidienne de leurs enfants. On peut, de cette façon aussi, assumer pleinement son rôle de père ou de mère, pour peu que l'on ait à cœur de rester le plus près possible de ses enfants, de leur développement, et de tenir une vraie place dans leur vie.

Être père : une tâche multiple et essentielle

Traditionnellement, le père a toujours été celui qui servait d'intermédiaire entre l'enfant et la société, dans laquelle il l'introduisait progressivement. Entre autres effets fondateurs du psychisme de l'enfant, le père est celui :

- qui l'ouvre au monde en le sortant de la dyade mère-enfant et lui permet de devenir indépendant;
- qui lui offre des stimulations nouvelles, plus excitantes;
- qui fournit un modèle social, sorte de référent et de support qui permet à l'enfant de faire ses choix et de se déterminer;
- qui, par son autorité, le sécurise, renforce son attachement et lui permet de s'opposer sans crainte de détruire;
- qui lui permet l'apprentissage des différences sexuelles et la découverte de son propre sexe : le garçon a un modèle auquel s'identifier, la fille un homme à séduire.

Les **grands-parents**

Aujourd'hui, ils ne correspondent plus à l'image traditionnelle que l'on avait d'eux. Ils sont jeunes, actifs, souvent encore pris par une activité professionnelle. Souvent, ils ne cadrent pas, mais alors pas du tout, avec le rôle vieillot du papi-potager et de la mamie-confiture-et-vieilles-dentelles. Ils veillent souvent à ce qu'on ne les confonde pas avec la baby-sitter de service. Ils ont élevé leurs enfants et considèrent que c'est à vous d'élever les vôtres.

Ceux qui rassemblent

Les sentiments ne sont pas moindres pour autant et rares sont les grands-parents actuels qui ne prennent pas leurs petits-enfants pour une partie des vacances. On constate alors qu'avoir des grands-parents jeunes et dynamiques est une grande chance.

Plus la famille est complète, élargie et soudée à la fois, et plus l'enfant se sent heureux. Plus il côtoie de générations et moins il se sent étouffé. Chacun peut trouver plus de force et se sentir soutenu parce qu'il n'est pas isolé.
Ce rôle de relais et de rassemblement est d'autant plus important aujourd'hui où le taux de divorces est élevé et les familles fréquemment monoparentales ou éclatées. Les grands-parents ont une place très importante dans la permanence qu'ils peuvent offrir : l'enfant y trouve des repères dont la stabilité le rassure profondément.

Ils sont les témoins du passé

Les grands-parents sont les seuls à pouvoir parler aux enfants de leurs parents « quand ils étaient petits », les aidant à reconstituer leur propre histoire et à prendre le sens du temps.
Il est très important pour un enfant de savoir que maman, quand elle était petite, se chamaillait sans cesse avec sa sœur, ou que papa adorait la mousse au chocolat, qu'ils faisaient des bêtises et suçaient leur pouce.
Les enfants comprennent ainsi que leurs parents, si parfaits et exigeant tant de perfection, ont eux-mêmes été des enfants confrontés aux mêmes difficultés et aux mêmes conflits. Devenir adulte est alors une chose accessible.

Ils sont plus disponibles

Face à leurs grands-parents, les petits-enfants sont curieux de tout. Pour eux, grand-père et grand-mère ne sont pas vieux. Ils sont ceux qui ont le temps de les écouter et de leur expliquer le monde. Ils ont davantage de disponibilité, de patience, de recul que leurs parents
Bien sûr, ils gâtent leurs petits-enfants, et cela est parfois source de conflit avec les parents. Mais c'est une grande joie pour les enfants qui se font de merveilleux souvenirs pour l'avenir. Et puis ne sont-ils pas aussi ceux qui prennent le temps de jouer aux petits chevaux, de faire des gaufres ou de fabriquer des habits de poupée ?

Ils permettent de se situer dans le temps

Très jeunes, les enfants sont sensibles à cette mémoire vivante. Elle les aide à comprendre la succession des générations et à se repérer dans le temps. C'est aussi aux grands-parents de dessiner un arbre généalogique simple de la famille et de le garnir des photos de chacun. Cela aide beaucoup les petits à se souvenir que « Tata est la sœur de maman qui est la tante de Sébastien ».
Les enfants apprennent aussi qu'ils sont issus de deux lignées ; c'est pourquoi ils ont quatre grands-parents et non deux,

portant des noms différents et avec des histoires distinctes. Sur l'arbre, ils se voient à la croisée de ces deux lignées.

Savoir gérer les désaccords éventuels

Les vacances chez grand-père et grand-mère sont les plus belles pour un petit enfant. Aussi ne les en privez pas, quels que soient les conflits d'éducation qui vous opposent à eux. Ceux-ci sont parfois nombreux, et c'est vraiment regrettable. Les désaccords qui portent sur l'alimentation ou l'âge de la propreté nuisent à tout le monde, et à l'enfant en premier lieu. Les choses s'arrangent généralement si l'on prend le temps de dialoguer et d'écouter les avis et les arguments de chacun, dans le respect mutuel. Des idées qui ne semblent plus à la mode peuvent néanmoins être empreintes de bon sens et d'expérience.

C'est bien entendu aux parents de faire les choix éducatifs concernant leurs enfants, mais il y a beaucoup à entendre dans ce que disent les grands-parents. Parce qu'ils ont du recul, ils sont moins prisonniers d'un modèle idéal de perfection auquel l'enfant devrait ressembler. Les enfants les sentent plus tolérants, aussi en font-ils souvent les confidents de leurs difficultés.

Laisser les grands-parents, pendant quelques jours, choyer à leur façon leurs petits-enfants et leur donner du temps est le plus beau cadeau que vous puissiez faire aux uns et aux autres. En outre, le temps passé vous soulage ponctuellement de la responsabilité et de l'éducation de vos enfants.

Il est toujours triste de voir des petits-enfants privés de leurs grands-parents (et réciproquement) pour des raisons de désaccord éducatif avec la génération intermédiaire. S'entendre est d'abord une question de respect de la place de chacun. Les grands-parents pour leur âge et leur expérience. Les parents parce que ce sont les parents. Chacun a des droits.

L'entente s'appuie ensuite sur des règles simples. Les modes et les manières de faire ont changé. Pour autant, il est important que la mère n'interfère pas dans la manière dont la grand-mère nourrit et prend soin de l'enfant lorsqu'elle l'a en charge (sauf gros problème bien sûr). Inversement, une grand-mère respectueuse de l'éducation qu'une mère donne à ses enfants et qui s'abstient de toute critique saura certainement mieux se faire apprécier.

• La **naissance** d'un **second**

Un nouveau bonheur s'annonce pour tout le monde, mais aussi des remises en question, des difficultés, une disponibilité qu'il va falloir totale. Comment gérer

tout cela et surtout comment s'y prendre avec l'enfant actuel, qui va devenir l'aîné, pour qu'il ait l'impression d'un surcroît de vie et non d'une privation d'amour ? On voudrait lui épargner les souffrances, les douleurs, les apprentissages trop durs, alors que tout cela fait partie de la vie. Il est difficile aussi, dans ces moments-là, de ne pas se sentir renvoyé à sa propre histoire, à sa propre place dans la fratrie… Avez-vous dû, enfant, vivre l'arrivée au foyer d'un enfant puîné ?

L'annoncer à l'aîné

Beaucoup de parents se demandent à quel moment il faut annoncer à l'enfant la grossesse de sa mère. Ils craignent que, informé trop tôt, les neuf mois à patienter lui paraissent bien longs. Je crois que, malgré tout, il faut dire l'attente du bébé dès que vous en avez la certitude. Pour la raison simple que votre enfant le sait déjà. Non pas précisément avec des mots (encore que… nous ignorons tout de ce sixième sens qu'ont les très jeunes enfants et qu'ils perdent ensuite), mais avec une intuition très sûre.

Votre enfant a senti votre attente, votre joie, vos doutes, un changement d'ambiance ou de caractère, une plus grande fatigue… Ces indices qu'il perçoit clairement risquent de le plonger dans l'anxiété tant qu'il ne saura pas quelle en est la cause. Bien sûr, ces neuf mois seront longs, mais l'enfant, lui aussi, a besoin de temps pour se préparer, même s'il est bien incapable d'imaginer comment sera ce bébé et ce qu'il changera à sa vie.

Associer l'aîné à l'attente

Il faut le dire à votre enfant pour partager cette période avec lui, en tant que membre de la communauté familiale. Associé, il se sent devenir grand et moins tenté par un retour en arrière. Vous avez le temps de lui expliquer que cette grossesse est une décision de ses parents, qu'il n'a pas besoin de désirer ou d'aimer ce frère ou cette sœur, et que votre amour pour lui ne sera pas remis en question.

La souffrance de l'aîné

Même si votre enfant semble avoir souhaité avec vous cette nouvelle naissance, même si vous l'y avez préparé le mieux possible en l'associant à chaque étape, dites-vous bien que malgré tout, il souffrira de jalousie et vivra, à son échelle, une véritable épreuve. Mais une épreuve qui permet de grandir.

Jusqu'ici, il était le centre d'un petit monde qui tournait autour de lui. Encore aujourd'hui, c'était votre « bébé ». Soudain, cette position privilégiée disparaît : tout s'effondre. Ce n'est plus lui que l'on admire, mais ce minuscule bébé. On lui avait promis un camarade de jeu ? Ce bébé ne sait que manger, pleurer et dormir. De plus, il mobilise sa mère vingt-quatre heures par jour.

Des sentiments à « entendre »

Il serait grave que l'aîné se replie sur lui-même au lieu d'exprimer sa détresse et se fixe sur des comportements régressifs. Au contraire, il est plus sain qu'il extériorise ses sentiments : le rôle des parents est alors de l'aider à exprimer ce qu'il ressent et à l'assurer de leur compréhension. Il semble préférable de dire à l'aîné quelque chose comme : « Je comprends très bien que l'arrivée de ce bébé te gêne. Je ne te demande pas de l'aimer, seulement de ne pas lui faire de mal. Car moi je l'aime. Différemment de toi, bien sûr, parce que tu es le seul à être comme tu es, que tu es grand maintenant, que je suis fière de toi. Tu resteras toujours mon aîné. En cela et par tout ce que tu es, tu es unique, et mon amour pour toi est unique lui aussi. »

Il est bon aussi que les parents consacrent du temps à leur enfant aîné seul. Parler avec lui, se montrer calmes et patients, exprimer un amour et un intérêt inchangés sont des comportements parentaux qui aident l'aîné à dépasser l'anxiété dans laquelle il se trouve plongé et que l'on peut exprimer ainsi : « Si ma mère en aime un autre, c'est qu'elle ne m'aime plus, ou du moins plus autant. »

Une possible régression

L'enfant ne comprend pas toujours ce qui, dans le nouveau-né, peut susciter un tel enthousiasme. Alors, à tout hasard, il va se mettre à faire de même et adoptera à nouveau des comportements de bébé qu'il avait abandonnés depuis longtemps.

Une occasion de grandir

Si la souffrance de l'aîné est comprise et acceptée par les parents, cette naissance sera pour lui une occasion importante d'acquérir plus de maturité, de devenir plus responsable et de mettre en place de nouvelles aptitudes.

Certains enfants, par fierté d'être promus grand frère ou grande sœur, en profitent pour devenir propres, faire de gros progrès en langage ou s'autonomiser d'une façon ou d'une autre. On peut d'ailleurs les y inciter en sollicitant leur aide pour s'occuper du bébé, les assurant définitivement d'être dans le camp des grands et non dans celui des petits et des bébés où le plus câliné et admiré des deux est celui qui fait dans ses couches et se réveille la nuit.

Aussi les parents doivent-ils, pendant la grossesse et les premiers mois du bébé, être très attentifs à tout ce que l'enfant pourrait ressentir comme étant un manque d'amour ou comme une éjection d'une place où son puîné le remplace.

Quels que soient les précautions prises et le dialogue que l'on instaure, cette période est difficile pour l'enfant aîné et se déroule rarement dans une sérénité totale.

Un environnement stable

Une erreur commune consiste à « profiter » de la naissance du bébé pour modifier des choses importantes dans la vie de l'aîné, parfois simplement parce que l'on restructure la famille. Ainsi la naissance coïncide avec un déménagement, une entrée à l'école ou à la crèche. Ou bien on demande à l'enfant de laisser son lit, voire sa chambre, au nouveau venu. Ces coïncidences sont maladroites, car l'enfant va rendre le bébé responsable des changements qui lui sont imposés. Il lui en voudra et se sentira malheureux de ce qu'il risque de vivre comme un rejet.

Donner sa place au second

Certains parents, soucieux de protéger l'aîné, en viennent à ne pas donner au second la place à laquelle il a droit et minimisent l'amour qu'ils lui portent. Ces comportements sont dommageables pour les deux enfants. Pour le second, car il a besoin de votre amour autant que son aîné. Pour le premier, car il n'est pas bon de vouloir à tout prix lui épargner les difficultés de l'existence. C'est en les affrontant, avec votre aide, qu'il grandira.

L'enfant **unique**

Nos sociétés modernes, riches et confortables font de moins en moins de place aux enfants. Le taux de natalité baisse et le nombre d'enfants uniques augmente. On a un enfant parce que les pressions sociales et affectives sont très fortes, pour ne pas passer à côté d'une telle expérience, parce que les années passent, parce qu'on en meurt d'envie, etc. Mais on ne se décide pas à en faire un second : l'appartement serait trop petit, la profession ne laisse pas assez de temps, le couple s'est dissous entre-temps, on se trouve comblé avec un seul, etc. Pour les parents, plus d'enfants, c'est plus de soucis, moins d'argent et moins de temps. Mais l'enfant, lui, que vit-il ?

Une situation éducative particulière

Pour bien comprendre et mieux élever un enfant unique, il faut savoir qu'il souffre de trois difficultés que l'on peut résumer ainsi : un trop-tôt, un trop-plein et un trop-vide.

- L'enfant unique est plongé trop tôt dans un univers d'adultes. Pour plusieurs enfants, on prend une baby-sitter lorsque l'on s'absente, mais l'enfant unique suit ses parents partout. Témoin de leur vie, confident de leurs problèmes, adapté à leurs horaires, il grandit souvent trop vite parce qu'il n'est pas baigné dans un monde d'enfants. Plus raisonnable, il est parfois moins gai et porteur de davantage d'angoisses qui ne sont pas les siennes.
- Le « trop-plein » correspond à l'excès de pression dont l'enfant unique est

l'enjeu. Dans les grandes fratries, on attend moins de chaque enfant ; de ce fait, chacun est plus à même de suivre sa propre voie. Mais l'enfant qui porte seul tous les espoirs et les investissements de ses parents subit une pression trop forte. Bien souvent, il n'a pas droit à l'échec, pas le droit d'être différent de l'enfant rêvé de ses parents. Tout aîné est, au départ, porteur des attentes et de l'anxiété parentales, mais les puînés, un jour, allègent ces contraintes. Pas chez l'enfant unique.

- Enfin, le « trop-vide », c'est tout ce que l'enfant unique ne connaîtra jamais. Tout ce dont les frères et sœurs souffrent parfois mais qui finit par former leurs meilleurs souvenirs. Ce qui les rend plus forts et plus aptes à la vie sociale. Avoir eu, quotidiennement, à partager sa chambre, ses poupées, ses crayons, ses billes, ses secrets.

Les parents savent que les enfants uniques ont besoin, pour s'épanouir, de se frotter aux autres enfants de leur âge. Puis ils ont leur chemin à tracer, ni plus ni moins facile, juste différent.

Les **disputes** entre **frères et sœurs**

En ayant un deuxième enfant, puis un troisième, vous aviez peut-être en tête une image idéale de la famille : tout le monde s'entendait bien, se soutenait, l'harmonie était sans faille. Puis vous voilà confronté à des chamailleries ou des disputes qui semblent incessantes, violentes parfois. Vous avez donné à votre aîné un compagnon de jeux et voilà qu'ensemble ils vous rejouent Caïn et Abel ! Vous avez du mal à supporter ces querelles : l'ambiance est tendue et vous souffrez pour vos enfants d'être sans arrêt pris dans des conflits. Auriez-vous oublié votre propre enfance ?

Disons les choses clairement. Les rivalités au sein de la fratrie sont inévitables ; elles en sont même une des composantes principales. Dès la naissance du second, la compétition commence. L'aîné est jaloux du cadet dont on exige moins. Le cadet est jaloux de l'aîné qui a plus de pouvoir et de droits. Finalement, chacun veut pour soi tout seul l'amour parental ou, tout au moins, la plus grosse part. Pour chaque enfant de la fratrie, un enfant de plus signifie spontanément de l'amour, du temps et de l'attention en moins.

Des conflits raisonnables

Il faut en prendre son parti. Dites-vous que, bien gérée, cette rivalité forme le caractère de l'enfant et lui apprend à se défendre dans la société. Elle enseigne aussi le partage, la négociation, la générosité, la vivacité. Après tout, dans la vie, personne n'a « tout » pour lui seul, et il faut bien l'apprendre un jour.

Mais il reste à définir ce qu'est le niveau acceptable de cette rivalité. Et là, je crois que les parents ont une grande part de responsabilité. Selon la façon dont ils vont intervenir ou considérer chaque enfant, ils vont soit encourager involontairement les disputes, soit au contraire apprendre aux enfants à les gérer rapidement puis à les éviter. Selon leur comportement éducatif, ils vont soit attiser la rivalité soit l'atténuer, en facilitant chez leurs enfants de bonnes relations interpersonnelles.

Les comportements qui attisent la rivalité

- Vous êtes convaincu que la vie est un vaste champ de bataille où, à l'issue de bagarres permanentes, ne survivent que les plus forts et les plus aguerris. Aussi vivez-vous les disputes de vos enfants comme un entraînement plutôt efficace, en tout cas indispensable, à ce qui les attend par la suite.
- Vous êtes convaincu que les frères et sœurs doivent absolument s'aimer et se soutenir mutuellement. Toute manifestation d'un sentiment négatif entre eux vous bouleverse et vous semble contre nature. Vous stoppez toute chamaillerie immédiatement pour les « forcer » à s'entendre.
- Vous éprouvez une préférence pour l'un de vos enfants et le faites bénéficier par conséquent d'un traitement de faveur.
- Comme vous les aimez tous de la même façon, vous veillez à leur donner toujours strictement la même chose : le même temps d'attention, la même part de gâteau, le même compte de cadeaux de Noël, etc. Vous pensez que tenir compte de leurs besoins individuels ouvrirait la porte à l'injustice.
- Vous comparez vos enfants afin de donner l'un en modèle, positif ou négatif, à l'autre. Vous prononcez des phrases comme : « Jamais ton frère à ton âge ne m'aurait fait une colère pareille » ; « Elle, à ton âge, elle était déjà propre ! » ; « Regarde comme Paul va se laver gentiment : lui, il n'en fait pas toute une histoire ! » ; « Ta sœur est infernale en voiture, heureusement que toi tu es sage » ; « Toi, au moins, tu ranges tes jouets ! »
- Vous vous en prenez systématiquement à celui qui attaque ou qui frappe (le plus souvent le grand envers le petit). Vous le réprimandez exclusivement, sans vous occuper de l'agressé ni des raisons qui ont poussé l'agresseur à son geste.
- Vous êtes vous-même en rivalité fréquente avec votre conjoint, votre patron, vos voisins, vos enfants, etc. Les tensions et les conflits sont une composante importante de l'ambiance familiale.

Les comportements qui atténuent la rivalité

- Vous vous préoccupez de la question des relations fraternelles dès le plus jeune âge de vos enfants : c'est tout jeunes que vous tentez de leur apprendre à partager, à échanger, à gérer leurs conflits, à se respecter, etc. Vous n'attendez pas qu'ils grandissent, en espérant que les choses s'arrangeront d'elles-mêmes.

- Vous permettez à chaque enfant d'éprouver des sentiments négatifs envers son frère ou sa sœur, voire envers vous. Au besoin, vous l'aidez à les exprimer : « Je vois combien tu es furieux contre ton frère qui vient de renverser ta tour » ; « On dirait que tu m'en veux quand je m'occupe des devoirs de Laure. Tu préférerais sans doute que je passe tout ce temps à jouer avec toi », etc.

Selon la façon dont ils vont intervenir ou considérer chaque enfant dans la fratrie, les parents vont soit encourager involontairement les disputes, soit au contraire apprendre aux enfants à les gérer rapidement puis à les éviter.

- Vous évitez de donner raison à l'un ou l'autre des enfants qui se querellent. Au lieu de cela, vous constatez la situation : « Je vois deux enfants très fâchés l'un contre l'autre ; peut-être devraient-ils se séparer un moment afin de retrouver leur calme… »
- Vous interdisez absolument la violence physique, mais permettez que l'agressivité s'exprime d'une façon qui ne fait de mal à personne, verbalement par exemple. Si deux enfants se battent, vous les séparez. Mais si vous arrivez « après la bagarre » (« Maman, Kévin, il m'a donné un coup de pied ! »), vous ne vous occupez que du bleu sur la jambe et non de réprimander le coupable.
- Vous n'enfermez pas un enfant dans le rôle de l'agresseur, « le méchant », et l'autre dans le rôle de la victime que vous devez protéger. Vous savez que les choses sont toujours plus subtiles que cela et que vous risqueriez ainsi de figer les comportements.
- Vous définissez des règles de conduite que vous veillez à faire systématiquement appliquer. Par exemple : « Chacun ses jouets » ; « Un jouet emprunté doit être rendu » ; « On ne se fait pas mal » ; « On n'entre pas dans la chambre de Marie en son absence » ; etc. À terme, la constance des attitudes parentales paie toujours et les enfants finissent par respecter les règles.
- Vous prenez le temps d'expliquer à vos enfants les avantages du partage et de l'échange. Ils comprendront vite qu'ils ont accès ainsi à deux fois plus d'objets.
- Vous leur expliquez également ce qu'il se passe dans l'esprit de l'autre, l'aidant à se mettre « à sa place ». Pour cela, il

faut, tant que les enfants sont petits, ne pas hésiter à passer du temps avec eux, pour les aider à exprimer leurs conflits et à trouver une solution qui convienne aux deux.

Des fratries diverses

Aujourd'hui, du fait des recompositions familiales, beaucoup d'enfants se retrouvent vivre un jour avec des demi-frères ou des demi-sœurs, voire avec des enfants sans lien de parenté autre qu'affectif. Les âges de ces nouveaux compagnons peuvent être très divers. L'expérience prouve qu'après quelques flottements et ajustements, ce sont des familles aussi unies que toutes les autres. Il n'y a pas de règle concernant l'écart idéal entre deux enfants. Le bon écart est celui qui vous convient en fonction de l'idée que vous vous faites de la famille (ou celui que la vie vous a permis). Alors, si vous vous sentez prêts tous les deux, allez-y !

N'encouragez pas les rapporteurs

Les enfants, tout fiers de connaître les règles, de savoir ce qui se fait et ce qui ne se fait pas, sont heureux de pouvoir dénoncer celui qui ne les respecte pas. Mais gronder le fautif est un piège dans lequel il vaut mieux ne pas tomber, sauf à prendre le risque d'encourager cette attitude. Ce qui augmente la méfiance et la rivalité entre les enfants.

Ne prêtez aucune attention à ce qu'un enfant vous « rapporte » (sauf, bien sûr, s'il s'agit d'une situation dangereuse pour laquelle vous devez intervenir). Le mieux est de ne pas solliciter de tels comportements, ni de confier à un enfant la responsabilité ou la surveillance d'un frère ou d'une sœur à peine plus jeune.

L'inévitable jalousie

Deux enfants, c'est beaucoup d'amour et de jeux à partager, mais c'est aussi une rivalité inévitable. Le grand craint pour ses privilèges et revendique le droit d'aînesse, quitte à l'imposer par la force. Le plus jeune se sent incapable de faire aussi bien que l'aîné et il va trouver d'autres armes pour rivaliser. Les deux se disent que l'autre est le préféré, que sa part de gâteau est plus grosse, que ce n'est pas juste… Mais patience…

Chacun son caractère

Il est important, pour diminuer les rivalités, de respecter l'individualité et la personnalité de chacun des membres de la fratrie. Rien de pire pour eux que d'être traités systématiquement comme un groupe indifférencié : « les enfants », « les filles », « les jumeaux »… Pas étonnant que cela les incite à se faire remarquer.

Vos enfants sont différents et vous donnez à chacun ce dont il a besoin. Ainsi, vous les rassurez sur le fait qu'ils sont uniques pour vous et aimés totalement, tels qu'ils sont. Vous utilisez des phrases comme : « Je sais combien il est pénible pour toi de... », ou « Impatient comme tu es, je comprends que tu aies du mal à attendre ». Chaque enfant se sent spécial à vos yeux et compris par vous. En sécurité affective, il éprouve moins le désir d'écraser le frère ou la sœur rivaux.

Il réclame un **chien**

Tous les enfants, un jour ou l'autre, réclament un chat, un hamster ou un poisson rouge. Mais le chien a toujours leur préférence. Avant de décider, il y a des questions à se poser

- Avez-vous la place nécessaire ? le temps suffisant pour vous en occuper ? une solution pour les vacances ? Un chien sera-t-il heureux chez vous ou bien souffrira-t-il de manque d'espace ou de solitude toute la journée ?
- Il peut être utile également, si la demande de l'enfant est pressante, de se demander pourquoi. Souffre-t-il lui aussi de solitude ? S'ennuie-t-il ? A-t-il du mal à se faire des petits copains ? L'ambiance à la maison n'est-elle pas un peu trop « calme » ? Il est donc fréquent que cette demande d'un animal domestique révèle en fait une autre demande, qu'il est bon de percevoir.

Des droits et des devoirs

Finalement, vous voici décidés. Vous sentez que vous ne pouvez pas faire à votre enfant de plus beau cadeau. En ce sens, vous avez raison. Le chien va lui apporter énormément d'affection et de plaisir. Il va aussi lui apprendre beaucoup : la fidélité en amitié, les droits qu'il a sur l'animal, mais également les devoirs que cela implique.

- Il peut promener son chien, le réveiller, jouer avec lui, le taquiner gentiment. Mais il doit respecter ses besoins de calme et de nourriture, apprendre à connaître son caractère et ses goûts. Il doit le respecter comme un être vivant et non comme un jouet ou un ours en peluche. Il doit également apprendre qu'un animal n'est pas un enfant et ne peut être traité comme tel.
- La demande des enfants uniques doit être particulièrement prise en considération. Souvent l'enfant se sent seul, inadapté au monde d'adultes auquel il est si souvent mêlé. Il manque d'un complice, d'un interlocuteur, qui puisse être un confident à certaines heures, un compagnon de jeux à d'autres. Il manque d'animation, de bruit et de mouvement autour de lui, même s'il peut inviter souvent des petits copains à jouer ou s'il est en collectivité la journée. Tous ces manques, un chien saura à merveille les combler.

L'entrée à l'école est une étape importante dans la vie de l'enfant. Source de fierté, car il a le sentiment qu'il fait son entrée dans le monde des grands, c'est aussi une période difficile et éprouvante tant sur le plan physique qu'émotionnel. Il est donc indispensable de préparer l'enfant à ce changement pour le rendre plus aisé.

Sur le chemin de l'école

On dit habituellement que les enfants qui sont déjà gardés hors de chez eux s'adaptent plus facilement à l'école. Car ils ont pris l'habitude de se séparer de leurs parents le matin et savent bien qu'ils les retrouveront le soir. Mais l'accueil en crèche ou chez l'assistante maternelle est très personnalisé. L'enfant y est encore materné. Même si le choc de la séparation est moins rude, l'entrée à l'école sera malgré tout une épreuve importante.

La préparation à l'**école maternelle**

Préparer son enfant à l'école comprend différents aspects. Le plan médical ne doit pas être négligé. Une visite de contrôle de la vue et de l'audition est indispensable si l'on a le moindre doute. Quant aux vaccins, inutile d'attendre le dernier moment, car les réactions peuvent être désagréables. Rappelons que seul le DTCoq Polio est obligatoire. Mais le BCG et le vaccin contre la rougeole, la rubéole et les oreillons sont vivement recommandés.

C'est plus difficile pour un aîné

Les enfants ayant un aîné déjà scolarisé ont souvent hâte d'en faire autant. Ils sont très motivés pour aller à l'école et faire « comme les grands ». En revanche, un enfant unique dont la mère n'a pas d'activité extérieure ou, plus difficile encore, celui qui laisse un puîné à la maison

seul avec maman risquent de vivre cette rentrée difficilement, comme un rejet ou une manière de se débarrasser d'eux.
Autant le savoir afin de mieux comprendre ce que vit son enfant et mieux le préparer. Par exemple, il est important, dans la mesure du possible, de profiter des mois qui précèdent la rentrée pour le faire garder dans une halte-garderie. Il s'agit d'une étape intermédiaire qui rendra la transition plus douce.

Développer son autonomie

La préparation psychologique prend davantage de temps mais elle est tout aussi importante. Dans les trois mois précédant la rentrée, il faut parler souvent de l'école avec l'enfant, en lui en donnant une image positive, mais néanmoins réaliste.
On peut lui vanter les avantages d'avoir des camarades de jeux qui deviendront vite des petits copains. On peut aussi lui parler des activités, des découvertes, des nouveaux apprentissages dont vous serez fière. Il faut aussi lui décrire son nouvel emploi du temps, lui dire quels jours il ira à l'école, les changements que cela apportera dans sa vie quotidienne et le rassurer sur ses inquiétudes.
L'enfant se sent mieux à la maternelle s'il est autonome. Le préparer, c'est aussi l'aider à devenir vraiment propre le jour et prévoir des vêtements faciles à enlever et à remettre (des pantalons à taille élastique plutôt que des salopettes, des chaussures à « scratch » plutôt qu'à lacets, etc.).

Un compte à rebours

- Un mois ou deux avant la rentrée, puis à nouveau dans les jours qui précèdent, il est essentiel d'emmener l'enfant visiter l'école, découvrir sa salle de classe et faire la connaissance de son institutrice. Le samedi matin est généralement un bon jour : l'enfant peut repérer les lieux tranquillement et les institutrices sont plus disponibles. Grâce à votre présence, il ne se sent pas abandonné dans un espace inconnu.

Cette reconnaissance du lieu contribue beaucoup à le mettre en confiance et à lui donner des repères dans ce nouvel espace scolaire. La vue de tous les jeux présents dans la classe lui donne souvent envie d'aller rapidement les essayer.
Ne négligez pas non plus de vous rendre à la réunion de parents que la directrice organise peu de temps avant la rentrée.

- Dans la semaine qui précède, il est bon de coucher et de lever l'enfant aux horaires qui seront désormais les siens. Ainsi, il aura pris l'habitude, si ce n'est déjà fait, de se coucher plus tôt, de se laver éventuellement le soir et de ne pas trop traîner en prenant son petit déjeuner.

Il est temps aussi d'acheter les marques au nom de l'enfant et de les coudre dans ses vêtements et sur ses doudous.

Enfin, il est bon de prévoir une semaine ou deux de plus grande disponibilité professionnelle, afin que l'enfant puisse s'adapter progressivement à son nouveau milieu sans y faire d'emblée des journées de neuf ou dix heures.

La **première rentrée** scolaire

Mais même si vous avez suivi les conseils exposés pour le trimestre précédent, il est possible que votre enfant, pris par l'ambiance générale, s'accroche à vous lorsque vous l'accompagnerez dans sa classe. Au moment de l'y laisser, son gros chagrin avec de vraies larmes vous laissera au bord du désespoir et vous rongera de culpabilité. Comme toutes les mamans, c'est en courant que vous irez le récupérer le premier midi ou le premier soir. Cette période, pour pénible qu'elle soit, ne durera pas longtemps, une semaine ou deux tout au plus, si vous suivez ces petits conseils qui ont fait leurs preuves.

Une routine agréable et rassurante

- Dès le premier matin, veillez à réveiller l'enfant assez tôt pour ne pas avoir à le brusquer. Ne vous énervez pas et ne lui demandez pas de se dépêcher.
- Faites-lui prendre son petit déjeuner tranquillement ; pensez à ce qu'il aime.
- Habillez-le de vêtements et de chaussures simples à enlever et à remettre.
- Glissez dans sa poche un petit mouchoir où vous verserez quelques gouttes de votre eau de toilette habituelle pour lui rappeler votre présence, ou bien un petit objet qui lui rappelle la maison et qu'il pourra serrer à l'insu de tous. Dans l'autre poche, glissez une confiserie qu'il aura plaisir à trouver lors de la récréation.
- Dans un sac à son nom, placez une tenue de rechange et le doudou qui lui permettra de se consoler ou de s'endormir en confiance à la sieste… Les deux doivent être marqués au nom de l'enfant, de même que le manteau, les chaussures, etc.

Expliquer et rassurer

Expliquez-lui calmement qu'il viendra ici tous les jours, comme vous vous rendez à votre travail, comme tous les grands, et que vous passerez le reprendre après la sieste, ou après le déjeuner (il est bon, pendant quelques jours, de lui donner la possibilité de s'adapter en faisant de petites journées).

- Occupez-vous de votre propre anxiété, que votre enfant perçoit très bien. Si elle vient contredire un discours rassurant, il se dit que vous lui cachez des choses inquiétantes et il a peur.
- Soyez tolérante : l'enfant peut, pendant quelques jours, avoir du mal à dormir ou

à manger, être plus énervé, refaire pipi au lit. Tout cela doit rentrer dans l'ordre rapidement.

Savoir se préparer

Enfin, une fois que vous avez mis votre enfant entre les mains de son institutrice et passé dans la classe un temps raisonnable, sachez lui dire au revoir. Ce qui signifie : ni déposer l'enfant en vitesse et fuir son chagrin, ni profiter de ce qu'il regarde ailleurs, ni dire adieu dix fois et revenir onze fois en arrière. Un baiser tendre, un air calme et convaincu, un mot à l'institutrice, un dernier petit signe de la main en souriant, puis partez.
Tout devrait bien se passer. Si, après quelques semaines, votre enfant pleurait toujours le matin et que l'institutrice vous confirme qu'il semble triste et peu actif toute la journée, il conviendrait d'en chercher les raisons lors d'une consultation psychologique.

Le dur métier de **parent d'élève**

Cette fois, les choses sérieuses commencent. Vous allez vous initier progressivement au dur métier de parent d'élève. Même si vous sous-traitez l'apprentissage et l'animation des journées à l'enseignant de votre enfant, pas question de vous tenir sur la touche. Vous avez un rôle essentiel à tenir pour aider votre enfant à réussir tout au long des années. Cela tient en trois points.

Tenez-vous au courant

Votre enfant a besoin de sentir que vous êtes concernée par l'école et par ce qu'il y vit. Lui ne vous racontera pas grand-chose. Il va falloir aller aux nouvelles. Cela consiste principalement à assister aux réunions de parents organisées à la rentrée, puis une ou deux fois dans l'année, pour connaître la vie de la classe et le projet pédagogique. C'est aussi rencontrer régulièrement l'enseignant pour faire le point et s'assurer que tout va bien. S'intéresser à la vie de la classe et de l'école, c'est aussi feuilleter les cahiers et le carnet de correspondance, régulièrement, et bien lire les annotations. Votre profession vous laisse un peu de temps ? Proposez-vous pour accompagner une sortie de classe. C'est une bonne occasion de nouer des liens avec l'enseignant, de sentir l'ambiance de la classe et de faire connaissance avec les copains. En plus, votre enfant sera ravi. Dernier point important : inscrivez-vous à une association de parents d'élèves. C'est à ces réunions que vous en apprendrez le plus sur la vie de l'école.

Assurez de bonnes habitudes de vie

Les études sont formelles : les enfants qui réussissent ont une vie régulière et dorment bien. Ils ont le temps de se détendre et de jouer. De cela, vous êtes garante. Pas d'agenda de ministre. Une heure de coucher qui tient compte de ses besoins de sommeil. Voilà l'indispensable.

Développez sa confiance en lui

C'est l'atout psychologique. Un enfant réussit mieux s'il a confiance en lui. Pour cela il a besoin de se sentir soutenu. Un beau dessin ? Une notion comprise ? Un progrès ? Ne ménagez pas vos félicitations, montrez votre joie et votre fierté. Il n'arrive pas à faire quelque chose ? Positivez (« Tu es sur le bon chemin, je suis sûre que tu vas y arriver bientôt ! »). Soutenez ses efforts et encouragez-le à progresser.

La **fatigue de l'enfant** à l'école

Dans les semaines ou les mois qui suivent l'entrée de l'enfant à l'école, il est fréquent qu'il subisse le contrecoup sous forme d'une grande fatigue. Les causes en sont diverses :

- L'enfant fait des journées trop longues. Non seulement la journée scolaire démarre souvent trop tôt, mais encore beaucoup d'enfants commencent par l'« accueil » où les parents les déposent encore plus tôt. Ils enchaînent école (bruit, contrôle de soi, agitation, etc.), cantine (le bruit y est parfois assourdissant et donc très fatigant), école, puis à nouveau l'accueil du soir qui s'offre de garder les enfants jusqu'à dix-neuf heures.
- Les rythmes vitaux de l'enfant ne sont pas respectés. Il n'a pas son temps de sommeil. L'alternance des moments d'activité, de concentration et de détente n'est pas respectée.
- Le petit déjeuner est négligé. Dans le stress, l'appétit de l'enfant encore un peu endormi ne peut pas se manifester. À défaut d'une bonne collation autour de dix heures, il aura du mal à tenir sans « coup de pompe » jusqu'à midi.

Ce qu'il faut faire

- En premier lieu, veiller sur son sommeil nocturne, source de toute bonne récupération. Il faut que l'enfant ait son compte de sommeil, donc qu'il se couche et s'endorme de bonne heure. Pour cela, il est préférable que l'ambiance familiale soit calme et la télévision éteinte.
- Ensuite, veiller sur son alimentation. Les cantines offrent trop souvent des menus « pour enfants », à base de féculents, afin de diminuer le taux de refus alimentaire. Les institutrices sont nombreuses à offrir des bonbons aux écoliers (ou eux-mêmes à venir avec des friandises plein les poches). Or, les enfants ont besoin de légumes verts, de crudités, de fruits. À vous de compenser lors des repas pris

à la maison et d'éviter le grignotage qui coupe l'appétit.

Évitez qu'il regarde trop la télévision. Les jeunes enfants de cet âge sont encore incapables de suivre une histoire, encore moins un reportage ou des actualités. En revanche, ils sont facilement fascinés par l'image en mouvement. Mais le bruit, les lumières, la rapidité sont un facteur important de fatigue et de surstimulation, plutôt que de détente.

Si vous devez le mettre devant la télévision, sélectionnez soigneusement le programme que vous lui destinez.

Le jeune enfants sont fascinés par l'image en mouvement. Mais le bruit, les lumières, la rapidité sont un facteur important de fatigue et de surstimulation. Aussi, regarder la télévision après l'école doit être limité dans le temps.

Mais surtout ne le laissez pas finir ses soirées face au poste. Il y a des façons plus harmonieuses et plus paisibles de glisser dans le sommeil.

Respecter leurs besoins

Votre enfant subit une tension forte à l'école. Pour ceux qui avaient l'habitude de courir beaucoup ou de vivre plus ou moins « en liberté », l'exigence de se tenir tranquilles plusieurs heures par jour peut être un vrai challenge. Pas étonnant que la sortie de classe ressemble à la sortie de fauves qui n'auraient pas vu la liberté depuis des lustres. Les enfants ont besoin de crier, de courir, de sauter partout... D'autres, d'un tempérament différent, ont au contraire besoin de se retrouver seuls sans leur chambre, au calme, avec leurs petites affaires, leurs jouets, et de rêver tranquillement sans qu'on les dérange. Il est aussi essentiel de respecter ce besoin.

Les activités extrascolaires

Autre source de surstimulation, d'anxiété et de fatigue : les « heures supplémentaires » que font les enfants hors de l'école lorsque les parents ont hâte de leur apprendre (ou de leur faire apprendre) la natation, trois notes de musique, la poterie ou le respect des bonnes manières.

Halte ! Ne leur préparez pas, déjà, un agenda de ministre ! Rien n'est encore joué dans la course à la réussite. Une fois rentré à la maison, votre enfant a droit au repos, à l'ennui, à « ne rien faire ».

Enfin, lui assurer une hygiène générale de vie la plus saine possible : pas trop de chauffage, pièces aérées, vêtements amples et confortables, moments de détente sans activités particulières, balade dans la nature, partage de loisirs accessibles à tous les membres de la famille, etc.

Les **défauts** de **prononciation**

Certains parents s'inquiètent du fait que leur enfant « avale » certains sons, en change et en échange d'autres (« sa » pour « chat », « pacheau » au lieu de « chapeau ») et en rend beaucoup totalement inintelligibles.
Il est inutile, voire néfaste, de reprendre l'enfant de façon systématique, même avec les meilleures intentions. S'il prononce ainsi, c'est qu'il ne peut, pour l'instant, faire mieux. C'est tout aussi désastreux de se moquer de lui ou de l'imiter en riant.
Il ne faut pas oublier que le langage est un moyen de communication mis au service de l'échange et non du dressage : ce qu'exprime l'enfant est plus important que la façon dont il le dit. Si vous l'interrompez fréquemment pour lui faire répéter un mot mal prononcé, il aura vite l'impression que vous ne vous intéressez pas à ce qu'il vous dit – et il aura raison. Le reprendre sur la forme de ses paroles risque de le décourager durablement sur le fond. Un apprenti en formation est encore fragile et souvent susceptible. Si l'enfant pense qu'il parle « mal », il risque de se détourner de l'envie et du plaisir de s'exprimer librement. Son langage progressera moins et l'on aboutira au résultat inverse de celui recherché.

Une amélioration spontanée

Reprendre sans arrêt un enfant est une attitude qui traduit une méconnaissance de la façon dont il apprend à parler. Corriger les défauts de prononciation d'un enfant qui commence à faire des phrases est totalement inutile et va le décourager.
S'il entend bien, l'écart entre ce qu'il entend et ce qu'il prononce n'est pas une faute que l'on peut corriger, mais une maladresse de la langue, une immaturité du système phonatoire ou une impossibilité temporaire à pouvoir articuler. Rien sur quoi l'enfant puisse agir du jour au lendemain.
Dans la plupart des cas, la prononciation s'améliorera d'elle-même au cours de l'année qui vient, avec l'entraînement et avec la maturation physiologique. Dans le cas contraire, il sera toujours temps, au cours de la cinquième année de l'enfant, de faire réaliser un bilan de langage par un orthophoniste.

L'enfant **gaucher**

Beaucoup de parents, voyant leur enfant se servir fréquemment de sa main gauche pour tenir la cuiller ou le ballon,

La gaucherie : une histoire de famille

Même si la main droite est la main dominante pour la grande majorité de la population, 5 à 10% des enfants se révèlent être des gauchers. La composante héréditaire est évidente. Quand les deux parents sont gauchers, la probabilité que leur enfant le soit aussi s'élève à 50%. Elle est de 17% quand un seul des parents est gaucher. Quand aucun des parents ne l'est, elle chute à 2%.
Enfin, 20% des enfants ne se détermineront jamais pour une main exclusivement utilisée aux dépens de l'autre. Ils resteront plus ou moins ambidextres toute leur vie. Certains utilisent indifféremment l'une ou l'autre main dans tous les cas. D'autres sélectionnent les activités : ils écrivent de la main droite, mais tiennent leur raquette de la main gauche.

se posent la question de savoir s'il est gaucher et s'il convient de contrarier cette tendance. En fait, il n'est pas toujours simple de déterminer à trois ans si un enfant est droitier ou gaucher. La plupart sont encore ambidextres, c'est-à-dire qu'ils se servent des deux mains. Dans certains cas, la main droite sert pour certaines activités et la main gauche pour d'autres. Dans d'autres cas, les deux mains sont employées indifféremment. Il est toujours possible alors de favoriser la prise du crayon dans la main droite, afin de développer une habitude, et de laisser l'enfant libre pour les autres gestes de la vie quotidienne. Cela ne changera rien au fait que le vôtre se révélera gaucher s'il doit l'être.

Comment savoir si l'enfant est gaucher ?

Certains petits tests permettent de détecter un enfant gaucher avant la fin de la maternelle, âge où il va devoir se « décider » pour un côté ou pour l'autre. Généralement, la main dominante est celle qui sera utilisée pour les tâches demandant de la précision : dessiner, poser en équilibre, insérer un morceau de puzzle… Ce critère paraît plus pertinent que celui qui tient simplement compte de la fréquence d'utilisation de telle ou telle main.
D'autres petits exercices témoignent d'une gaucherie qui s'installe dans tout le corps et pas seulement au niveau d'une main dominante sur l'autre :

- On lance un ballon dans les jambes de l'enfant et on voit avec quel pied il le renvoie.
- On demande à l'enfant d'écouter dans le creux de son oreille le bruit d'un coquillage ou d'une montre et on voit quelle oreille il tend.
- Pour l'œil, on lui tend un papier roulé en forme de tube et on lui demande de regarder dedans.

Si c'est un vrai gaucher

Si votre enfant se révèle un vrai gaucher, ne vous acharnez pas à le corriger. Car il n'y a pas de bonne ou de mauvaise main. Si l'enfant est d'une adresse normale, il n'y a aucune raison de contrarier un processus neurologique de latéralisation qui s'installe progressivement. Ces processus sont complexes et fragiles : mieux vaut les respecter. Contrarier un enfant peut, dans certains cas, engendrer des troubles : difficulté de lecture et d'écriture, malaise à se servir de son corps, bégaiement et autres. Pour qu'il soit droitier, on l'a rendu gauche!

L'origine de la gaucherie permet de comprendre pourquoi il faut la respecter. Chez le gaucher, les hémisphères du cerveau ont des fonctions inverses. C'est l'hémisphère droit qui est dominant, et non le gauche. On voit alors que contrarier cette dominance peut entraîner des troubles liés aux apprentissages.

Pourquoi est-on gaucher ? Mystère. Les phénomènes héréditaires jouent certainement un rôle important, mais ils ne sont pas les seuls. On parle aussi de l'influence de l'éducation et de l'environnement, du rôle de l'imitation. Quoi qu'il en soit, si votre enfant se révèle être un « vrai » gaucher, c'est-à-dire que tout le côté gauche est d'une adresse supérieure au côté droit, vous n'avez guère d'autre choix que de le respecter dans sa singularité et de l'aider lorsque les circonstances l'exigeront (au début du primaire notamment).

Quand votre enfant a trois ans, vous n'avez plus de bébé. Sa personnalité s'est stabilisée : il sait qui il est et se repère bien dans son environnement proche. Cet entourage s'est enrichi de « copains » et de relations sociales. En famille, il s'est bagarré pour trouver sa place, n'hésitant pas à entrer dans des rapports de force pour montrer son envie de décider. Maintenant, tout cela s'apaise : il a pris ses habitudes et il applique plus volontiers les règles de la maison.

Si son développement moteur est exceptionnel (il peut faire de la balançoire, du vélo, des puzzles), c'est dans le prolongement des étapes précédentes. En revanche l'apparition du langage change tout. L'enfant prend désormais plaisir à échanger et à discuter, dans des relations bien plus riches et subtiles qu'auparavant. Il tient sa place dans la conversation et ne la lâche plus. Du coup, son agressivité diminue et il gère mieux ses conflits.

Tout cela en fait une petite personne déterminée, au caractère affirmé, aux émotions variées. Un individu autonome, curieux du monde et prêt pour démarrer la grande aventure scolaire.

Jamais l'être humain n'apprend autant et ne change autant que pendant ses trois premières années. Pour votre enfant, une étape de sa vie se termine, qui servira de base à la suivante.

Annexes

Ces informations sont un aide-mémoire assorti de conseils pour prévenir, alerter ou soulager. En cas de doute, prenez toujours et sans tarder l'avis d'un pédiatre ou d'un médecin.

Mémento médical

● Le **suivi** médical

Le choix du médecin qui suivra votre bébé est important car vous serez appelée, les premières années, à le voir souvent et parce que l'instauration d'une relation de confiance est indispensable. Une fois votre choix arrêté, il est préférable de ne pas en changer, sauf difficulté réelle, car un médecin traite toujours mieux un enfant qu'il connaît et dont il a suivi l'évolution.

Le bébé et son médecin

En France, le choix du médecin est libre et peut se porter soit sur un médecin généraliste, qui pourra également être le médecin de toute la famille; soit sur un médecin spécialisé en pédiatrie.
Même si vous avez opté pour le médecin de la consultation du Centre de Protection maternelle et infantile, il est important que vous connaissiez un médecin qui puisse vous recevoir lorsque votre bébé est malade. Votre choix peut se fonder sur les titres du praticien, sur le bouche à oreille ou sur la qualité et la chaleur du contact.

Les points concrets importants dans le choix d'un médecin sont, à mon avis :
- que ce médecin n'habite pas trop loin de votre domicile;
- qu'il donne des rendez-vous (et ne se contente pas de plages horaires de consultations où vous devez attendre deux heures dans une salle avec un bébé fiévreux sur les genoux);
- qu'il soit disponible pour vous répondre et vous conseiller au téléphone;
- qu'il se déplace à domicile en cas de nécessité;
- qu'il prenne le temps de vous écouter et tienne compte de votre point de vue.

Certaines visites médicales sont obligatoires et donnent lieu à l'établissement d'un certificat de santé : avant le 8e jour, au 9e mois et à 2 ans. En fait, il est recommandé de faire examiner son nouveau-né tous les mois pendant les six premiers mois de sa vie, puis tous les trimestres jusqu'à l'âge de 2 ans. Ce rythme peut paraître astreignant mais il est souvent dépassé dans la réalité du fait des multiples petites infections de l'enfant, surtout s'il est en collectivité. Il fait de plus partie d'un processus efficace de prévention.

L'attitude du bébé envers son médecin (et réciproquement) est un élément important du choix. Mais, même s'ils semblent bien s'entendre, il y a une période dans la vie de l'enfant, entre 8 et 20 mois en gros, où l'enfant hurlera à l'approche du médecin, voire dès la salle d'attente. Cela est normal et prouve que l'enfant, qui se souvient du désagrément des visites précédentes et craint les adultes qui ne lui sont pas familiers, réagit sainement.

Le carnet de santé

Le carnet qui vous est remis à la maternité est un document important qu'il ne faut pas négliger de présenter et de remplir à chaque consultation. Outre les informations sur l'accouchement et les jours qui suivent la naissance, il consigne les dates des vaccinations (et fait d'ailleurs figure de document officiel sur cette question), les courbes de croissance de taille, de poids et de périmètre crânien, ainsi que tous les événements médicaux, menus ou graves, qui ont jalonné la vie de l'enfant. Ce document, généralement bien fait et complet, est très utile, notamment chaque fois que votre enfant est amené à consulter un nouveau praticien, ou comme élément de mémoire et de suivi. À l'inverse, sachez que vous n'êtes jamais tenu de le présenter à qui que ce soit si vous estimez qu'il contient des informations que vous ne souhaitez pas communiquer.

Un dernier conseil : n'oubliez pas d'y mettre votre adresse (et de la modifier si vous déménagez), de le recouvrir d'une protection plastifiée (imaginez son état dans dix ans…) et de le ranger dans un endroit où vous êtes sûr de le retrouver rapidement !

La pharmacie familiale

Vous aurez vite l'impression d'être devenu très compétente en maladie infantile et malaises en tous genres. Avoir une pharmacie familiale équipée des produits indispensables ne vous dispense pas de consulter mais vous permet, dans des cas bénins ou urgents, d'intervenir rapidement et de manière appropriée.

Voici une liste, non exhaustive mais minimale, du contenu de votre armoire à pharmacie :

- un thermomètre;
- un paquet de coton hydrophile;
- des compresses stériles;
- des pansements adhésifs;
- un rouleau de sparadrap (type micropore);
- des bandes de gaze;
- du tulle gras ou une crème calmante pour les brûlures;
- une pommade à l'arnica pour les bosses et autres hématomes;
- des petits ciseaux;
- une pince à épiler;
- un antiseptique cutané;
- un tube de vaseline;
- des sachets d'aspirine correspondant à l'âge de l'enfant;
- du Paracétamol sous forme de sirop ou de suppositoires (Efferalgan, Doliprane, etc.);
- un sirop antivomitif;
- un flacon d'éosine, pour cicatriser les érythèmes fessiers ou les plaies;
- un flacon de Valium gouttes à 1 %;
- si vous partez marcher dans la campagne, une seringue antivenimeuse contre les morsures de vipère.

Trois points de sécurité très importants

Il est indispensable de les rappeler car les négligences dans ce domaine pouvant avoir des conséquences très graves.

- L'armoire à pharmacie doit impérativement se situer en hauteur et fermer à clé. Le jeune enfant ne doit en aucune façon pouvoir se servir tout seul dans ce tiroir contenant des « bonbons » de toutes les couleurs et des sirops aux couleurs si engageantes... Ce conseil ne vaut que si vous ne laissez pas, par ailleurs, traîner sur la table de la cuisine les médicaments dont vous-même faites usage régulièrement...
- Vérifier scrupuleusement les dates de péremption des médicaments. Il est nécessaire de les respecter. Il sera toujours, au moins inutile, sinon dangereux, d'administrer à un enfant un médicament dont la date de conservation est dépassée ou qui est ouvert depuis longtemps, ou qui a servi à sa sœur dans un cas semblable... Les médicaments qui restent après un traitement sont à jeter ou à rapporter à la pharmacie. Attention aussi aux collyres, qui doivent être utilisés dans les 15 jours qui suivent l'ouverture. Certains sirops antibiotiques sont vendus sous la forme de poudre à diluer dans de l'eau; ils ne se conservent pas longtemps et doivent généralement être mis au réfrigérateur pendant toute la durée du traitement.
- Le troisième point concerne l'automédication. D'une part les médicaments ne soignent pas tout, d'autre part ils ne sont pas toujours indispensables, et enfin seul un médecin peut faire une prescription efficace. N'employez aucun médicament fréquemment sans en par-

ler à votre médecin. Ne prescrivez jamais un antibiotique de votre propre chef (vous pourriez ainsi masquer une affection plus grave). Lisez attentivement les notices. Demandez conseil au pharmacien. Et, surtout, faites confiance à l'organisme et à la bonne santé naturelle de votre enfant. Il n'est pas un malade en puissance et vous n'avez pas à intervenir à chaque alerte. Soyez attentive, servez-vous de votre jugement, et sachez que l'automédication est toujours porteuse de risques.
En revanche, les remèdes de grand-mère font très souvent la preuve de leur efficacité. Pourquoi ne pas faire à votre enfant une tisane de fleur d'oranger ou de tilleul sucrée s'il a du mal à s'endormir? Une poche de glace sur une bosse vaut souvent une pommade. Un bain tiède aide à faire baisser la fièvre. Une inhalation avec un sirop à base d'eucalyptus et d'essence de pin soulage bien un petit enrhumé. Etc.

L'enfant malade

Les courbes de taille et de poids, si elles sont des sources de renseignements importantes, ne sont qu'une des façons d'appréhender l'évolution de l'enfant et ne doivent pas faire l'objet d'une trop grande polarisation. Il existe bien d'autres indices permettant de voir si le bébé, puis l'enfant, est en bonne santé physique, voire psychologique.

L'enfant est-il en bonne santé?

L'enfant en forme est naturellement gai, énergique, intéressé par son environnement et désireux de communiquer. Il aime jouer et il sourit beaucoup. Les indices physiologiques sont au vert : l'enfant mange bien, dort suffisamment et présente des selles normales. Enfin, il a le regard éveillé et le teint frais.
À l'inverse, tout signe contraire à l'un de ceux-ci doit entraîner la vigilance et, à terme, une consultation médicale. Un enfant qui manque d'appétit ou qui perd du poids, qui dort mal, qui semble morne et triste, ou qui pleure beaucoup, qui a mauvaise mine, est un enfant pour lequel, même en l'absence de tout symptôme précis, il est bon de prendre un avis médical.

Quand faut-il rapidement appeler le médecin?

S'il est très difficile d'apprécier la gravité d'un symptôme chez le jeune enfant, et encore plus chez le bébé, il est néanmoins des cas où une consultation rapide s'impose. Avec un petit, il vaut parfois mieux s'être inquiété à tort que l'inverse, et aucun médecin ne vous le reprochera.
Ces cas sont les suivants :

- une perte de l'appétit soudaine et importante; plus encore : un refus de boisson;
- des vomissements violents et répétés;
- une diarrhée brusque et importante;

- des troubles de la conscience (coma, convulsions...) ;
- des difficultés respiratoires ;
- le bombement de la fontanelle ;
- une température élevée (supérieure à 39 °C).

En cas de doute, si votre médecin habituel est indisponible, quels que soient le jour et l'heure, vous pouvez toujours téléphoner aux numéros de médecine d'urgence. On vous passera un médecin de garde à qui vous exposerez votre problème et qui pourra soit vous rassurer soit décider une visite à domicile.

La fièvre

La fièvre est un symptôme très important qui angoisse beaucoup les parents. Signe que quelque chose d'anormal se passe dans l'organisme de l'enfant, la fièvre est en réalité un moyen naturel de défense du corps contre une infection. Souvent à l'origine d'une infection bénigne qui se manifestera dans les heures ou les jours suivants, une forte fièvre peut être, en elle-même, dangereuse pour un nourrisson. Aussi est-il important pour les parents de savoir comment faire baisser une forte fièvre (supérieure à 38,5 °C ou 39 °C) avant même de montrer l'enfant à un médecin et que celui-ci puisse établir un diagnostic. Encore une fois, la fièvre est un symptôme extrêmement banal, mais du fait de l'immaturité du système de régulation thermique du bébé, elle peut avoir des conséquences très graves. Pour connaître précisément la température de l'enfant, utilisez un thermomètre médical (dont vous aurez enduit l'extrémité de vaseline) que vous laisserez environ une minute dans le rectum de l'enfant au repos. La technique de la main sur le front n'est pas efficace avec les bébés.

Que faire face à une forte fièvre ?

- Découvrir l'enfant et le déshabiller : pas de gilet de laine ni de grosse couverture. Une petite chemise de coton suffit, voire la nudité totale. Si vous avez un ventilateur, faites-le marcher. Votre bébé ne risque pas de tomber malade : il l'est déjà ! En revanche, tout ce qui permettra à la chaleur du corps de se diffuser contribuera à faire baisser la fièvre.
- Lui donner à boire à volonté afin de lutter contre le risque de déshydratation. Des boissons fraîches de préférence : eau, jus de fruits, tisanes, etc.
- Lui donner un bain dont la température de l'eau est à un degré de moins que sa température corporelle et l'y laisser quinze à vingt minutes. Sinon, lui passer sur le corps un gant trempé dans l'eau tiède le rafraîchira également.
- L'envelopper dans des linges fins imbibés d'eau tiède puis essorés.
- Ces moyens sont généralement tout à fait efficaces. Si vous souhaitez de plus

utiliser un médicament antithermique comme l'aspirine ou le Paracétamol, soyez attentive à ne jamais dépasser les doses prescrites qui sont fonction du poids de l'enfant et figurent sur la notice.

Les vaccinations

Les vaccinations sont une forme tout à fait extraordinaire de médecine préventive. Elles consistent à stimuler l'organisme afin que celui-ci fabrique des anticorps qui lui permettront de s'immuniser ou de se défendre contre les germes de telle ou telle maladie. Des rappels sont dans certains cas indispensables pour maintenir actif le mécanisme. Dès qu'un vaccin est fait, demandez au médecin d'inscrire au crayon sur le carnet de santé la date du prochain afin d'être sûre de ne pas la laisser passer.

Certaines vaccinations sont obligatoires : diphtérie-tétanos-polio (DT polio) et BCG (les preuves des vaccinations vous seront demandées pour toute inscription en collectivité). D'autres vaccinations sont facultatives, mais recommandées : la coqueluche, la rougeole, la rubéole, les oreillons. Rassurez-vous : ces vaccins sont regroupés afin de diminuer le nombre des injections nécessaires. Il se peut que l'on vous propose également un vaccin contre l'Haemophilus Influenzae B, responsable de méningites rares mais potentiellement graves.

Calendrier des vaccinations

Diphtérie-tétanos-polio-coqueluche
Première injection dès trois mois, deuxième injection un mois plus tard (quatre mois), troisième injection encore un mois plus tard (cinq mois). Le premier rappel se fait un an plus tard (vers quinze à dix-huit mois), puis un rappel tous les cinq ans est nécessaire.

BCG
Obligatoire à partir de l'âge de six ans, ce vaccin est en fait exigé pour toute entrée de l'enfant en collectivité (crèche, garderie, école maternelle, etc.). Il est donc recommandé de le faire le plus tôt possible après la naissance. Ce vaccin ne nécessite pas de rappel, mais son efficacité est contrôlée tous les ans.

Rougeole-rubéole-oreillons
Ce vaccin est recommandé dès douze ou quinze mois. Il est parfois nécessaire de refaire un vaccin antirubéolique aux filles au moment de la puberté.

● Les **maladies infectieuses** infantiles

On appelle ainsi un certain nombre de maladies contagieuses de l'enfance, virales ou bactériennes. La première atteinte immunise l'enfant, ce qui signifie qu'il ne peut, en général, attraper deux

fois la même maladie. Ces maladies se répandent le plus souvent par épidémies dont il est bien difficile (et pas forcément utile) de protéger l'enfant qui est en collectivité. On appelle période d'incubation la durée pendant laquelle l'enfant a contracté la maladie mais n'a pas encore de symptômes (bien qu'il soit déjà contagieux).

La rougeole

Il s'agit d'une maladie très contagieuse d'origine virale. Traditionnellement fréquente chez les enfants de tous âges, elle a tendance à se raréfier avec la généralisation de la vaccination. L'attraper une fois entraîne une immunité définitive (on ne peut l'attraper plusieurs fois). C'est une maladie le plus souvent bénigne mais très éprouvante, et qui peut entraîner parfois des effets secondaires.

Temps d'incubation : 10 à 15 jours.
Temps de contagion : 5 à 6 jours avant l'éruption, 4 jours après l'éruption.
Symptômes principaux : fièvre élevée pendant plusieurs jours, nez qui coule, yeux qui pleurent, toux constante. La présence du signe de Kiplick permet d'affirmer le diagnostic : il s'agit de petites taches rouges à centre blanchâtre qui se trouvent sur la face interne des joues. Enfin, après trois à cinq jours, survient l'éruption de taches rouges qui, partant du visage, descend le long du corps en un jour ou deux. À ce stade, la température et la toux régressent peu à peu.
Les traitements sont symptomatiques : on soigne la toux, la rhinopharyngite et la conjonctivite. Les complications possibles sont l'otite, la bronchite, la laryngite et, beaucoup plus rarement heureusement, l'encéphalite. Si les symptômes ne disparaissent pas comme prévu, n'hésitez pas à appeler rapidement votre médecin. Cette maladie est très éprouvante pour l'enfant. Aussi est-il vivement recommandé de vacciner l'enfant entre 12 et 16 mois (vaccin Rouvax ou associé à d'autres vaccins). Mais cette vaccination peut également intervenir dès que l'on a connaissance d'une épidémie débutante.

La rubéole

Maladie totalement bénigne chez l'enfant et difficile à diagnostiquer avec précision (elle peut prendre des formes variées), la rubéole n'est dangereuse que si elle est contractée par les femmes enceintes au cours des quatre premiers mois de la grossesse. Il est donc, là aussi, vivement conseillé de vacciner dès la seconde année les enfants : les filles en tant que futures mères, les garçons afin qu'ils ne transmettent pas la maladie. Un rappel peut parfois être nécessaire au début de l'adolescence.
Temps d'incubation : 15 jours.
Symptômes principaux : légère fièvre, petite rhinopharyngite, éruption sur tout le

corps, mais moins intense que dans le cas de la rougeole, augmentation du volume des ganglions lymphatiques.
L'évolution de la maladie est simple et il n'existe pas de traitement curatif. Les complications secondaires sont très rares. Un enfant atteint doit être tenu à distance des femmes enceintes non immunisées : il est donc important de prévenir le personnel de la crèche ou de l'école maternelle de la maladie de l'enfant.

La varicelle

Il s'agit d'une maladie bénigne mais extrêmement contagieuse. Une épidémie de varicelle peut décimer un service de crèche ou une classe de maternelle. Quand un enfant de la famille est atteint, les autres le seront également.

Temps d'incubation : 15 jours.
Temps de contagion : 1 ou 2 jours avant l'apparition des boutons, jusqu'à ce qu'ils soient tous couverts de croûtes (environ 6 jours).
Symptômes principaux : malaise général, petite fièvre, petite rhinopharyngite, éruption sur la peau et les muqueuses de petites vésicules qui se dessécheront pour former de petites croûtes.
Aucun traitement n'est nécessaire pour soigner la varicelle qui passe toute seule en quelques jours. Mais les boutons démangent beaucoup et, si l'enfant se gratte, ils risquent de laisser de petites cicatrices. Des mesures simples consistent à couper les ongles de l'enfant à ras et à réduire les démangeaisons avec des médicaments antihistaminiques que votre médecin vous conseillera.

Les oreillons

Moins contagieux que la varicelle, les oreillons atteignent rarement l'enfant de moins de trois ans. Maladie sans gravité mais néanmoins douloureuse, elle confère une immunité définitive : on ne peut l'attraper qu'une fois. Elle consiste en une infection virale des glandes salivaires.

Temps d'incubation : 3 semaines.
Temps de contagion : de quelques jours avant l'apparition des symptômes jusqu'à 1 semaine après.
Symptômes principaux : léger malaise, douleur dans les oreilles, fièvre inconstante mais parfois élevée, maux de tête, mais surtout difficulté à mâcher et à avaler, gonflement des ganglions situés sous la langue et au-dessous des oreilles.
Les complications sont rares chez le très jeune enfant, mais nécessitent cependant qu'il soit suivi de près par le médecin traitant. Le seul traitement des oreillons consiste à limiter la douleur ressentie, notamment par de l'aspirine. Une compresse chaude sur la gorge tuméfiée peut aussi apporter un soulagement. On ne saurait trop recommander la vaccination des

enfants dès l'âge de 1 an, ainsi que celle des garçons non immunisés lorsqu'ils arrivent à la puberté. Lorsqu'un vaccin bien toléré existe sur le marché, pourquoi prendre le risque de faire souffrir l'enfant en le soumettant à la maladie ?

La coqueluche

Il s'agit d'une maladie très contagieuse qui, toujours pénible, est franchement dangereuse pour le bébé de moins de 1 an. Aussi est-il vivement recommandé :

- de faire vacciner votre bébé dès que possible, même si l'efficacité du vaccin n'est pas parfaite (il atténue toujours la maladie) ;
- de tenir votre bébé éloigné de toute personne atteinte de cette maladie.

En effet, les quintes de toux entraînées par la coqueluche peuvent être asphyxiantes, le petit enfant ne pouvant reprendre son souffle. Les voies respiratoires sont encombrées et cela peut entraîner des arrêts respiratoires. Il convient donc d'être extrêmement vigilant.

Temps d'incubation : 1 à 2 semaines.
Temps de contagion : environ 1 semaine avant l'apparition des symptômes et 4 semaines après.
Symptômes principaux : la coqueluche démarre comme une banale rhinopharyngite sans fièvre, avec écoulement nasal et toux. Progressivement la toux s'aggrave, devient sèche et tenace, et s'exprime en quintes caractéristiques : longues inspirations, secousses expiratoires, reprises en « chant du coq », se terminant parfois par des vomissements.
Les traitements de la coqueluche déclarée ne sont pas très efficaces : on se contente généralement de sédatifs de la toux, et il n'est pas rare que l'on observe quelques rechutes dans les mois qui suivent. L'enfant est très éprouvé par une coqueluche (son entourage également !), il souffre et a du mal à s'alimenter. Quant aux complications, elles peuvent être sérieuses à tout âge. Aussi est-il important de contribuer à l'éradication de cette maladie par la vaccination, même si celle-ci n'est pas obligatoire en France.

La scarlatine

D'origine bactérienne (une variété de streptocoques) et non virale, la scarlatine reste fréquente, même si son incidence et sa gravité sont moindres qu'autrefois. Bien qu'il existe des souches de streptocoques variées, il est rare qu'un enfant attrape deux fois la scarlatine, ce qui explique l'absence de vaccin. Peu contagieuse, elle se répand pourtant couramment, chez les enfants d'âge scolaire surtout.

Temps d'incubation : 3 ou 4 jours.
Temps de contagion : 10 à 15 jours après le début des symptômes.

Symptômes principaux : forte température, irritation de la gorge, gonflement des ganglions, vomissements, éruption sur le tronc, puis sur le visage et les membres, ainsi que sur la langue, donnant à la peau un aspect sec et rugueux. La température baisse en quelques jours, puis la peau desquame finement.
Autrefois grave, la scarlatine n'inquiète plus aujourd'hui, du fait de l'administration d'antibiotiques. Le seul risque consiste dans les formes atténuées qui passent inaperçues et ne sont pas traitées. Mieux vaut donc consulter face à toute éruption. Il est recommandé de faire une analyse d'urine à la fin de la maladie, pour une recherche d'albumine.

Les **problèmes fréquents** chez l'enfant

Amygdales et végétations

Les amygdales sont de petites masses de chair situées sur les faces latérales du pharynx, en arrière de la langue, au croisement de la voie aérienne et de la voie digestive. Le volume des amygdales croît chez le jeune enfant, avant de régresser chez l'adulte. C'est leur infection par un virus ou par une bactérie qui constitue l'angine. Leur fonction est encore assez mal connue, mais on sait maintenant qu'elles participent à la défense contre les infections de la sphère O.R.L. Il est moins fréquent qu'autrefois d'ôter les amygdales d'un enfant et les indications de l'ablation se sont réduites. De plus elle se pratique rarement avant trois ans.
Les végétations, cachées sous la voûte du palais, ont également un rôle de lutte contre les infections. Elles partagent avec les amygdales une tâche de gendarme chargée de la surveillance des voies respiratoires supérieures. Développées chez les jeunes enfants, elles diminuent progressivement de taille et finissent par presque disparaître à l'adolescence. Il arrive que leur volume ou leur envahissement par les microbes soit une gêne, entraînant des infections à répétition (des otites par exemple) ou des difficultés respiratoires. On conseille alors leur ablation, qui peut avoir lieu dès la première année.
L'ablation des amygdales ou des végétations est une opération bénigne, entre des mains expertes et avec une surveillance médicale réelle. Elles permettent souvent de diminuer les infections à répétition. Mais elles se font sous anesthésie générale, ce qui n'est jamais anodin, et sont source de souffrance pour l'enfant. Aussi vaut-il mieux respecter l'avis du médecin s'il déconseille l'intervention et prendre un second avis dans le cas contraire.

Angiomes

Les angiomes sont des taches de naissance dues à la dilatation de minuscules vaisseaux sanguins superficiels. Les angiomes

plans sont très fréquents à la naissance : petites taches rouges au milieu du front, à la nuque ou à la racine des cheveux ; plus foncées lorsque l'enfant crie, elles disparaissent spontanément en quelques mois ou sont cachées sous la chevelure. Les angiomes plans situés sur le reste du corps sont parfois beaucoup plus difficiles à faire disparaître et peuvent nécessiter un traitement chez un dermatologue, mais uniquement quand l'enfant est devenu grand.
Il existe également ce que l'on appelle des angiomes tubéreux, saillants et violacés. Bien qu'après une période d'expansion, ils régressent généralement en quelques années, il est indispensable d'en faire surveiller attentivement l'évolution par un médecin dermatologue.

Brûlures

Elles font partie des accidents très fréquents des enfants. Les occasions de se brûler sont fréquentes : on pose sa main sur la porte du four, on attrape la queue de la casserole et on renverse sur soi le contenu, on joue avec un appareil électrique, on s'approche de la cheminée, etc. Les jeunes enfants n'ont pas conscience de ces dangers et ignorent ce que brûler veut dire. Aussi est-ce le rôle des adultes d'être extrêmement vigilant. Certaines brûlures sont peu graves : au premier ou au second degré superficiel (formation d'une cloque), elles sont peu étendues. Bien que douloureuses, elles passent en quelques jours. D'autres, en revanche, peuvent nécessiter de très longs soins. Soit parce que la brûlure est profonde, soit parce qu'elle est étendue, soit parce qu'elle touche une partie particulièrement sensible du corps.
Si la brûlure est superficielle (simple rougeur ou petite cloque) et peu étendue, vous pouvez la recouvrir de tulle gras (ou d'une compresse enduite de vaseline et recouverte d'un pansement). Cela calmera la douleur. Dès que possible, laissez la brûlure à l'air. Tout enfant victime d'une brûlure plus grave que cela doit être montré à un médecin (ou conduit le plus vite possible à l'hôpital) : lui seul peut juger de la gravité et définir le traitement approprié. Ne mettez rien sur les plaies et n'essayez pas de déshabiller l'enfant : contentez-vous de l'envelopper dans un drap de coton très propre et de le transporter rapidement.
Les coups de soleil peuvent occasionner des brûlures graves, ainsi que d'autres effets secondaires : température, vomissements, etc. Il est impossible de savoir à partir de quel moment la peau de l'enfant commence à brûler. En effet, elle ne deviendra rouge que quelques heures plus tard. Aussi, est-il très important de prévenir efficacement les coups de soleil de l'enfant. Si le soleil est fort, l'enfant ne doit être exposé que très progressivement, quelques minutes seulement les premiers

jours. Il doit impérativement garder un chapeau et, si nécessaire, une chemise. Toutes les parties non couvertes de son corps doivent être enduites d'une crème solaire de type « écran total » (ne vous fiez pas aux indices : ils changent d'une marque à l'autre). Enfin, ne le sortez pas aux heures les plus chaudes de la journée. Si malgré toutes ces précautions votre enfant attrape un coup de soleil important, notamment sur la figure, n'hésitez pas à consulter un médecin.

Caries dentaires

La plaque dentaire, formée de résidus alimentaires, de microbes, de salive, etc., recouvre les dents. Si elle contient beaucoup de sucre, elle peut devenir agressive pour l'émail de la dent en entraînant une sorte de déminéralisation. Les microbes s'en mêlent, provoquant carie, puis abcès et, parfois mais pas toujours, douleur. Les caries peuvent tout à fait toucher les dents de lait, et ce dès l'âge de 18 mois. Ce n'est pas parce que ces dents tomberont qu'elles ne doivent pas être traitées. Au contraire : il faut savoir qu'une carie évolue très vite chez un enfant et doit être prise au sérieux. Plus l'intervention sera rapide, moins elle sera difficile et lourde.

La prévention existe. Elle consiste d'une part à limiter les sucreries dans la journée, surtout hors des repas, et à supprimer totalement le bonbon ou le biberon sucré du soir (celui que l'on suce ou tète pour aider à s'endormir). En second, il faut apprendre à l'enfant à se brosser régulièrement les dents, dès l'âge de 2 ans. Enfin, il est efficace, pour la prévention des caries, de donner du fluor à l'enfant sous forme d'un petit comprimé à sucer chaque jour (de préférence au moment du coucher).

Chutes

Autre accident très fréquent chez le jeune enfant, les chutes peuvent être anodines ou graves, selon les cas. Chez le nourrisson, le risque le plus grand est la chute du haut de la table à langer ou de la chaise haute : assurez-vous de la stabilité de cette dernière et ne laissez jamais un bébé seul sur la première. Chez l'enfant qui commence à marcher et à grimper partout, les chutes sont très fréquentes mais souvent moins graves.

Déterminer la gravité d'une chute

Certains signes imposent une consultation médicale immédiate (médecin ou hôpital) : perte de connaissance, même brève, vomissement, saignement de la bouche, du nez ou des oreilles, impossibilité de bouger un membre ou gonflement de ce membre. Les chutes sur la tête sont les plus inquiétantes et nécessitent une surveillance attentive de l'enfant pendant 48 heures. En revanche

les bosses les plus courantes ne nécessitent aucun traitement particulier. Une compresse froide (un glaçon enveloppé dans un tissu par exemple) stoppe le développement de l'hématome.
Dans le cas des chutes comme pour tous les autres petits incidents ou accidents, la réaction de l'enfant dépendra de celle de son entourage. Aussi est-il très important de garder son sang-froid et de faire preuve d'une relative sérénité. Inutile d'ajouter l'inquiétude à sa douleur.

Conjonctivite

Il s'agit d'une inflammation de l'œil très fréquente chez l'enfant. Elle accompagne notamment fréquemment une rhinopharyngite. Très contagieuse, elle touche souvent l'enfant en collectivité. Les symptômes sont faciles à repérer : l'œil coule, il arrive qu'il suppure et soit collé lors du réveil de l'enfant. La conjonctivite peut être due à un virus ou à un microbe. Dans les premières semaines de la vie, une conjonctivite récidivante peut faire penser que le canal lacrymal est bouché, favorisant l'infection et l'accumulation des larmes. Pour nettoyer l'œil, il suffit de passer doucement un coton imbibé d'eau bouillie tiède (un morceau de coton différent pour chaque œil, glissé du coin interne au coin externe de l'œil). Le médecin, qui doit être consulté, prescrira le plus souvent un collyre à administrer plusieurs fois par jour à l'enfant.

Coup de chaleur

Il survient chez un jeune enfant que l'on a laissé longtemps exposé à une température élevée. L'exemple type est le bébé qui passe un long temps dans une voiture arrêtée au soleil. Les symptômes sont les suivants : température élevée brusquement, mal de tête, parfois vomissements. La conduite à tenir est la même que face à toute forte fièvre : déshabiller l'enfant, le rafraîchir et lui donner à boire. La prévention consiste à éviter de laisser l'enfant exposé longtemps à une chaleur étouffante et à lui donner toujours beaucoup à boire afin d'éviter la déshydratation.

Diarrhée

Caractérisée par des selles plus nombreuses et liquides, la diarrhée des petits enfants est fréquemment causée par une infection d'origine virale (type gastro-entérite) ou une intolérance alimentaire. Si la diarrhée est importante et l'enfant très jeune, ou encore si la diarrhée s'accompagne de vomissements ou de sang dans les selles, il est important de consulter rapidement un médecin. La diarrhée peut être dangereuse pour le jeune enfant, surtout du fait du risque de déshydratation : veillez donc particulièrement à donner beaucoup à boire au bébé.
En attendant la consultation médicale, il est recommandé de mettre toujours en place le régime suivant :

• suppression du lait et des laitages ;
• faire des repas à base de carottes, farine ou bouillies de farine de riz ou bouillons à base d'eau de riz, tapioca ou poudre de caroube, pommes et poires cuites, gelée de coing, banane bien mûre.

Infection urinaire

Fréquente chez les enfants même très jeunes, et plus particulièrement chez les petites filles, l'infection urinaire se traduit parfois par peu de symptômes visibles. L'enfant n'informe pas forcément d'une brûlure ou d'une difficulté à uriner ! Chez l'enfant propre, on constate fréquemment un refus à uriner ou au contraire des demandes très fréquentes. L'autre symptôme fréquent est une fièvre isolée, sans signe de rhinopharyngite, parfois accompagnée d'une stagnation de la courbe de poids et de troubles digestifs. Seule l'analyse d'urine permettra un diagnostic sûr. La cause peut être une autre infection (érythème fessier, infection vaginale, infection intestinale, etc.), mais elle peut également être une lésion anatomique. C'est ce que l'on recherchera par une radio si les infections urinaires se reproduisent. Le traitement se fait par antibiotiques. Des analyses d'urine de contrôle sont nécessaires.

Jaunisse

Lorsqu'elle est appelée « ictère physiologique du nouveau-né », la jaunisse touche le bébé dans les deux ou trois jours qui suivent la naissance. Il s'agit d'un événement tout à fait bénin et qui se résout rapidement. Si la jaunisse est intense (la peau du bébé est plus ou moins jaune), le bébé est l'objet d'une surveillance pendant quelques jours. Sa cause en est l'immaturité du foie du bébé et elle disparaît spontanément en quelques jours, sans que le bébé en soit perturbé.
Chez l'enfant plus grand, la jaunisse est une maladie contagieuse, le plus souvent due au virus de l'hépatite. Elle est fréquente dans l'enfance et bénigne. Les symptômes principaux sont un malaise, une petite fièvre, des vomissements, une douleur au ventre, une perte de l'appétit et une grande fatigue, puis la coloration en jaune du blanc des yeux et de la peau (plus ou moins selon l'intensité de la jaunisse). La maladie dure deux semaines minimum pendant lesquelles l'enfant doit se reposer. Le médecin vous indiquera quel régime alimentaire lui faire suivre et combien de temps le maintenir.

Laryngite

Fréquente chez le jeune enfant, particulièrement l'hiver, la laryngite peut prendre des formes impressionnantes qui inquiètent tant les parents que l'enfant. Le larynx est un tube où transite l'air pour se rendre dans les poumons et joue un rôle essentiel dans la parole (il contient les

cordes vocales). Son inflammation, due à un virus ou à une bactérie, entraîne un rétrécissement qui rend difficile la respiration. L'enfant, sans signe prémonitoire inquiétant (juste une rhinopharyngite banale), se retrouve avec une toux sèche, une voix rauque et une respiration sifflante, comme si l'air ne pouvait plus passer et que cela risquait d'entraîner un étouffement. L'évolution de la laryngite est rapide et le plus souvent bonne, mais elle nécessite une intervention médicale, d'autant plus urgente que l'enfant est jeune et qu'il respire difficilement. En attendant le médecin, il est avant tout important de faire taire son angoisse et de rassurer l'enfant, car l'inquiétude partagée ne fait qu'empirer les choses. Pour faciliter sa respiration, la solution consiste à humidifier l'air qu'il respire. On peut faire une inhalation, mais il semble plus efficace de s'enfermer avec l'enfant dans la salle de bains et de laisser couler l'eau chaude pour créer de la vapeur dans la pièce. Il arrive exceptionnellement que l'état de l'enfant ne s'améliore pas et que le médecin décide d'une hospitalisation, mais le plus souvent la crise cède en deux ou trois heures. Si les récidives sont fréquentes, il est possible de mettre sur pied un traitement préventif.

Muguet

Il s'agit d'une affection qu'il est bon de connaître, car beaucoup de mères se trompent sur les symptômes et tardent à consulter, alors que le bébé est gêné. La cause du muguet est une levure des muqueuses qui provoque de petites lésions blanchâtres à l'intérieur de la bouche. Le bébé a du mal à téter et à déglutir, au point qu'il refuse parfois de s'alimenter. Dans un deuxième temps, le muguet non traité peut gagner tout le tube digestif, entraînant des vomissements, une diarrhée et un érythème fessier important.
Une consultation médicale s'impose rapidement. Les traitements dont on dispose aujourd'hui sont tout à fait efficaces, mais ils nécessitent d'être appliqués avec beaucoup de soin et pendant un temps suffisamment long, afin de prévenir les récidives.

Otite

Il s'agit d'un terme peu précis qui qualifie des inflammations de l'oreille qui peuvent être très diverses. La plus fréquente, l'otite moyenne aiguë ou chronique, survient fréquemment au cours d'une rhinopharyngite. Il arrive que certains enfants ne s'en plaignent pas, mais il faut savoir qu'une otite peut être extrêmement douloureuse. Si l'enfant déjà grand peut manifester qu'il a mal à l'oreille, le plus jeune traduira cette inflammation par de la fièvre, des cris, des troubles du sommeil, de l'alimentation ou de la digestion, ou bien un écoulement de pus dans une oreille. Si ces signes surviennent

lors d'une rhinopharyngite, il est important de consulter afin que le médecin puisse examiner les conduits auditifs de l'enfant.
En attendant de voir le médecin, la douleur peut être soulagée par un antalgique à base d'aspirine ou de Paracétamol, ou par un suppositoire d'anti-inflammatoire (type Nifluril Enfant) si votre médecin lui a déjà prescrit ce médicament. L'otite et ses différents symptômes cèdent rapidement aux antibiotiques. Il arrive également que le médecin propose une paracentèse, qui soulage également rapidement l'enfant.
Si un enfant fait des otites à répétition, ce qui est fréquent en collectivité, on pourra rechercher la présence d'un terrain allergique. On suggérera parfois l'ablation des végétations ou la pose de petits drains (yoyos).

Orgelet

Fréquent chez les enfants, l'orgelet consiste en un bouton de type furoncle qui se situe au bord de la paupière, et se présente comme une infection de la racine d'un cil. La paupière est rouge, gonflée et douloureuse. La plupart des orgelets guérissent tout seuls si l'on prend garde de ne pas y toucher (attention à ce que l'enfant ne porte pas la main à sa paupière). Arracher le cil infecté, lorsque le furoncle est mûr, avec une pince à épiler, peut aider à une résolution plus rapide. N'appliquez ni crème, ni compresse, ni pommade. Seul un médecin pourra vous recommander un traitement approprié si vous êtes inquiète, que la guérison ne survient pas rapidement ou que l'enfant a des orgelets en série.

Piqûres d'insectes

Les piqûres de moustiques, d'aoûtats, d'araignées sont sans risque pour la santé de l'enfant. Les démangeaisons peuvent être importantes et justifient l'emploi de produits répulsifs.
En revanche, les piqûres de guêpe et d'abeille peuvent être dangereuses. Les conséquences biologiques sont très variables selon les individus, de la réaction locale de douleur violente avec formation d'un bouton aux réactions générales sévères (œdèmes, vomissements, chute de tension, etc.). L'abeille laisse son dard planté dans la peau. Il faut le retirer rapidement en grattant ou en l'attrapant avec une pince à épiler, mais jamais en pressant autour de la piqûre, ce qui aurait pour effet d'aider à la diffusion du venin.
L'attitude générale consiste ensuite à désinfecter l'endroit de la piqûre, puis à appliquer du vinaigre ou une solution de bicarbonate de soude sur un mouchoir humide. Un glaçon enveloppé dans un morceau de tissu et pressé sur la piqûre a un effet calmant sur la douleur. Si vous possédez un sirop antiallergique de type

Polaramine ou Primalan, vous pouvez en donner une cuillerée à café à votre enfant. Mais l'essentiel est de surveiller la piqûre afin de pouvoir intervenir rapidement et consulter un médecin si des réactions allergiques importantes survenaient.
Enfin, si la piqûre a eu lieu dans la bouche de l'enfant ou s'il a été piqué plusieurs fois, il peut être indispensable d'appeler immédiatement un médecin ou de se rendre à l'hôpital le plus proche.

Le cas de la morsure de vipère est particulier, car il faut agir très rapidement. L'enfant va vite se sentir mal et le membre mordu va enfler beaucoup et de manière très douloureuse. Le seul traitement est le sérum antivenimeux de l'Institut Pasteur. Il est indispensable de vous munir d'une seringue auto-injectable si vous partez en campagne, mais cette injection sous-cutanée ne vous dispense nullement de vous rendre rapidement chez un médecin ou dans un hôpital. Si vous ne possédez pas de sérum avec vous, allongez l'enfant en lui demandant de ne pas bouger et faites un garrot moyennement serré entre la morsure et le cœur. Faites-lui boire de l'eau et, si possible, du café ou du thé fort. Emmenez-le de toute urgence chez le médecin ou à l'hôpital le plus proche.

Plaies et coupures

Les petites plaies ou coupures que se font les enfants doivent être lavées soigneusement avec du savon (le savon liquide antiseptique ne pique pas) et de l'eau tiède, en prenant soin de retirer toute trace de terre, de sable ou d'impuretés. Appliquez ensuite du mercurochrome, puis protégez la plaie avec un pansement. Dès que possible, laissez la plaie à l'air : elle cicatrisera plus facilement.
Si la plaie de l'enfant est importante, saigne beaucoup, se trouve sur le visage, suppure ou forme une cicatrice douloureuse, consultez rapidement un médecin. N'oubliez pas qu'une plaie qui doit être suturée doit l'être dans les trois heures qui suivent. Les morsures de chien, si elles sont assez profondes pour faire saigner, doivent être soigneusement désinfectées, mais jamais suturées.

Poux

L'invasion de la chevelure des enfants par les poux est une des plaies de la collectivité. Un seul enfant infesté ou mal traité peut suffire à contaminer tous ses camarades de jeu et leurs familles! Vous constaterez que votre enfant a des poux parce qu'il se grattera beaucoup le crâne. En regardant de près, vous trouverez des lentes près de la racine de ses cheveux. Ce sont de petits œufs pondus par les femelles et qui se trouvent accrochés là, au chaud.
Le pharmacien vous fournira tous les produits destinés à se débarrasser des poux : lotions, shampooing, poudre, peigne

fin, etc. Suivez attentivement les modes d'emploi, mais sachez que se débarrasser totalement des poux peut prendre des mois et que les récidives sont fréquentes. Ne négligez pas de traiter simultanément toute la famille et de désinfecter quotidiennement peignes, brosses, oreillers, bonnets, serre-tête ou barrettes.

Rhinopharyngite

Il s'agit de ce qu'on appelle plus communément un rhume, le plus souvent d'origine virale. Très contagieuse, l'infection se répand rapidement dans les collectivités d'enfants. Il est habituel de dire qu'ils doivent faire une quarantaine de rhinopharyngites avant d'avoir développé suffisamment d'anticorps pour s'en protéger.

Les symptômes de la rhinopharyngite sont un écoulement nasal (puis éventuellement un nez bouché, tant que l'enfant ne sait pas se moucher), une rougeur de la gorge et du pharynx et une fièvre parfois élevée pendant deux ou trois jours. Rien de cela n'est grave et passe généralement tout seul en quelques jours, avec l'utilisation d'un antithermique habituel pour faire baisser la fièvre et en aspirant et lavant régulièrement les narines du bébé. La médecine, en effet, ne dispose actuellement d'aucun moyen pour lutter contre ces virus.

Le problème des rhinopharyngites est qu'elles dégénèrent souvent, du fait d'une prolifération microbienne. On assiste alors à des surinfections que l'on devra souvent traiter par des antibiotiques : seul le médecin sera à même de décider de leur utilité.

Les signes qui font penser à une surinfection sont les suivants :

- l'écoulement nasal devient épais et vert ;
- la fièvre persiste après trois jours ;
- une toux quinteuse et grasse apparaît ;
- une douleur d'oreille laisse supposer une otite.

Dans tous ces cas, consultez un médecin.

Toux

La toux n'est pas une maladie mais un symptôme. Elle témoigne qu'il existe une infection des voies respiratoires supérieures, mais celles-ci sont de nombreux types. La toux peut apparaître en association avec d'autres symptômes, comme dans la rhinopharyngite, ou bien être le symptôme principal. Certaines toux sont utiles et productives : en toussant, l'organisme de l'enfant se défend contre les microbes ou élimine le mucus qui occupe l'arrière-gorge, permettant une meilleure circulation de l'air. Il n'est pas recommandé de les supprimer. D'autres toux sont sèches, irritantes, et si fortes la nuit qu'elles empêchent l'enfant (et sa famille…) de dormir. Dans ce cas-là, le médecin peut prescrire un antitussif.

La toux n'est pas en elle-même une raison de consulter en urgence, mais une toux qui dure doit être montrée à un médecin. Lui seul saura ausculter l'enfant, rechercher la cause (souvent allergique ou « nerveuse ») et prescrire le traitement adéquat.

Verrues

Fréquentes chez les enfants, les verrues, dues à une infection virale, sont de plusieurs types. Contagieuses, elles peuvent se trouver sur l'ensemble du corps, mais ont une prédilection pour les mains et la plante des pieds. Certaines verrues sont indolores, d'autres sont sensibles. Certaines vont disparaître seules au bout de quelques mois, quand d'autres ne s'en iront qu'avec des applications d'une pommade salicylée ou d'une brûlure à l'azote liquide effectuée par un dermatologue, qui seule détruira la verrue en profondeur.

Vers intestinaux

Très fréquents chez les enfants d'âge scolaire, ils peuvent être de plusieurs sortes. Ceux que l'on rencontre le plus souvent sont les oxyures, petits vers ronds et blancs de moins d'un centimètre de long. Les traitements sont heureusement rapides et efficaces, mais les récidives sont fréquentes et la transmission facile.
Les symptômes qui peuvent faire soupçonner la présence de vers intestinaux sont divers et pas toujours très simples à interpréter : surtout démangeaison anale (particulièrement le soir) et vulvites à répétition chez la petite fille, mais aussi troubles digestifs, maux de ventre, amaigrissement malgré un bon appétit, petits troubles du sommeil et nervosité.
Les œufs d'oxyures s'ingèrent par voie orale, puis deviennent adultes, s'accouplent dans l'intestin et la femelle pond en bordure de l'anus. L'enfant s'infecte en portant à sa bouche des objets douteux, de la terre ou ses mains sales. Le traitement devra concerner toute la famille et être recommencé après 15 jours ou 3 semaines pour prévenir les récidives. Il doit s'accompagner d'un lavage à haute température des draps, des sous-vêtements et des pyjamas de l'enfant. Une mesure préventive consiste à couper court les ongles de l'enfant (afin que les œufs ne puissent s'y glisser) et à lui laver fréquemment les mains.
C'est un médecin qui pourra définir si votre enfant a effectivement des parasites intestinaux, ce qu'ils sont et quel vermifuge il convient de lui administrer. Une automédication erronée peut se révéler dangereuse.

Vomissements

Les vomissements sont un symptôme et non une maladie. Un vomissement isolé peut être le signe bénin d'un malaise passager, tandis que des vomissements nombreux et importants peuvent, dans certains cas, mettre la vie d'un nourrisson en danger. Rejet violent du contenu de l'estomac, le vomissement ne doit pas être confondu avec les simples régurgitations de lait du bébé après la tétée.

Des vomissements violents, fréquents et précoces peuvent, chez le nouveau-né, faire penser à une sténose du pylore, laquelle nécessite une intervention chirurgicale bénigne. Il peut s'agir plus simplement de la béance du cardia, clapet qui joint l'œsophage et l'estomac, chargé d'empêcher les reflux. Le traitement consiste à protéger l'œsophage de l'enfant de l'acidité des reflux, à prescrire un médicament pour calmer la motilité de l'estomac, à épaissir son alimentation et à le faire dormir sur un plan légèrement incliné. Les choses rentrent dans l'ordre spontanément en 10 ou 12 mois.

Chez l'enfant plus grand, les vomissements occasionnels accompagnent volontiers différentes sortes d'affections : otite, rhinopharyngite ou autre, et n'ont parfois rien à avoir avec des problèmes abdominaux. La consultation peut attendre tant que le vomissement est le seul symptôme. Elle s'impose s'ils sont associés à de la fièvre, une diarrhée, des maux de tête ou des douleurs abdominales, ainsi que s'ils suivent un traumatisme. Elle est d'autant plus urgente que l'enfant est petit.

Les causes des vomissements peuvent être très nombreuses. Seul le médecin pourra démêler les causes infectieuses, gastriques, alimentaires, ou autres.

En attendant de le voir :

- stoppez toute alimentation ;
- donnez à boire à l'enfant à volonté afin d'éviter la déshydratation ;
- si vous en avez, donnez à votre enfant quelques gouttes de Primpéran ou de Vogalène (2 gouttes par kilo de poids, trois ou quatre fois par jour).

Table des matières

Crédits photographiques

Page 4 © Getty / Harald Eisenberger
Page 6/7 © Shutterstock / Johanna Goodyear
Page 8 © Shutterstock / Emiliano Rodriguez
Page 44 © Getty / Marcy Maloy
Page 45 © Getty / Lisa Spindler
Page 50 © Getty / Ericka Mac Connel
Page 81 © Getty / Victoria Snowber
Page 106 © Getty / JJ
Page 115 © Shutterstock / Dimitri
Page 133 © Getty / Emielke ven Wyk – The Pixel Foundry
Page 142 © Getty / Mel Yates
Page 160 © Getty / Larry Gatz
Page 172 © Shutterstock / Rose Hayes
Page 174/175 © Getty / Steve Cole
Page 176 © Getty / Harald Eisenberger
Page 191 © Getty / Roderick Chen
Page 197 © Getty / Éric Audras
Page 214 © Getty / Cammille Tokerud
Page 225 © Getty / Andrea Wyner
Page 25 © Getty / Laurence Monneret
Page 253 © Getty / Stockbyte
Page 260 © Shutterstock / Dimitri
Page 262/263 © Shutterstock / prphoto
Page 264 © Getty / Bob Peterson
Page 291 © Getty / Harald Eisenberger
Page 305 © Getty / Greg Elms
Page 306 © Shutterstock / Michael Drager
Page 325 © Shutterstock / Anita Patterson Peppers
Page 339 © Shutterstock / Michael Drager
Page 348 © Getty / Maria Spann
Page 350/351 © Getty / Jeff Cadge

Maquette : Bénédicte Beaujouan
Mise en page : Nord Compo, Villeneuve d'Ascq

Pour l'éditeur, le principe est d'utiliser des papiers composés de fibres naturelles, renouvelables, recyclables et fabriquées à partir de bois issus des forêts qui adoptent un système d'aménagement durable. En outre, l'éditeur attend de ses fournisseurs qu'il s'inscrivent dans une démarche de certification environnementale reconnue.

Imprimé en France par Mame Imprimeurs à Tours
Dépôt légal : Novembre 2009
ISBN : 978-2-501-05518-5
4043279/04